Las minas del rey Salomón

Título original:
King Solomon's Mines, 1885

Juan Ignacio Luca de Tena, 15. 28027 Madrid

Diseño y cubierta: Gerardo Domínguez
Retrato de autor: Enrique Flores

Primera edición, marzo 2002

ISBN: 84-667-1560-6
Depósito legal: Na. 694/2002
Impreso en RODESA
(Rotativas de Estella S. A.)
Impreso en España - Printed in Spain

Las minas del rey Salomón

Henry Rider Haggard

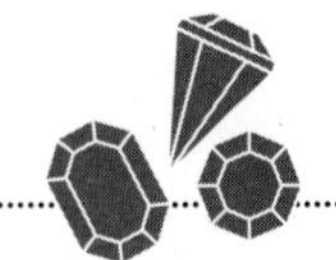

Traducción:
Flora Casas

Presentación y apéndice:
Jesús Urceloy

Ilustración:
Enrique Flores

Presentación

HENRY RIDER HAGGARD

Te prometo que esta introducción será breve. No te la saltes, por favor. El libro que dentro de muy poco vas a leer —tal vez releer— es uno de los dos más hermosos que escribió Henry Rider Haggard, y uno de los mejores libros de aventuras que se han escrito jamás. El otro libro se titula Ella.

Henry pertenece a ese grupo de escritores que a caballo entre los siglos XIX *y el* XX *hicieron de la novela de aventuras, ese bellísimo subgénero, algo grande. Muy grande. Con él, junto a él están Verne, Wallace, Hodgson, Machen, Melville, Doyle, Conrad, Lovecraft y otros muchos. Sin embargo, por Haggard siento una predisposición mayor, un poquito mayor. Tal vez en las pocas líneas que quedan sepa explicarlo.*

Henry nació inglés el 22 de junio de 1856 y nos dejó casi setenta años más tarde en Londres, un día de mayo. Sus padres, William y Ella, tuvieron diez hijos. William era un emprendedor terrateniente y Ella aportaba al matrimonio esa serenidad y ese culto a la belleza, al arte, que hacen a menudo de buen abono en los hijos escritores. Henry no era un robusto mocetón y sus méritos primaban más hacia la fortaleza intelectual que la física. Tampoco fue un buen estudiante, pero sí un magnífico lector. Tras varios fracasos —relativos en realidad— en sus estudios, terminó trabajando en un puesto administrativo en Sudáfrica, concretamente en la región de Natal, en 1875.

África lo determinó para siempre, sus experiencias, sus viajes, los pueblos, las gentes: los paisajes físicos y humanos de los que fue testigo le motivaron hacia el impulso literario seis años después, cuando regresó definitivamente a Londres. Allí, en Inglaterra, se casaría —muy bien, por cierto, ya que su esposa recibió una fabulosa herencia al poco del matrimonio— y aunque ejerció como asesor judicial, destinó la mayor parte de su tiempo a la literatura, en la que pronto triunfó, precisamen-

te con este libro. Escribió muchos más, y cuentos, y poemas, pero —como le ocurriera a Doyle con Sherlock Holmes— con sus personajes Allan Quatermain, por un lado, y Ayesha, por el otro, obtuvo la gloria definitiva.

Allan Quatermain es en realidad Henry. En el cine nos lo han pintado como un tipo valiente, arriesgado, guapetón, rubio..., etc. En verdad se trata de un sujeto más bien bajito, flaco, inteligente, precavido, algo sibilino y buena persona, eso sí. Las minas del rey Salomón *nos coge a Allan casi buscándose la jubilación. Sabe que su profesión, la de cazador de elefantes, es peligrosa y efímera: no se suele alcanzar el lustro. Y él lleva veinte años en el tajo. Además, tiene un hijo en la City por quien mirar. Sir Henry Curtis y John Good, los héroes blancos, y Umbopa, el héroe aborigen, que acompañan a Allan en esta aventura no van en realidad tras los tesoros del mítico rey Salomón, sino... No. Mejor será que lo averigües tú, lector.*

Solo una pista, ya acabo. Fíjate en el paisaje. Haggard ama aquella África en que vivió de joven, y eso se nota. El paisaje respira, el mundo es un ecosistema vivo por sí mismo. Es un personaje poderoso: a veces, fatal, a veces, enternecredor: misterioso a menudo, como cualquier ser humano. Tal vez sea esa la razón por la que prefiero a Haggard. Tal vez...

Jesús URCELOY

Este relato, fiel y sin exageraciones,
de una aventura notable,
es respetuosamente dedicado por el narrador
ALLAN QUATERMAIN
a todos los que lo lean,
grandes y chicos.

Introducción

Ahora que este libro está impreso y a punto de salir al mundo, ejerce sobre mí un enorme peso la conciencia de sus defectos, tanto de estilo como de contenido. En lo referente a este último, solo puedo decir que no pretende ser una relación exhaustiva de todo lo que vimos o hicimos. Hay muchas cosas concernientes a nuestro viaje a Kukuanalandia en las que me hubiese gustado explayarme y a las que, de hecho, apenas aludo. Entre ellas se encuentran curiosas leyendas que recogí sobre las armaduras que nos salvaron de la muerte en la gran batalla de Loo, y también sobre los Silenciosos, o colosos de la entrada de la cueva de estalactitas. Por otra parte, si me hubiera dejado llevar por mis inclinaciones, me habría gustado ahondar en las diferencias, algunas de las cuales me resultan muy sugestivas, entre los dialectos zulú y kukuana. Asimismo, también se habrían podido dedicar unas cuantas páginas de provecho al estudio de la flora y la fauna indígenas de Kukuanalandia.* Pero aún queda un tema muy interesante, por cierto, y al que, de hecho, solo se alude de forma fortuita: el magnífico sistema de organización militar imperante en ese país, que, en mi opinión, es muy superior al

Explayarse: Extenderse, desahogarse.

Estalactita: Concreción pendiente del techo de una caverna formada por infiltraciones que contienen sales calcáreas, silíceas, etcétera.

Zulú: De un pueblo negroafricano que habita en el sudeste de África.

Fortuita: Casual.

* Descubrí ocho variedades de antílopes que desconocía por completo anteriormente y muchas especies nuevas de plantas en su mayor parte pertenecientes a la familia de las bulbosas *(A. Q.)*. [Señalamos con asterisco las notas con que Henry R. Haggard completó el original. En unos casos, como en este, lo hace a través del protagonista de la obra, Allan Quatermain, y en otros, a través del editor de la primera edición de 1885, en cuyo caso se especifica *(N. del E.)*. Las notas numéricas son del editor de la presente edición].

instaurado por Chaka en Zululandia, en cuanto que permite una movilización más rápida, y no precisa del empleo del pernicioso sistema de celibato obligatorio. Y, finalmente, apenas menciono las costumbres domésticas y familiares de los kukuanas, muchas de las cuales son extraordinariamente originales, o su habilidad en el arte de fundir y soldar metales. En esto último alcanzan una considerable perfección, uno de cuyos ejemplos puede apreciarse en las *tollas* o pesados cuchillos arrojadizos; el mango está hecho de hierro batido, y el filo, de un hermoso acero soldado con gran pericia al mango de hierro. Lo cierto es que yo pensé (y lo mismo les ocurrió a sir Henry Curtis y al capitán Good) que el mejor plan era contar la historia de un modo sencillo y franco, y dejar estas cuestiones para más adelante, tratándolas de la forma que nos pareciese deseable. Entre tanto, proporcionaré con mucho gusto cualquier información a mi alcance a quienquiera que se interese por estas cosas.

Pernicioso: Gravemente dañoso y perjudicial.
Celibato: Soltería.
Batido: Percutido, golpeado, martilleado.
Pericia: Destreza, habilidad.
Franco: Llano, sincero.

Y ya solo me resta disculparme por lo burdo de mi modo de escribir. La única excusa que puedo presentar es que estoy más acostumbrado a manejar un rifle que una pluma, y que no puedo aspirar a los altos vuelos y adornos literarios que observo en las novelas (porque a veces me gusta leer una novela). Supongo que son deseables —esos vuelos y adornos—, y lamento no ser capaz de proporcionarlos, pero al mismo tiempo no puedo evitar pensar que las cosas sencillas son siempre las que más impresionan, y que los libros son más fáciles de entender cuando están escritos en un lenguaje sencillo, aunque quizá no tenga derecho a dar mi opinión sobre este tema. Dice un refrán kukuana que «una lanza afilada no necesita brillo», y basándome en el mismo argumento, me atrevo a esperar que una historia verídica, por muy extraña que sea, no necesita el adorno de las bellas palabras.

Restar: Faltar, quedar.
Burdo: Tosco, grosero, basto.
Verídica: Verdadera.

Allan Quatermain

CAPÍTULO 1

Conozco a sir Henry Curtis

Es curioso que a mi edad —cumplí cincuenta y cinco en mi último cumpleaños— me sorprenda tomando la pluma para intentar escribir un relato. ¡Quién sabe qué tipo de relato resultará cuando lo haya escrito, si es que llego al final de la aventura! He hecho muchas cosas en mi vida, que se me antoja muy larga, debido quizá a que empecé muy joven. A una edad en que los otros chicos estaban en el colegio, yo me ganaba la vida como comerciante en la vieja colonia. Desde entonces, he sido comerciante, cazador, soldado y minero. Sin embargo, hace solo ocho meses que me sonrió la fortuna. Es una fortuna cuantiosa —aún no sé a cuánto asciende—, pero no creo que quisiera volver a pasar por los últimos quince o dieciséis meses para obtenerla. No; no lo volvería a hacer aun sabiendo que iba a salir sano y salvo, con fortuna y todo. Pero resulta que soy un hombre tímido, enemigo de la violencia, y estoy verdaderamente harto de aventuras. Me pregunto por qué voy a escribir este libro; no es lo mío. No soy hombre de letras, aunque asiduo lector del Antiguo Testamento y también de las *Ingoldsby legends.* Permítanme exponer mis razones, simplemente para descubrir si las tengo.

Primera razón: porque sir Henry Curtis y el capitán John Good me han pedido que lo haga.

Segunda razón: porque me encuentro aquí, en Durban[1], postrado en la cama con dolores y molestias en

[1] Ciudad y puerto de la República de Sudáfrica, en la provincia de Natal, en el océano Índico.

la pierna izquierda. Desde que me atrapó aquel condenado león, me ocurre con frecuencia, y como en estos momentos el dolor se ha agudizado, cojeo más que nunca. Los dientes de los leones deben de contener algún tipo de veneno, porque, si no, ¿cómo se entiende que, una vez cicatrizadas, las heridas vuelvan a abrirse, generalmente en la misma época del año en que se recibieron? Cuando se han matado sesenta y cinco leones en el transcurso de una vida, como es mi caso, es triste que el león número sesenta y seis te mastique la pierna como si se tratara de un trozo de tabaco. Rompe la rutina de la vida, y dejando a un lado otro tipo de consideraciones, yo soy un hombre de orden y eso no me gusta. Dicho sea entre paréntesis.

Tercera razón: porque quiero que mi hijo Harry, que está en un hospital de Londres estudiando para médico, tenga algo con que divertirse y que le impida hacer travesuras durante una semana o así. El trabajo en un hospital a veces debe de empalagar y hacerse aburrido, porque incluso de hacer picadillo los cadáveres se debe llegar a la saciedad, y como este relato no será aburrido, aunque se le puedan aplicar otros calificativos, llevará un poco de animación a su existencia durante un día o dos, mientras lo lea.

Cuarta y última razón: porque voy a narrar la historia más extraña que conozco. Puede parecer algo singular decir esto, especialmente si se tiene en cuenta que no interviene ninguna mujer, excepto Foulata. Pero, ¡alto!, también está Gagool, caso de que fuera realmente una mujer y no un demonio. Aunque tenía al menos cien años, y por tanto no era casadera, así que no la cuento. En cualquier caso, puedo asegurar que no aparece ni una sola *falda* en todo el relato.

Pero lo mejor será uncirme al yugo. Es un lugar incómodo y me siento como si me encontrase atascado hasta el eje. Bueno, «*sutjes, sutjes*», como dicen los bóers (estoy seguro de que no es así como se escribe), vayamos poco a poco. Una yunta fuerte podrá atra-

Uncir: Atar.

Yugo: Instrumento de madera al cual se uncen las mulas o los bueyes, y en el que va sujeta la lanza del carro, el timón del arado, etcétera.

Bóer: De un grupo de colonos holandeses que se estableció en el África Austral en la segunda mitad del siglo XVII.

vesarlo finalmente, si no es demasiado mala. No se puede hacer nada con malos bueyes. Y, ahora, comencemos.

«Yo, Allan Quatermain, caballero, natural de Durban, Natal[2], declaro bajo juramento que...». Así es como empecé mi declaración ante el magistrado sobre la triste muerte de Khiva y Ventvögel, pero, bien pensado, no me parece la forma más adecuada de empezar un libro. Y además, ¿soy un caballero? ¿Qué es un caballero? No lo sé realmente, y, sin embargo, he tratado con negros...; pero no; voy a tachar la palabra «negros», porque no me gusta. He conocido nativos que lo son, y lo mismo pensarás tú, Harry, hijo mío, antes de acabar este cuento, y también he conocido blancos con montones de dinero y de buena familia que *no lo son.* Pues bien, en cualquier caso, yo soy caballero por nacimiento, aunque durante toda mi vida no haya sido más que un pobre comerciante y cazador nómada. Si he seguido siendo un caballero es algo que no sé; ustedes deben juzgarlo. Dios sabe que lo he intentado. He matado a muchos hombres en mi juventud, pero jamás he asesinado por capricho ni me he manchado las manos con sangre inocente; solo en legítima defensa. El Todopoderoso nos da la vida, y supongo que desea que la defendamos; al menos yo siempre he actuado basándome en esta idea, y espero que no se vuelva contra mí cuando suene mi hora.

Nómada: Que anda vagando sin domicilio fijo.

Pero, ¡ay!, este es un mundo cruel y maligno, y a pesar de ser un hombre tímido, me he visto envuelto en muchas matanzas. No sé si es justo, pero sí puedo afirmar que nunca he robado, aunque una vez estafé a un cafre con un rebaño de vacas, pero es que él me había jugado una mala pasada, y, por añadidura, este asunto me ha preocupado desde entonces.

Cafre: Habitante de la antigua colonia inglesa de Cafrería, en el sudeste de África.

Pues bien, hace aproximadamente dieciocho meses

[2] Provincia de la República de Sudáfrica, entre los montes de los Draghi y el océano Índico.

que conocí a sir Henry Curtis y al capitán Good, lo que ocurrió de la siguiente manera:

Yo había estado cazando elefantes más allá de Bamangwato[3], y había tenido mala suerte. En ese viaje todo salió mal, y, como colofón, sufrí un terrible acceso de fiebres. En cuanto me repuse, me dirigí a los Campos de Diamantes, vendí todo el marfil que tenía, así como el carro y los bueyes, despedí a mis cazadores y tomé la diligencia con destino al Cabo. Después de pasar una semana en Ciudad de El Cabo[4], y, tras descubrir que me habían cobrado de más en el hotel y ver todo lo que había que ver, incluyendo el jardín botánico que, a mi entender, puede proporcionar grandes beneficios al país, y las nuevas casas del Parlamento, sobre las que no opino lo mismo, decidí volver a Natal, en el *Dunkeld*, que por entonces se encontraba en el puerto esperando el *Edinburgh Castle*, que venía de Inglaterra. Tomé un camarote y subí a bordo, y esa tarde transbordaron los pasajeros del *Edinburgh Castle*, levamos anclas y nos hicimos a la mar.

Acceso: Ataque, acometimiento.

Entre los pasajeros que iban a bordo había dos que excitaron mi curiosidad. Uno de ellos, de unos treinta años, era uno de los hombres de pecho más ancho y brazos más largos que jamás he visto. Tenía el pelo rubio, una gran barba igualmente rubia, rasgos bien definidos y grandes ojos grises profundamente hundidos. Nunca he visto a un hombre más apuesto, y, por alguna razón, me recordaba a un antiguo danés, aunque conocí a un danés contemporáneo que me estafó diez libras; pero recuerdo haber visto un cuadro de estas gentes que, en mi opinión, eran una especie de zulúes blancos. Bebían en grandes cuernos, y por la espalda les colgaban largas cabelleras; al ver

Libra esterlina: Unidad monetaria de Gran Bretaña.

[3] Región del centro de Botswana, en África meridional.

[4] El Cabo es la mayor de las cuatro provincias de la República de Sudáfrica, cuya capital es Ciudad de El Cabo, que es también capital de la nación. Esta ciudad se halla al noroeste del cabo de Buena Esperanza, y es el segundo puerto del país después de Durban.

a mi amigo junto a la escalerilla, pensé que con solo dejarse crecer el pelo un poco, ponerse una cota de malla sobre sus grandes hombros, coger una enorme hacha de combate y un cuenco de cuerno, podría servir como modelo para ese cuadro. Y, a propósito, es un hecho curioso, y que demuestra cómo la sangre acaba por manifestarse, que más adelante descubriese que sir Henry Curtis, porque así se llamaba aquel hombre, tenía sangre danesa*. Además, me recordaba profundamente a otra persona, pero entonces no pude recordar de quién se trataba.

Cota: Arma defensiva del cuerpo, usada antiguamente, de cuero y guarnecida de cabezas de clavo y anillos de hierro, o de mallas de hierro entrelazadas.

Malla: Tejido de pequeños eslabones o anillos de metal enlazados entre sí.

El otro hombre que estaba hablando con sir Henry era de baja estatura, corpulento y de piel oscura, y con un aspecto totalmente diferente. Sospeché de inmediato que era un oficial de la Marina. No sé por qué, pero es difícil confundirse con un marino. En el curso de mi vida he realizado expediciones de caza con algunos de ellos, y siempre me han parecido los tipos mejores y más valientes que he conocido, aunque muy dados a utilizar un lenguaje blasfemo.

Una o dos páginas antes me preguntaba qué es un caballero. Ahora contesto a esa pregunta: un oficial de la Marina Real, por regla general, es un caballero, aunque, claro está, puede haber ovejas negras entre ellos desperdigadas aquí y allá. Se me antoja que es el ancho mar y el soplo de esos vientos de Dios lo que limpia sus corazones y aleja la amargura de sus mentes y los hace ser lo que debieran ser los hombres. Pero, volviendo a lo anterior, yo tenía razón una vez más: averigüé que *era* un oficial de la Marina, de treinta y un años, teniente de navío que, tras diecisiete años de carrera, fue expulsado del servicio de Su Majestad con el estéril honor de comandante, porque era imposible ascenderlo. Esto es lo que pueden esperar

Oveja negra: Persona que en una familia o colectividad difiere desfavorablemente de los demás.

Teniente de navío: En la Marina de guerra, empleo equivalente a capitán del Ejército.

* Las ideas de Quatermain acerca de los antiguos daneses parecen un tanto confusas: siempre hemos entendido que eran gentes de cabello oscuro. Es probable que pensase en los sajones *(N. del E.)*.

las personas que sirven a la Reina: ser arrojados al duro mundo para buscarse una nueva ocupación cuando empiezan realmente a comprender su trabajo y se encuentran en la flor de la vida. Bueno, supongo que no les preocupa, pero, por lo que a mí respecta, prefiero ganarme la vida como cazador. Quizá se ande escaso de cuartos, pero al menos no se reciben tantos golpes.

Al consultar la lista de pasajeros, averigüé que se llamaba Good, capitán John Good. Era un hombre ancho, de estatura mediana, piel oscura y corpulento, y resultaba curioso observarlo. Iba impecablemente vestido y afeitado, y siempre llevaba un monóculo en el ojo derecho. Parecía haber crecido allí, porque no estaba sujeto con cordón alguno, y no se lo quitaba nunca, excepto para limpiarlo. Al principio, creí que dormía con él, pero más tarde descubrí que estaba equivocado. Lo guardaba en el bolsillo del pantalón al acostarse, junto a la dentadura postiza, de la que poseía dos preciosos ejemplares, y, como la mía no era muy buena, me hizo infringir más de una vez el décimo mandamiento[5]. Pero me estoy anticipando a los acontecimientos.

Monóculo: Lente para miopes o présbitas, con armadura que permite acercársela a un solo ojo.

Poco después de habernos puesto en camino, cayó la noche, que nos trajo muy mal tiempo. Se levantó en tierra una brisa glacial, y una especie de llovizna irritante alejó pronto de cubierta a todos los pasajeros. Con respecto al *Dunkeld,* era una batea, y al subir, por ser tan ligera, se balanceaba terriblemente. Daba la impresión de que se iba a volcar, pero no ocurrió así. Era prácticamente imposible caminar por el barco, de modo que me quedé junto a la sala de máquinas, donde hacía calor, y me entretuve en mirar el péndulo, que estaba colocado frente a mí; oscilaba lentamente atrás y adelante, a medida que se balanceaba el buque, y marcaba el ángulo que tocaba en cada bandazo.

Batea: Embarcación de borde bajo y fondo plano.

Bandazo: Inclinación violenta de la nave hacia cualquiera de los dos lados.

[5] Es decir, el que prohíbe «codiciar los bienes ajenos».

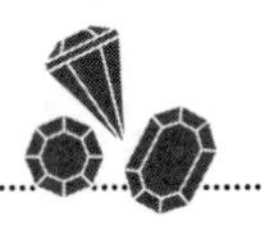

—Ese péndulo está mal, no está bien equilibrado —dijo de pronto una voz a mi espalda, con cierto malhumor. Volví la cabeza y vi al oficial que me había llamado la atención al subir los pasajeros a bordo.

—¿Qué le hace pensar eso? —pregunté.

—¿Pensar eso? Yo no pienso nada. Pues porque —continuó al enderezarse el barco tras un bandazo—, si el barco se hubiese balanceado hasta el grado que señala ese chisme, no habría vuelto a balancearse; eso es todo. Pero es muy propio de estos capitanes de barcos mercantes; siempre son condenadamente descuidados.

En ese momento sonó la campana que anunciaba la cena, y no lo lamenté, porque es espantoso tener que escuchar a un oficial de la Marina Real cuando se adentra en este tema. Solo conozco una cosa peor, y es oír a un capitán de barco mercante expresar su cándida opinión sobre los oficiales de la Marina Real.

Cándida: Sencilla, sin malicia ni doblez.

El capitán Good y yo bajamos a cenar juntos, y nos encontramos a sir Henry Curtis, que ya se había sentado. Él y el capitán Good se sentaron juntos, y yo, frente a ellos. El capitán y yo, de pronto, empezamos a hablar de caza y otros asuntos; él me hacía muchas preguntas y yo las contestaba lo mejor que sabía. Al poco tiempo se puso a hablar de elefantes.

—Ah, señor —dijo una persona sentada junto a mí—, ¡ha dado usted con el hombre perfecto para esto; si hay alguien que sepa de elefantes, ese es el cazador Quatermain.

Sir Henry, que había guardado silencio hasta entonces escuchando nuestra conversación, se sobresaltó visiblemente.

—Dispense, señor —dijo, inclinándose hacia adelante con voz profunda y grave; me pareció una voz muy adecuada para provenir de aquellos grandes pulmones—. Dispénseme, ¿se llama usted Allan Quatermain?

Respondí que así era.

Fornido: Robusto, fuerte, vigoroso.

El fornido caballero no hizo ninguna observación más, pero le oí murmurar la palabra «afortunado» para sus adentros.

Terminó la cena y, al abandonar el salón, sir Henry se acercó a mí y me invitó a entrar en su camarote a fumar una pipa. Acepté y me llevó al camarote de cubierta del *Dunkeld,* que era un camarote excelente. Antes eran dos camarotes, pero, cuando sir Garnet o uno de esos peces gordos recorrió la costa en el *Dunkeld,* derribaron el tabique de separación y no volvieron a colocarlo. Había un sofá y, enfrente, una pequeña mesa. Sir Henry envió al mayordomo a por una botella de whisky, y los tres nos sentamos y encendimos las pipas.

Cubierta: Cada uno de los pisos de un navío y especialmente el superior.

Pez gordo: Persona de mucha importancia o muy acaudalada.

—Señor Quatermain —dijo sir Henry Curtis cuando el mayordomo hubo traído el whisky y encendido la lámpara—, hace dos años, por estas fechas, usted se encontraba, según tengo entendido, en un lugar llamado Bamangwato, al norte del Transvaal[6].

—En efecto —le respondí, sorprendido de que aquel caballero estuviese tan enterado de mis movimientos, que no se consideraban, al menos que yo supiera, de interés general.

—Estuvo comerciando allí, ¿no es cierto? —intervino el capitán Good, de la forma rápida que le caracterizaba.

—Así es. Compré un carro lleno de mercancías, acampé fuera del pueblo y me quedé allí hasta que las vendí.

Sir Henry estaba sentado frente a mí en una silla de Madeira[7], con los brazos apoyados sobre la mesa.

[6] Provincia septentrional de la República de Sudáfrica, limitada al Norte por Zimbabwe, al Oeste por Botswana, al Este por Mozambique y al Sur por Natal y el estado libre de Orange. Su capital es Pretoria.

[7] Archipiélago del Atlántico, perteneciente a Portugal, 454 km al nordeste de la costa africana, al norte de las islas Canarias, constituido por dos islas grandes, Madeira y Porto Santo, y un grupo de islas más pequeñas (Selvagens, Deserta, etc.). Su Capital es Funchal, en la isla de Madeira.

Alzó la vista, clavándome sus grandes ojos grises. Pensé que había en ellos una curiosa ansiedad.

—¿No conocería allí, por casualidad, a un hombre llamado Neville?

—Pues sí; acampó conmigo durante quince días para dar descanso a sus bueyes antes de dirigirse hacia el interior. Hace unos meses recibí una carta de un abogado en la que me preguntaba si sabía qué había sido de él, a la que contesté lo mejor que supe.

—Si —dijo sir Henry—, me remitieron su carta. Decía en ella que el caballero llamado Neville salió de Bamangwato a principios de mayo, en un carro, con un conductor, un sirviente y un cazador cafre llamado Jim, tras anunciar su intención de llegar, si le era posible, hasta Inyati, donde vendería el carro y seguiría viaje a pie. También decía que vendió el carro, porque usted la vio seis meses después en posesión de un comerciante portugués, quien le dijo que la había comprado en Inyati a un hombre blanco cuyo nombre había olvidado, y que, según creía, el hombre blanco había iniciado una expedición de caza por el interior con un sirviente nativo.

—Sí.

Se hizo el silencio.

—Señor Quatermain —dijo sir Henry de pronto—, supongo que no conoce ni puede adivinar las razones del viaje de mi..., del señor Neville hacia el Norte, ni a qué lugar se dirigía.

—Algo oí decir —contesté, y me detuve.

Era un tema que no me interesaba discutir.

Sir Henry y el capitán Good se miraron, y el capitán Good asintió.

—Señor Quatermain —dijo el primero—, voy a contarle una historia y a pedirle consejo, y quizá ayuda. El agente que me remitió su carta me dijo que podía confiar sin reservas en ella, puesto que usted era, según me dijo, «muy conocido y respetado en Natal, y que se destacaba por su discreción».

Incliné la cabeza y bebí un poco de whisky con agua para ocultar mi confusión, porque soy un hombre modesto, y sir Henry continuó hablando.

—El señor Neville era mi hermano.

—Ah —exclamé, sorprendido, al comprender a quién me había recordado sir Henry al verlo por primera vez. Su hermano era un hombre mucho más pequeño y tenía la barba oscura, pero, pensándolo bien, poseía unos ojos con el mismo tono gris y con la misma mirada penetrante, y los rasgos no eran muy diferentes.

—Era —prosiguió sir Henry— mi único hermano, más joven que yo, y, hasta hace cinco años, no creo que estuviéramos separados durante más de un mes. Pero hace unos cinco años nos sobrevino una desgracia, como ocurre a veces en las familias. Nos peleamos ferozmente, y yo me comporté muy injustamente con mi hermano, llevado por la ira.

Al llegar a este punto, el capitán Good asintió con la cabeza vigorosamente. Entonces el barco dio un fuerte bandazo, con lo que el espejo que estaba colocado frente a nosotros, mirando hacia estribor, quedó por un momento casi por encima de nuestras cabezas, y como yo estaba sentado con las manos metidas en los bolsillos y mirando hacia arriba, lo vi asentir como un loco.

—Quizá sepa usted —prosiguió sir Henry— que, si un hombre muere sin hacer testamento y no tiene otras propiedades que sus tierras, que en Inglaterra se llaman bienes raíces, todo va a parar a su hijo mayor. Sucede que, en la época en que nos peleamos mi hermano y yo, nuestro padre murió sin haber testado. Retrasó el hacer testamento hasta que fue demasiado tarde. El resultado fue que mi hermano, que no se había preparado para ejercer ninguna profesión, quedó sin un solo penique. Por supuesto, mi deber habría sido mantenerlo, pero por entonces nuestro enfado era tan terrible, y lo digo con vergüenza —sus-

Estribor: Costado derecho del navío mirando de popa a proa.

Testamento: Declaración que hace una persona de su última voluntad, disponiendo de sus bienes y asuntos para después de su muerte.

Bienes raíces: Las tierras, edificios, adornos, artefactos o derechos a los cuales atribuye la ley consideración de inmuebles.

Testar: Hacer testamento.

Penique: Moneda inglesa de cobre, centésima parte de la libra; antes, duodécima parte del chelín.

piró profundamente—, que no me ofrecí a hacer nada. No es que le escatimase nada, sino que esperé a que fuese él quien diera los primeros pasos, pero no lo hizo. Lamento aburrirle con todo esto, señor Quatermain, pero tengo que hacerlo si quiero dejar las cosas claras, ¿eh, Good?

Escatimar: Cercenar, disminuir, escasear lo que se ha de dar o hacer, acortándolo todo lo posible.

—Así es, así es —dijo el capitán—. Estoy seguro de que el señor Quatermain guardará el secreto de esta historia.

—Naturalmente —dije, porque me enorgullezco de ser discreto.

—Bien —prosiguió sir Henry—, por entonces mi hermano tenía unos cuantos cientos de libras en su cuenta, y, sin decirme nada, retiró esa suma insignificante; tras adoptar el nombre de Neville, partió para Sudáfrica con la loca esperanza de hacer fortuna. De esto me enteré después. Pasaron tres años y no tuve noticias de mi hermano, aunque yo le escribí varias veces. Sin duda, nunca le llegaron mis cartas. Pero, a medida que pasaba el tiempo, yo me preocupaba cada vez más por él. Descubrí, señor Quatermain, lo mucho que tira la sangre.

—Cierto —dije pensando en mi hijo Harry.

—Descubrí, señor Quatermain, que habría dado la mitad de mi fortuna por saber que mi hermano George, el único familiar que tengo, se hallaba sano y salvo y que volvería a verlo.

—Pero no lo hiciste, Curtis —espetó el capitán Good, lanzándole una mirada.

Espetar: Decir algo que causa sorpresa o molestia.

—Verá, señor Quatermain, con el paso del tiempo crecía mi ansiedad por saber si mi hermano estaba vivo o muerto, y, en caso de estar vivo, traerlo a casa de nuevo. Empecé a hacer averiguaciones, y uno de los resultados fue su carta. En sí misma era satisfactoria, porque demostraba que hasta hace poco George estaba vivo, pero no llegaba lo bastante lejos. Así que, para abreviar, me decidí a buscarlo yo mismo, y el capitán Good ha tenido la amabilidad de acompañarme.

—Sí —dijo el capitán—; no tengo nada mejor que hacer, ¿comprende? Mis jefes del Almirantazgo me han despedido para que me muera de hambre con medio sueldo. Y ahora, señor, quizá quiera contarnos lo que sabe o lo que ha oído decir sobre ese caballero llamado Neville.

Almirantazgo: En Inglaterra, Ministerio de Marina.

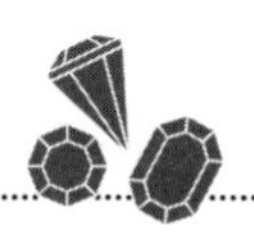

CAPÍTULO 2

La leyenda de las minas del rey Salomón

—¿Qué es lo que ha oído decir en Bamangwato sobre mi hermano? —dijo sir Henry cuando yo hice una pausa para llenar mi pipa antes de contestar al capitán Good.

—He oído lo siguiente —contesté—, y nunca se lo he mencionado a ninguna persona hasta hoy. He oído decir que se dirigía hacia las minas del rey Salomón.

—¡Las minas del rey Salomón! —exclamaron mis interlocutores de inmediato—. ¿Dónde están?

—No lo sé —respondí—. Sé dónde dicen que están. Una vez vi las cimas de las montañas que las rodean, pero entre ellas y yo se extendían ciento treinta millas de desierto, y no tengo noticias de que ningún hombre blanco lo haya atravesado, excepto uno. Pero quizá lo mejor que puedo hacer es contarles la leyenda de las minas del rey Salomón tal y como la conozco, a condición de que ustedes me den palabra de no revelar nada de lo que les cuente sin mi permiso. ¿Están de acuerdo? Tengo mis razones para pedírselo.

Milla: Medida itineraria inglesa, equivalente a 1.609,3 metros.

—Por supuesto, por supuesto.

—Pues bien —empecé a decir—, como pueden suponer, los cazadores de elefantes son, por regla general, un tipo de hombres rudos que no se preocupan de mucho más que los hechos de la vida y las costumbres de los cafres. Pero de vez en cuando se encuentran hombres que se toman la molestia de recoger las tradiciones de los nativos, y que intentan reconstruir algún pasaje de la historia de esta oscura tierra. Fue un hombre así el primero en contarme la leyenda de las minas del rey Salomón, hace ya casi treinta años. Ocurrió en mi primera expedición de caza de elefantes en el país de los matabelé[1]. Se llamaba Evans, y al pobre hombre lo mató un búfalo herido al año siguiente, y está enterrado cerca de las cataratas del Zambeze[2].

»Recuerdo que una noche le estaba hablando a Evans de unas magníficas explotaciones que había encontrado mientras cazaba cudúes y antílopes en lo que es ahora el distrito de Lydenburgo, en el Transvaal. He observado que han vuelto a encontrar estas explotaciones al buscar oro, pero yo las conozco desde hace años. Hay un ancho camino de carros excavado en la roca que conduce a la entrada de la explotación o galería. En el interior de la galería hay montones de cuarzo aurífero listos para la trituración, lo que demuestra que los buscadores, quienesquiera que fuesen, debieron abandonar el lugar apresuradamente, y en la galería hay construida una estructura que es un excelente trabajo de albañilería.

»—¡Ah! —exclamó Evans—, pues yo le voy a contar una cosa aún mas extraña.

»Y me contó que había encontrado, en el interior del país, una ciudad en ruinas, que, según él, era la Ofir[3] que aparece en la Biblia; además, otros hombres más ilustrados que Evans han dicho lo mismo. Recuerdo que yo escuchaba todas estas maravillas con los oídos bien abiertos, porque entonces era joven, y esta historia de una antigua civilización y del tesoro

Cudú: Mamífero artiodáctilo de gran tamaño, con largos cuernos exclusivos de los machos, formando tres o cuatro espirales. El pelaje es corto y de color gris.

Antílope: Cualquiera de los mamíferos rumiantes de cornamenta persistente en la que el núcleo óseo es independiente de su envoltura, que forman un grupo intermedio entre las cabras y los ciervos; como la gacela y la gamuza.

Cuarzo: Óxido de silicio, que se presenta en cristales hexagonales o en masas cristalinas o compactas, con diversos colores y grados de transparencia, y es uno de los constituyentes del granito y otras rocas.

Aurífero: Que lleva o contiene oro.

Ilustrado: Culto, docto, instruido.

[1] Pueblo bantú de origen zulú de la República de Sudáfrica y de Zimbabwe.

[2] El río Zambeze, que nace en los confines de Zaire, de Zambia y de Angola, y que se extiende por Zimbabwe y por Mozambique, presenta numerosos rápidos y cascadas, las más céleberes de las cuales son las cataratas Victoria, antes de desembocar por un poderoso delta en el océano Índico.

[3] Región del mundo antiguo adonde arribaban, desde el puerto de Eziongeber, en el mar Rojo, los buques de Salomón y del rey de Tiro, Hiram, en busca de oro, marfil y piedras y maderas preciosas. Se cree que es la actual Arabia Feliz o Yemen, o bien el país de Sofala (África austral).

que aquellos aventureros judíos o fenicios arrancaban de un país que con el paso del tiempo cayó en la más negra de las barbaries, impresionaba profundamente mi imaginación. De repente me dijo:

Fenicio: De Fenicia, antiguo estado del oeste de Asia, en la costa mediterránea.

»—Muchacho, ¿has oído hablar de las montañas de Sulimán, al noroeste del país Mashukulumbwe?

»Le contesté que no.

»—¡Ah, bien! —dijo—. Pues ahí es donde realmente tenía sus minas Salomón, quiero decir sus minas de diamantes.

»—¿Cómo lo sabe? —le pregunté.

»—Lo sé porque ¿qué es *Sulimán* sino una corrupción de Salomón?* Además me lo contó una vieja *isanusi* (hechicera) del país de Manika. Me dijo que las gentes que vivían al otro lado de esas montañas eran una rama de los zulúes, y que hablaban un dialecto del zulú, aunque eran unos hombres incluso más hermosos y más altos que aquellos; que entre ellos vivían grandes hechiceros que habían aprendido su arte de los hombres blancos cuando «todo el mundo era oscuro» y que poseían el secreto de una mina maravillosa de «piedras brillantes».

Hechicera: Maga, bruja, encantadora.

»Claro está, esta historia me hizo reír entonces, aunque me interesó mucho, porque aún no se habían descubierto los campos de diamantes, y el pobre Evans se marchó y le mataron, y durante veinte años no volví a pensar en el asunto. Pero al cabo de veinte años (y eso es mucho tiempo, caballeros; no es frecuente que un cazador de elefantes llegue a vivir veinte años con ese oficio), oí decir algo más definido sobre las montañas de Sulimán y el país que se extiende detrás de ellas. Yo me encontraba más allá del país de Manika, en un lugar llamado el *Kraal* de Sitanda, que era verdaderamente miserable porque no había nada que comer y apenas se podía cazar. Sufrí un acceso de fiebres y me sentía bastante mal cuando, un buen

* Sulimán es la forma árabe de Salomón *(N. del E.)*.

día, apareció un portugués, acompañado por una sola persona, un mestizo. Conozco bien a los portugueses de Delagoa[4]. No existe mayor monstruo sobre la faz de la tierra que se cebe, como hacen ellos, en la carne y el sufrimiento humanos bajo la forma de esclavos. Pero este era un tipo de hombre diferente al que yo estaba acostumbrado a conocer; me recordaba más a los corteses universitarios de los que hablan en los libros. Era alto y delgado, con grandes ojos oscuros y bigotes grises y rizados. Hablamos un rato, porque él chapurraba el inglés y yo entiendo algo de portugués; me dijo que se llamaba José Silvestre y que tenía una casa cerca de la bahía de Delagoa. Cuando al día siguiente prosiguió su camino con su compañero mestizo, me dijo: «Adiós —y se quitó el sombrero a la vieja usanza—. Adiós, *senhor*[5] —dijo—: si volvemos a encontrarnos, seré el hombre más rico del mundo y me acordaré de usted». Reí un poco (estaba demasiado débil para reír mucho) y le observé mientras se dirigía resueltamente hacia el Oeste, hacia el gran desierto; me pregunté si estaría loco o qué pensaba encontrar allí.

Mestizo: Hijo de padres de raza distinta.

Faz: Superficie.

Chapurrar: Hablar con dificultad un idioma, pronunciándolo mal y usando en él vocablos y giros exóticos.

Usanza: Práctica, costumbre, moda.

Resueltamente: De manera decidida.

»Pasó una semana y me recuperé de la fiebre. Una tarde estaba sentado en el suelo frente a la pequeña tienda de campaña que había llevado, masticando la última pata de una miserable gallina que le había comprado a un nativo a cambio de un trozo de tela que valía veinte gallinas. Contemplaba el ardiente sol rojo que se hundía en el desierto cuando, de repente, vi una silueta, al parecer de un europeo, porque llevaba chaqueta, en la pendiente de una loma que había frente a mí, a una distancia de unas trescientas yardas. La silueta se arrastraba sobre las manos y las rodillas; después se incorporó y avanzó unas cuantas yardas dando traspiés, para volver a caer y avanzar otra vez

Loma: Altura pequeña y prolongada.

Yarda: Medida inglesa de longitud equivalente a 91 centímetros.

[4] Bahía en la costa africana del océano Índico, en Mozambique.

[5] En portugués en el original.

a gatas. Al ver que debía de estar completamente agotado, envié a uno de mis cazadores a ayudarlo; cuando, por fin, llegó, ¿quién dirán que resultó ser?

A gatas: Con pies y manos en el suelo.

—José Silvestre, claro —dijo el capitán Good.

—Sí, José Silvestre, o más bien su esqueleto con un poco de piel. Tenía la cara de un amarillo brillante, debido a la fiebre, y sus ojos grandes y oscuros casi se le salían de las órbitas, porque toda la carne había desaparecido. No tenía más que la piel amarilla apergaminada, pelo blanco y, debajo, los afilados huesos que sobresalían.

Apergaminada: Parecida al pergamino, piel de la res, raída, adobada y estirada, usada para escribir en ella, encuadernar libros, etcétera.

»—¡Agua, por el amor de Dios, agua! —gimió.

»Observé que tenía los labios cortados y la lengua, que sobresalía entre ellos, hinchada y negruzca.

»Le di agua mezclada con un poco de leche y la bebió a grandes tragos, uno o dos cuartos de galón, sin parar. No le dejé que bebiese más. Después tuvo otro acceso de fiebre, cayó al suelo y empezó a desvariar sobre las montañas de Sulimán y sobre los diamantes y el desierto. Lo llevé a la tienda e hice todo lo que pude por él, que no era mucho, pero sabía cómo acabaría todo. Alrededor de las once se quedó más tranquilo; yo me acosté para descansar un poco y me quedé dormido. Al amanecer me desperté y, a media luz, lo vi incorporado, extraña y endeble silueta que contemplaba el desierto. En ese instante, el primer rayo de sol atravesó la planicie que se extendía ante nosotros hasta alcanzar la lejana cresta de una de las más altas montañas de Sulimán, a una distancia de más de cien millas.

Galón: Medida de capacidad inglesa, equivalente a 4,546 litros.

Desvariar: Delirar, decir locuras o despropósitos.

Endeble: Débil.

—¡Ahí está! —gritó el moribundo portugués, extendiendo un brazo largo y delgado—. Pero nunca llegaré, nunca. ¡Nunca llegará nadie!

»De repente se detuvo y pareció tomar una determinación.

»—Amigo —me dijo volviéndose hacia mí—, ¿está usted ahí? Mis ojos se han oscurecido.

»— Sí —respondí—, sí, acuéstese y descanse.

»—¡Ay! —contestó—. Pronto descansaré; tengo tiempo para descansar durante toda la eternidad. ¡Escúcheme; me muero! Usted se ha portado bien conmigo. Voy a darle el papel. Quizá usted llegue si puede atravesar con vida el desierto, que nos ha matado a mi pobre sirviente y a mí.

Tentar: Palpar, tocar.

Petaca: Estuche de cuero, metal u otra materia adecuada, para llevar cigarros o tabaco picado.

»Se tentó la camisa y sacó algo que me pareció una petaca bóer de piel de antílope negro. Estaba atada con una pequeña cinta de cuero, lo que llamamos *rimpi,* y trató de desatarla, pero no pudo. Me la tendió.

»Desátela —dijo.

Lino: Tela que se obtiene de la planta homónima.

»Así lo hice, y extraje un trozo de lino amarillo desgarrado, sobre el que había algo escrito en letras torpes. Dentro había un papel.

»Después, con voz tenue, pues iba desfalleciendo, dijo:

»—En el papel está todo; está envuelto en la tela. He tardado años en descifrarlo. Escuche: un antepasado mío, refugiado político de Lisboa, que fue uno de los primeros portugueses que llegaron a estas costas, lo escribió mientras agonizaba en esas montañas que nunca holló pie blanco antes ni después. Se llamaba José da Silvestra y vivió hace trescientos años. Su esclavo, que lo esperó a este lado de las montañas, lo encontró muerto y llevó el manuscrito a Delagoa. Desde entonces ha permanecido en la familia, pero nadie se molestó en leerlo hasta que lo hice yo. He perdido mi vida por él, pero es posible que otro tenga éxito y que se convierta en el hombre más rico del mundo, ¡el hombre más rico del mundo! No se lo dé a nadie. ¡Vaya usted!

Hollar: Pisar.

Chacal: Mamífero carnívoro, algo menor que el lobo, propio de las regiones templadas de Asia y África, que vive en bandas numerosas y se alimenta de carne muerta.

»Después empezó a delirar otra vez y, al cabo de una hora, todo había acabado.

»¡Dios lo haya acogido en su seno! Murió sosegadamente y lo enterré a mucha profundidad, con grandes cantos sobre el pecho, por lo que no creo que puedan encontrarlo los chacales. Después me marché.

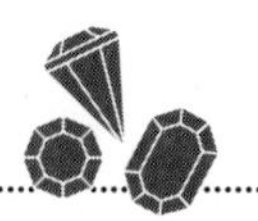

—Pero ¿y el documento? —dijo sir Henry con un tono de profundo interés.

—Sí, ¿qué contenía el documento? —añadió el capitán.

—Bueno, caballeros, si lo desean, se lo diré. Nunca se lo he enseñado a nadie, excepto a mi querida esposa, que murió, y ella pensaba que era una tontería, y a un viejo comerciante portugués borracho que me lo tradujo y que a la mañana siguiente lo había olvidado por completo. La tela original está en mi casa, en Durban, junto a la traducción del pobre don José, pero tengo la versión inglesa en mi agenda y un facsímile del mapa, si es que se puede llamar mapa. Aquí está.

Facsímile: Perfecta imitación o reproducción de una firma, escrito, dibujo, etcétera.

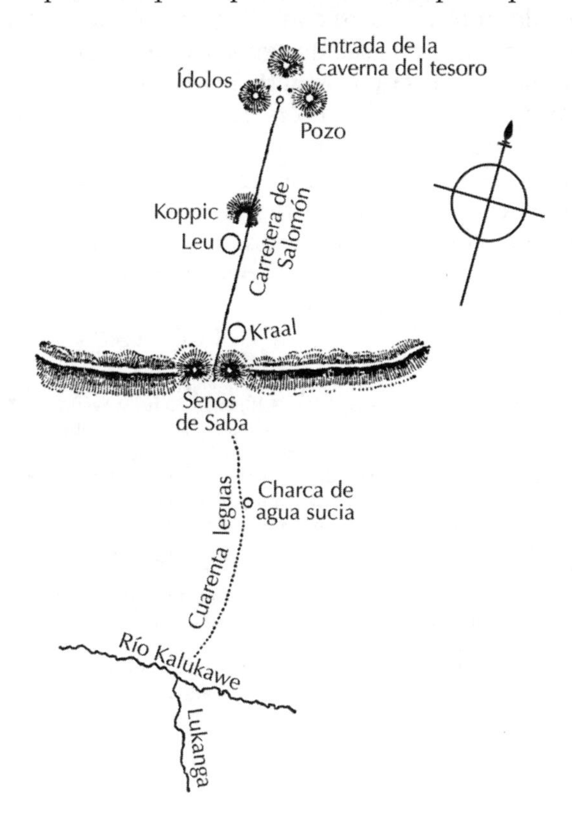

«Yo, José da Silvestra, que estoy muriendo de hambre en la pequeña cueva en que no hay nieve, en el extremo norte del pezón de la montaña que se encuentra más al sur de las dos que he denominado Senos de Saba[6], escribo esto en el año 1590 con una punta de hueso sobre un pedazo de mis ropas, con mi sangre por tinta. Si lo encuentra mi esclavo cuando llegue, llévelo a Delagoa para que mi amigo (nombre ilegible) ponga el asunto en conocimiento del rey, y que este envíe un ejército que, si sobrevive al desierto y a las montañas y vence a los valientes kukuanas y sus artes demoníacas, a cuyo fin deberán traerse muchos sacerdotes, lo convertirá en el rey más rico desde Salomón. He visto con mis propios ojos innumerables diamantes apilados en la cámara del tesoro de Salomón, detrás de la Muerte blanca; pero por la traición de Gagool, la hechicera, nada pude rescatar; apenas mi vida. Que quien venga siga el mapa y escale la nieve del seno izquierdo de Saba hasta llegar al pezón en cuyo extremo norte se extiende la gran carretera que construyó Salomón, desde donde hay tres días de viaje al palacio del rey. Que mate a Gagool. Rogad por mi alma. Adiós.

José da Silvestra»*

[6] De la reina de Saba habla la Biblia en 1 *Reyes* 10, cuando fue a visitar al rey Salomón a Jerusalén. Su reino no era el clásico país de Saba al sur de Arabia, sino más bien una de las colonias subeas establecidas en el norte de Arabia.

* Eu José da Silvestra que estou morrendo de fome na pequena cova onde ñao ha nave ao lado norte do bico mais ao sul das duas montanhas que chamei seio de Saba: escrebo isto no anno1590; escrevo isto com un pedaço d'osso n'um farrapo de minha roupa e com sangue meu por tinta; se o meu escravo dér com isto quando venha ao levar para Lourenzo Marquez, que o meu amigo (---) leve a cousa ao conhecimento d'El Rei, para que possa mandar um exercito que, se desfiler pelo deserto e pelas montanhas e mesmo sobrepujar os bravos kukuanes e suas artes diabolicas, pelo que se deviam trazer muitos padres, faro o Rey mais rico depois de Salomao. Con meus proprios olhos vé os diamantes sem conto guardados nas camaras do thesouro de Salomao a traz da morte branca, mas pela traiçcao de Gagoal, a feiticeira achadora, nada podería levar, e apenas a minha vida. Quem vier siga o mappa e trepe pela neve de Saba peito à esquerda até chegar ao bico, do lado norte do cual está a grande estrada do Salomao por elle feita, donde ha tres dias de jornada até ao palacio do Rey. Mate Gagoal. Reze por minha alma. Adeus. José da Silvestra.

Cuando terminé de leer lo anterior y les enseñé la copia del mapa, dibujada por la mano moribunda del viejo caballero con su sangre por tinta, siguió un silencio de asombro.

—Bueno —dijo el capitán Good—, ¡he dado la vuelta al mundo dos veces y tocado la mayor parte de los puertos, pero que me cuelguen si jamás he visto una historia como esta en un libro de cuentos, ni en cualquier otro sitio, si vamos a eso.

—Es una historia extraña, señor Quatermain —dijo sir Henry—. ¿No nos estará engañando? Sé que hay quien piensa que es lícito tomar el pelo a los novatos.

Lícito: Justo, legítimo, legal.

—Si piensa eso, sir Henry —dije, muy irritado, mientras me guardaba el papel en el bolsillo, pues no me gusta que me tomen por esos tipos que consideran gracioso contar mentiras y que siempre se jactan ante extraños de extraordinarias aventuras de caza que nunca ocurrieron—, demos por terminado el asunto.

Jactarse: Alabarse presuntuosamente.

Y me levanté para marcharme.

Sir Henry posó su manaza sobre mi hombro.

—Siéntese, señor Quatermain —dijo—; le pido disculpas; comprendo que no desea engañarnos, pero la historia parece tan extraordinaria que me cuesta trabajo creerla.

—Cuando lleguemos a Durban, podrá ver el mapa y el texto originales —dije, un poco más calmado, porque, considerando el asunto, no era de extrañar que dudase de mi buena fe—. Pero no le he hablado de su hermano. Conocí a Jim, el hombre que estaba con él. Era bechuana[7] de nacimiento, buen cazador y, para ser nativo, un hombre muy inteligente. La mañana en que partía el señor Neville, vi a Jim junto a mi carro, picando tabaco.

»—Jim —le dije—, ¿adónde vas? ¿A por elefantes?

[7] Población bantú-meridional, situada en el África meridional, a veces unida con los bosquimanos.

»—No, *baas* —contestó—; vamos en busca de algo que vale más que el marfil.

»—¿Y qué puede ser eso? —dije, porque sentía curiosidad—. ¿Oro?

»— No, *baas*, algo que vale más que el oro —y sonrió.

»No le hice más preguntas, porque no me gusta rebajar mi dignidad mostrando demasiada curiosidad, pero me quedé perplejo. Al poco, Jim acabó de picar el tabaco.

»—*Baas* —dijo.

»Ya no le hice caso.

»—*Baas* —volvió a decir.

»—Sí, muchacho, ¿qué quieres? —repuse.

»—*Baas*, vamos a buscar diamantes.

»—¡Diamantes! Pero entonces lleváis una dirección equivocada; deberíais dirigiros a los campos.

»—*Baas*, ¿has oído hablar de la Berg[8] de Sulimán? —esto significa montañas de Salomón, sir Henry.

»—¡Sí !

»—¿Has oído hablar de los diamantes que hay allí?

»—He oído un cuento estúpido, Jim.

»—No es un cuento, *baas*. Conocí a una mujer que era de allí y que fue a Natal con su hijo, y ella me lo contó; ahora está muerta.

»—Si intentas llegar al país de Sulimán, tu amo servirá de pasto a los *aasvögels* —es decir, buitres—, y tú también, si es que pueden recoger alguna piltrafa de vuestros pobres huesos —le dije.

Piltrafa: Parte de carne flaca, que casi no tiene más que el pellejo.

»Sonrió.

»—Puede ser, *baas*. El hombre tiene que morir; me gustaría probar fortuna en otro país; aquí se están agotando los elefantes.

»—¡Ah, querido muchacho! —dije—. Espera a que te agarre por la garganta el «viejo hombre pálido», y ya veremos qué cara pones entonces.

[8] «Montaña». (En alemán en el original).

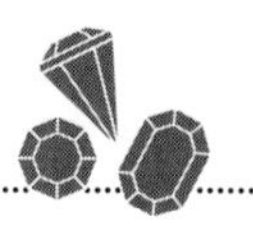

»Media hora después vi alejarse el carro de Neville. Al poco, Jim volvió corriendo.

»—Adiós, *baas* —dijo—. No quería marcharme sin decirte adiós, porque quizá tengas razón y nunca volvamos.

»—Jim, ¿tu amo va de verdad a la Berg de Sulimán o mientes?

»—No —replicó—, es verdad. Dice que debe hacer fortuna como sea, o por lo menos intentarlo. Por eso quiere buscar diamantes.

»—¡Ah! —dije—, espera un poco, Jim: ¿le llevarás esta nota a tu amo y me prometes no dársela hasta que lleguéis a Inyati? —Inyati está a una distancia de varios cientos de millas.

»—Sí —dijo.

»Cogí un trozo de papel y escribí: «Que quien venga... escale la nieve del seno izquierdo de las Saba, hasta llegar al pezón, en cuyo extremo norte se encuentra la gran carretera de Salomón».

»—Y ahora, Jim —dije—, cuando le des esto a tu amo, adviértele que siga el consejo incondicionalmente. No debes dárselo ahora, porque no quiero que me vuelva a hacer preguntas a las que no voy a contestar. Y ahora, márchate, holgazán; el carro casi se ha perdido de vista.

»Jim cogió la nota y se fue. Esto es todo lo que sé sobre su hermano, sir Henry, pero mucho me temo que...

—Señor Quatermain —dijo sir Henry—, voy a buscar a mi hermano. Voy a seguir sus huellas hasta las montañas de Sulimán, y más allá si es necesario, hasta encontrarlo, o hasta que me entere de que ha muerto. ¿Quiere venir conmigo?

Soy —creo haberlo dicho— un hombre prudente, incluso tímido, y la idea me asustó. Me parecía que iniciar un viaje así era dirigirse a una muerte segura; aparte otras consideraciones, tenía que mantener a un hijo y no podía permitirme morir entonces.

—No, gracias, sir Henry; creo que prefiero no hacerlo —contesté—. Soy demasiado viejo para una empresa tan descabellada; solo conseguiríamos acabar como mi pobre amigo Silvestre. Tengo un hijo que depende de mí.

Descabellada: Desatinada, disparatada.

Sir Henry y el capitán Good parecían muy desilusionados.

—Señor Quatermain —dijo aquel—, tengo dinero y estoy completamente entregado a este asunto. Puede pedir cualquier cifra razonable como remuneración por sus servicios, que le será pagada antes de partir. Además, antes de salir, dejaré dispuesto que, en el caso de que nos ocurra algo o de que le ocurra a usted, se le proporcionen a su hijo los medios de vida adecuados. De esto puede deducir lo necesaria que considero su presencia. Y si por casualidad llegásemos a ese lugar y encontrásemos diamantes, serán para usted y para Good a partes iguales. Yo no los quiero. Por supuesto, esa posibilidad es prácticamente nula, aunque lo mismo rige para el marfil que encontremos. Puede imponer sus condiciones, señor Quatermain, que todos los gastos correrán de mi cuenta.

Remuneración: Retribución, gratificación, recompensa.

—Sir Henry —dije—, es la oferta más liberal que he tenido; nada despreciable para un pobre comerciante y cazador. Pero es el trabajo más importante con que me he topado y necesito tiempo para pensarlo. Le daré la respuesta antes de llegar a Durban.

—Muy bien —contestó sir Henry, y a continuación les deseé buenas noches y me marché. Soñé con el pobre Silvestre, muerto hace tiempo, y con los diamantes.

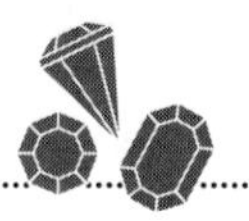

CAPÍTULO 3

Umbopa entra a nuestro servicio

Se tarda entre cuatro y cinco días, según el barco y el estado del tiempo, en subir desde El Cabo hasta Durban. A veces, si es difícil atracar en East London[1], donde aún no han construido ese maravilloso puerto del que tanto hablan, y en el que han invertido tanto dinero, se produce un retraso de veinticuatro horas hasta que pueden salir las lanchas de carga para sacar las mercancías. Pero en esta ocasión no tuvimos que esperar, pues no se puede decir que hubiese cachones en el rompeolas, y los remolcadores llegaron en seguida con sus largas filas de feos botes de fondo plano, en los que se arrojaban las mercancías con estrépito. No importaba de qué se tratase; las lanzaban por encima de la borda violentamente; tanto la porcelana como las prendas de lana recibían el mismo tratamiento. Vi un cajón que contenía cuatro docenas de botellas de champán hechas añicos, y el champán desparramado en el fondo de un bote, burbujeando e hirviendo. Era un desperdicio lamentable, y lo mismo debieron de pensar los cafres del barco, porque encontraron un par de botellas intactas, las descorcharon y bebieron el contenido. Pero no tuvieron en cuenta la expansión producida por el burbujeo en el vino, y al sentirse hinchados, se pusieron a rodar por el fondo de la embarcación, gritando que aquella bebida magnífica estaba *tagati* (embrujada). Yo les hablé

Atracar: Arrimarse una embarcación a tierra o a otra embarcación.

Cachón: Ola que rompe haciendo espuma.

Rompeolas: Dique avanzado en el mar para procurar abrigo a un puerto o rada.

Borda: Canto superior del costado de un buque.

[1] Ciudad y puerto de la República de Sudáfrica, en la provincia del Cabo, en el océano Índico.

desde el navío y les dije que era la medicina más fuerte del hombre blanco y que podían darse por muertos. Fueron a la orilla presas de pánico, y no creo que volvieran a tocar el champán.

Travesía: Viaje por mar o por aire.

Pues bien, durante todo el tiempo que duró la travesía hasta Natal, estuve pensando sobre la oferta de sir Henry. No volvimos a hablar sobre el tema durante uno o dos días, aunque les conté muchas historias de caza, todas verdaderas. No hay necesidad de contar mentiras respecto a la caza, porque a un hombre cuya ocupación sea la caza le acontecen muchas cosas curiosas; pero esto es otro asunto.

Duna: Colina de arena movediza que en los desiertos y en las playas forma y empuja el viento.

Floresta: Terreno frondoso poblado de árboles.

Sima: Cavidad grande y muy profunda en la tierra.

Plantación: Gran explotación agrícola o forestal.

Por fin, una maravillosa tarde de enero, que es nuestro mes más cálido, entramos en la costa de Natal; esperábamos llegar al cabo de Durban con el crepúsculo. Desde la costa, East London es muy hermosa, con sus dunas rojas y florestas de intenso verdor, salpicada acá y allá de *kraals* cafres y ribeteada por una franja de blanco oleaje que asciende en pilares de espuma al chocar contra las rocas. Pero justo antes de llegar a Durban se pueden contemplar paisajes de una belleza muy peculiar. Profundas simas excavadas en las colinas por las lluvias torrenciales de siglos, por las que descienden los ríos centelleantes; el intenso verde de los arbustos, que crecen tal y como Dios los plantó, y el verde de diversos matices de los campos de cereales y de las plantaciones de azúcar, en tanto que acá y allá, una casa blanca, sonriendo al mar plácido, contempla el escenario y le proporciona un aire hogareño.

Edén: Paraíso terrenal.

A mi entender, por muy bello que sea un paisaje, necesita la presencia del hombre para alcanzar su plenitud; pero eso quizá se debe a que he vivido mucho tiempo en soledad y, por tanto, conozco el valor de la civilización, aunque, sin duda, esto está fuera de lugar. Estoy seguro de que el jardín del Edén era bello antes de que existiera el hombre, pero pienso que debió de ser más bello cuando Eva se paseaba por él.

Nos equivocamos un poco en nuestros cálculos, y ya se había puesto el sol cuando echamos el ancla frente al cabo y oímos el cañonazo que avisaba a las buenas gentes de que había llegado el correo inglés. Era demasiado tarde para ir a tierra esa noche, así que bajamos muy a gusto a cenar, después de ver cómo se llevaban el correo en el bote salvavidas.

Cuando regresamos a cubierta había salido la luna, y su luz brillaba con tal luminosidad sobre la orilla y el agua, que casi hacía palidecer los destellos rápidos del faro. Desde la orilla llegaban los aromas dulces y picantes que siempre me traen a la memoria himnos y misioneros, y en las ventanas de las casas de Berea destellaban cientos de luces. Desde un gran bergantín cercano llegaba la música de los marineros, que trabajaban en la leva a la espera de viento favorable. Era, además, una noche perfecta, una de esas noches que solo se disfrutan en Sudáfrica, que a todos cubría con un manto de paz, en tanto que la luna cubría todas las cosas con un manto de plata. Incluso el enorme perro dogo, que pertenecía a un pasajero muy deportivo, parecía rendirse a sus dulces influencias, y tras abandonar sus deseos de acercarse a un mandril encerrado en una jaula en el castillo de proa, se puso a roncar plácidamente a la puerta del camarote, sin duda soñando que había acabado con él, y feliz con el sueño.

Todos nosotros, es decir, sir Henry Curtis, el capitán Good y yo, nos sentamos junto al timón y quedamos en silencio unos momentos.

—Bueno, señor Quatermain —dijo al poco sir Henry—, ¿ha pensado en mi proposición?

—Sí —coreó el capitán Good—. ¿Qué ha pensado, señor Quatermain? Espero que nos conceda el placer de su compañía hasta las minas del rey Salomón, o hasta donde quiera que haya llegado el caballero que usted conoce como Neville.

Me levanté y vacié la pipa antes de contestar. No había tomado una decisión y necesitaba un momento

Bergantín: Buque de dos palos y vela cuadra o redonda.

Leva: Acción de levar, levantar el ancla fondeada.

Dogo: Perro pesado, de fuerza y valor extraordinarios, que se utiliza para la defensa de las propiedades, para las cazas peligrosas y para luchar contra las fieras. Hay variedades de diferentes tamaños.

Mandril: Primate antropoide, con rayas azules a ambos lados de la nariz, y callosidades isquiáticas rojas.

Castillo: Parte de la cubierta alta de un buque, entre el palo trinquete y la proa.

Proa: Parte delantera de la nave, con la cual corta las aguas.

Corear: Asentir ostensiblemente.

más para hacerlo. Antes de que hubiese caído al mar la ceniza caliente, la tomé. Fue suficiente ese segundo de más. A menudo sucede así con las cosas que nos preocupan durante mucho tiempo.

—Sí, caballeros —dije volviendo a sentarme—, iré y, con su permiso, les diré por qué y en qué condiciones. En primer lugar, las condiciones que yo propongo.

»Primera: usted ha de correr con todos los gastos, y el marfil o cualesquiera objetos de valor que encontremos se dividirán entre el capitán Good y yo.

»Segunda: usted me pagará quinientas libras por mis servicios durante el viaje antes de iniciarlo, comprometiéndome yo por mi parte a servirle lealmente hasta que usted decida abandonar la empresa, o hasta que la coronemos con éxito o hasta que sobrevenga la catástrofe.

»Tercera: que antes de partir firme un documento mediante el que se comprometa, en el caso de mi muerte o inhabilitación, a pagarle a mi hijo Harry, que estudia medicina allá en Londres, en el Guy's Hospital, la suma de doscientas libras al año durante cinco años, fecha en la que ya podrá ganarse la vida por sí mismo. Creo que eso es todo, y quizá usted lo considere excesivo.

—No —contestó sir Henry—; acepto de buena gana sus condiciones. Estoy empeñado en este proyecto y estaría dispuesto a pagar más por su ayuda, especialmente teniendo en cuenta el conocimiento singular que usted posee.

—Muy bien. Y ahora que ya he expuesto mis condiciones, les diré las razones por las que he decidido acompañarlos. En primer lugar, caballeros, los he observado durante los últimos días, y si no les parece impertinente, les diré que son de mi agrado, y que pienso que nos acoplaremos muy bien juntos. Permítanme que les diga que, cuando se tiene ante sí un viaje tan largo como este, eso es algo importante.

»Y ahora, en lo que se refiere al viaje en sí mismo, les diré lisa y llanamente, sir Henry y capitán Good, que no creo probable que lo finalicemos con vida, es decir, en caso de que intentemos atravesar las montañas de Sulimán. ¿Cuál fue el destino del viaje de Silvestre hace trescientos años? ¿Cuál fue el destino de su descendiente hace veinte años? ¿Cuál ha sido el destino de su hermano? Caballeros, les digo sinceramente que creo que nuestro destino no será muy diferente al suyo.

Hice una pausa para observar el efecto de mis palabras. El capitán Good parecía un poco incómodo, pero la expresión de sir Henry no cambió.

—Tenemos que arriesgarnos —dijo.

Quizá se pregunte —proseguí— por qué, si pienso así, yo, que como les he dicho, soy un hombre tímido, me aventuro a emprender semejante viaje. Es por dos razones. En primer lugar, soy fatalista, y creo que mi vida está señalada, independientemente de mis propios movimientos, y que, si tengo que ir a las montañas de Sulimán a que me maten, iré allí y allí me matarán. Sin duda, Dios Todopoderoso conoce sus intenciones respecto a mí, así que no necesito preocuparme en ese sentido. En segundo lugar, soy pobre. Aunque durante casi cuarenta años me he dedicado a la caza y al comercio, nunca he tenido más que lo justo para vivir. Y bien, caballeros, no sé si son conscientes de que la vida media de un cazador de elefantes desde el momento en que empieza su oficio es de cuatro a cinco años. Verán, por tanto, que yo he sobrevivido a unas siete generaciones de mi clase, y pienso que mi hora no debe de estar muy lejos. Ahora bien, si me ocurriese algo en el transcurso normal de mi trabajo, una vez saldadas mis deudas, no quedaría nada para mantener a mi hijo Harry mientras se prepara para ganarse la vida, en tanto que, en las presentes circunstancias, le proporcionarán medios durante cinco años. Y esta es toda la historia en pocas palabras.

Fatalista: Que sigue el fatalismo, doctrina que considera todos los acontecimientos como inevitables por hallarse sujetos a una necesidad absoluta y superior a ellos.

Saldar: Liquidar.

—Señor Quatermain —dijo sir Henry, que me había escuchado con atención y seriedad máximas—, sus motivos para comprometerse en una empresa que, en su opinión, solo puede acabar en la catástrofe, reflejan la gran confianza que puede depositarse en usted. Tanto si tiene razón como si no, el tiempo y el transcurso de los acontecimientos es lo único que puede demostrarlo. Pero tanto si tiene razón como si se equivoca, también puedo decirle ahora mismo que voy a llegar hasta el final, sea para bien o para mal. Si nos van a dar una paliza, todo lo que tengo que decir es que espero que antes hayamos hecho unos cuantos disparos, ¿eh, Good?

—Sí, sí —intervino el capitán—, los tres estamos acostumbrados a afrontar el peligro y a defender nuestras vidas; así que de nada servirá echarse atrás ahora. Y ahora propongo que bajemos al salón y brindemos por nuestra buena suerte.

Y así lo hicimos, vaciando nuestros vasos.

Al día siguiente bajamos a tierra y acomodé a sir Henry y al capitán Good en la pequeña choza que tengo en el Berea, a la que considero mi hogar. Solo cuenta con tres habitaciones y una cocina y está construida con ladrillos verdes, con el tejado de hierro galvanizado, pero tiene un buen jardín con los mejores nísperos que he visto nunca, y unos cuantos mangos jóvenes, de los que espero grandes cosas. Me los regaló el director del jardín botánico. Lo cuida un antiguo cazador mío, llamado Jack, a quien atacó una búfala y le desgarró de tal forma el muslo que no pudo volver a cazar. Pero es griqua[2] y puede hacer pequeños trabajos y cuidar de las plantas. Nunca se puede esperar que un criado zulú se interese mucho por la jardinería. Es un arte práctico, y las artes prácticas no son su especialidad.

Galvanizado: Recubierto de una capa de cinc.

Níspero: Árbol caducifolio rosáceo de 2 a 5 m de alto, hojas grandes y elípticas; flores grandes, blancas, y fruto en pomo.

Mango: Árbol anacardiáceo, de tronco recto, con la corteza negra y rugosa, hojas lanceoladas y flores amarillentas. Su fruto es ovalado, amarillo, de carne dulce y aromática.

Búfalo: Mamífero rumiante, mayor que el buey, de cuernos largos, encorvados y anchos en su raíz.

[2] Originario de Griqualandia, región de la República de Sudáfrica, en el nordeste de la provincia del Cabo. Los griquas constituyen una población originada del mestizaje de bóers y hotentotes.

Sir Henry y Good durmieron en una tienda de campaña plantada en el pequeño huerto de naranjos en un extremo del jardín (porque no había sitio para ellos en la casa), y entre el olor de las flores y el panorama de la fruta verde y dorada —porque en Durban se ven las tres cosas juntas en el árbol— puede decirse que es un lugar realmente agradable. Aquí hay pocos mosquitos, a menos que se desencadene una lluvia torrencial, hecho poco corriente.

Pero continuaré —porque, a menos que así lo haga, se cansarán de mi relato antes de que lleguemos a las montañas de Sulimán—; tras haber tomado la decisión, me puse a hacer los preparativos necesarios. En primer lugar, sir Henry me dio el documento por el que se proporcionarían medios de vida a mi hijo en caso de accidente. Hubo pequeñas dificultades para ejecutarlo legalmente, porque sir Henry era extranjero aquí y la propiedad que servía de garantía se encontraba al otro lado del mar, pero finalmente se superaron con la ayuda de un abogado, que cobró veinte libras por su trabajo, un precio que a mí me pareció escandaloso. Después me dio el cheque de quinientas libras.

Tras pagar ese tributo a mi sentido de la precaución, compré un carro y un tiro de bueyes, que eran una maravilla, en nombre de sir Henry. El carro medía veintidós pies, tenía los ejes de hierro, era muy fuerte, muy ligero, y todo él estaba hecho de madera de ocote. No era completamente nuevo, porque había hecho el viaje de ida y vuelta a los campos de diamantes, pero en mi opinión tenía más valor por esta razón, porque así se podía ver que la madera estaba bien curada. Si un carro tiene algo que le haga ceder o si contiene madera verde, quedará demostrado en el primer viaje. Era lo que llamamos un carro «semitienda de campaña», es decir, que solo estaban cubiertos los doce pies de la parte posterior, en tanto que la parte delantera quedaba libre para los objetos

Pie: Medida de longitud en desuso, excepto en los países anglosajones, que equivale a 30,5 centímetros.

Ocote: Especie de pino muy resinoso, usado como tea.

Catre: Cama plegable, consistente en una armazón de tijera que sostiene una tela.

necesarios que teníamos que llevar con nosotros. En la parte posterior había un catre, en el que podían dormir dos personas, así como estanterías para fusiles, y muchas otras pequeñas comodidades. Lo compré por veinticinco libras, y creo que costó barato.

Después compré un estupendo tiro de veinte bueyes zulúes, a los que tenía echado el ojo desde hacía uno o dos años. El número corriente de bueyes para un buen tiro es dieciséis, pero compré cuatro más en previsión de posibles pérdidas. Estos bueyes zulúes son pequeños y ligeros; no alcanzan la mitad del tamaño de los bueyes afrikaner[3], que normalmente se utilizan para el transporte; pero pueden sobrevivir en aquellos lugares en que los afrikaner se morirían de hambre, y con una carga ligera pueden hacer cinco millas al día, son más rápidos y no se cansan con tanta facilidad. Más aún, este tipo de bueyes estaba completamente «en sazón», es decir, había viajado por toda Sudáfrica, y así se había inmunizado (hablando en términos relativos) contra el agua roja, que con tanta frecuencia destruye yuntas enteras de bueyes cuando entran en *veldt* o zona de pastos extraña. Por lo que se refiere al «mal de pulmón», que es una espantosa forma de pulmonía, muy extendida en este país, habían sido vacunados. Esto se hace practicando una hendidura en el rabo del buey e introduciendo un trozo de pulmón enfermo de un animal que haya muerto de ese mal. El resultado es que el buey enferma, el mal se desarrolla de una forma muy leve, y se le cae el rabo, por regla general, a un pie de la raíz, por lo que el animal queda inmunizado contra accesos futuros. Parece cruel privar al animal de su rabo, especialmente en un país en el que hay tantas moscas, pero es mejor sacrificar el rabo y quedarse con el buey que perder rabo y buey, porque un rabo sin buey no es muy útil, a no ser para sacudir el

Sazón: Punto o madurez de las cosas, o estado de perfección en su línea.

Hendidura: Raja.

[3] Raza bovina de África del sur, de tipo cebú.

polvo. De todas formas, resulta extraño viajar detrás de veinte muñones en el lugar en que debía haber rabos. Es como si la naturaleza hubiese cometido un error insignificante y hubiese adosado los ornamentos de popa de unos bulldogs a los cuartos traseros de los bueyes.

Muñón: Parte de un miembro amputado que permanece adherida al cuerpo.

Popa: Parte posterior de la nave.

Bulldog: Raza de perros de presa, originaria de Inglaterra, de cara aplastada y pelaje corto de color blanco y rojizo.

Cuarto trasero: Parte posterior.

A continuación se planteó el problema de las provisiones y las medicinas, problema que requería la más cuidadosa consideración, porque teníamos que evitar sobrecargar el carro y, no obstante, llevar todo lo absolutamente necesario. Por suerte, resultó que Good sabía algo de medicina, por haber estudiado, durante un período de su anterior carrera, un curso de instrucción médica y quirúrgica, que había seguido practicando con más o menos asiduidad. Por supuesto, no tenía título, pero sabía más sobre el tema que muchos hombres que pueden anteponer a su nombre la palabra doctor, como descubrimos más adelante, y poseía un espléndido cajón de medicinas de viaje y un buen instrumental. Mientras estábamos en Durban, amputó el dedo pulgar del pie de un cafre con una limpieza que daba gusto verlo. Pero se quedó pasmado cuando el cafre, que había contemplado la operación sentado estúpidamente, le pidió que le colocase otro, alegando que, en caso de necesidad, serviría uno «blanco».

Una vez resueltos satisfactoriamente estos problemas, aún quedaban ciertos puntos de importancia que tener en cuenta, a saber: las armas y los sirvientes. En lo referente a las armas, lo mejor que puedo hacer es redactar una lista de aquellas que finalmente elegimos de entre la amplia colección que había traído consigo sir Henry de Inglaterra y las que yo tenía. La copio de mi agenda, donde las apunté en su día.

«Tres fusiles pesados del ocho doble para cazar elefantes, con un peso de dieciocho libras cada uno, con una carga de once dracmas de pólvora negra.» Dos de ellos eran de una fábrica muy conocida en

Libra: Unidad de masa en los países anglosajones *(pound)*, equivalente a 453,592 gramos.

Dragma: Peso usado antiguamente en farmacia equivalente a 3,594 gramos.

Armero: El que tiene por oficio fabricar o vender armas.

Londres, excelentes armeros, pero no sé por quién estaba hecho el mío, que no tenía tan buen acabado. Lo había llevado en varios viajes y cazado con él muchos elefantes, y siempre había demostrado ser un arma de calidad superior, en la que se podía confiar plenamente.

«Tres *express* del 500 doble, con capacidad para una carga de seis dracmas», armas ligeras inigualables para caza de peso medio, tal como antílopes y otros cérvidos, o para hombre, especialmente en espacios abiertos y con proyectil semiperforado.

«Una escopeta *Keeper* número 12 de cañón doble». Esta escopeta nos resultó de gran utilidad para cazar piezas para comer.

Repetición: Disposición del arma que, apoyándose en un muelle, puede hacer varios tiros sin necesidad de recargarse.

Carabina: Arma de fuego portátil, igual al fusil, pero de cañón más corto.

Calibre: Diámetro interior del cañón de las armas de fuego.

Prolijo: Largo, extenso.

«Tres rifles *Winchester* de repetición (no carabinas)».

«Tres revólveres *Colt* de acción única, con el modelo más pesado de cartucho».

En esto consistía todo nuestro armamento, y el lector observará que las armas de cada clase eran del mismo calibre y la misma marca, porque los cartuchos eran intercambiables, punto este muy importante. No voy a disculparme por lo prolijo de estos detalles, porque todo cazador experimentado sabe lo vital que es llevar un equipo adecuado de armas y municiones para el éxito de una expedición.

A continuación me referiré a los hombres que iban a venir con nosotros. Tras muchas consultas, decidimos que el número debía reducirse a cinco, a saber: el conductor, el guía y tres criados.

Hotentote: Individuo de un pueblo de raza khoisan, de piel amarillenta, que vive en la parte meridional de África.

Encontré al conductor y al guía sin mucha dificultad, dos zulúes llamados respectivamente Goza y Tom, pero con los criados el asunto era más complicado. Tenían que ser de absoluta confianza y muy valientes, puesto que en un viaje de este tipo nuestra vida podía depender de su comportamiento. Finalmente encontré dos, uno de ellos un hotentote llamado Ventvögel (pájaro de viento), y el otro, un pequeño zulú llamado Khiva, que tenía el mérito de hablar inglés perfec-

tamente. A Ventvögel lo conocía de antes; era uno de los mejores «rastreadores» con que me he topado, resistente como una tralla. Nunca parecía cansarse. Pero tenía un defecto muy común entre los de su raza: la bebida. Si se dejaba una botella de ponche a su alcance, ya no se podía confiar en él. Pero como íbamos a la zona en que no hay tiendas donde comprar ponche, no importaba demasiado esta pequeña debilidad suya.

Rastreador: Que busca algo siguiendo su rastro.

Tralla: Cuerda más gruesa que el bramante.

Ponche: Bebida hecha mezclando ron, coñac u otro licor con agua, limón y azúcar.

Tras contratar a estos dos hombres, busqué en vano a un tercero que se acomodara a mis propósitos, por lo que decidimos iniciar el viaje sin él, confiando en la suerte para encontrar al hombre adecuado en el camino. Pero la tarde antes del día que habíamos fijado para la salida, el zulú Khiva me comunicó que había un hombre que deseaba verme. Así pues, cuando hubimos cenado, porque estábamos sentados a la mesa en ese momento, le dije que lo trajese ante mí. Entró un hombre muy alto, apuesto, de unos treinta años de edad, y, para ser zulú, de pigmentación muy clara, y levantando la empuñadura del bastón a modo de saludo, se acomodó en un rincón, en cuclillas, y permaneció sentado en silencio. No le hice caso durante un rato, porque es una gran equivocación obrar de otra forma. Si uno se precipita a entablar conversación inmediatamente, un zulú pensará que se encuentra ante una persona de poca dignidad o consideración. No obstante, advertí que era un *keshla* (hombre coronado), es decir, que llevaba en la cabeza un aro negro, hecho con una especie de goma abrillantada con grasa y entremezclado con el pelo, atavío que normalmente adoptan los zulúes al alcanzar cierta edad o rango. También me sorprendió que su cara me resultase familiar.

Pigmentación: Coloración.

Cuclillas: Modo de sentarse doblando el cuerpo de suerte que las asentaderas se acerquen al suelo o descansen en los calcañares.

—Y bien —dije por fin—, ¿cómo te llamas?

—Umbopa —contestó el hombre, con un tono de voz pausado y profundo.

—Yo te he visto en alguna parte.

—Sí, el *inkosi* (jefe) vio mi rostro en el lugar de la Pequeña Mano (Isandhlwana[4]), el día antes de la batalla.

Entonces recordé. Yo fui uno de los guías de lord Chelmsford en la desafortunada guerra zulú, y tuve la suerte de abandonar el campamento, al mando de varios carros, el día anterior a la batalla. Mientras esperaba a que aparejasen el ganado, entablé conversación con este hombre, que ejercía cierta autoridad sobre los auxiliares nativos, y me comunicó sus dudas sobre la seguridad del campamento. Entonces le dije que mantuviese la boca cerrada y que dejase estos asuntos a otras mentes más sabias, pero después pensé en sus palabras.

—Lo recuerdo —dije—. ¿Qué es lo que deseas?

—Lo siguiente, Macumazahn —ese es mi nombre en lengua cafre, y significa el hombre que se levanta en mitad de la noche, o más sencillamente, el que mantiene los ojos abiertos—: he oído decir que se prepara una gran expedición hacia el Norte, con los jefes blancos del otro lado del agua. ¿Son palabras ciertas?

—Sí.

—He oído decir que va a llegar hasta el río Lukanga, a una luna de viaje desde el país de Manica[5]. ¿Es así, Macumazahn?

—¿Por qué preguntas adónde vamos? ¿Qué te importa a ti? —repliqué, suspicaz, porque habíamos mantenido el objeto de nuestro viaje en el más estricto secreto.

Suspicaz: Receloso, desconfiado.

—Porque si realmente van tan lejos, yo iría con ustedes, oh hombres blancos.

Había una cierta presunción de dignidad en la forma de hablar de aquel hombre, especialmente en la

[4] Localidaddel Natal, en Zululandia, al sudeste de Dundee. En enero de 1879, las tropas británicas fueron derrotadas por las tropas del rey zulú Cetewayo (1820-1884). Al nordeste de esta localidad pereció, en el mismo año, el príncipe imperial Luis Napoleón, hijo de Napoleón III.

[5] Provincia del centro de Mozambique, cuya capital es Chimoio.

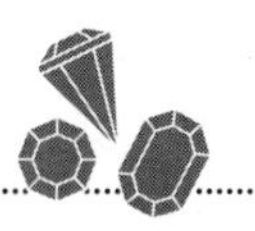

forma de utilizar la expresión «oh hombres blancos», en lugar de «oh *inkosis* (jefes)», que me sorprendió.

—Olvidas un poco los buenos modales —dije—. No piensas lo que dices. Esa no es forma de hablar. ¿Cómo te llamas y dónde está tu *kraal?* Dínoslo, para que sepamos con quién estamos tratando.

—Me llamo Umbopa. Soy del pueblo zulú; pero no soy uno de ellos. Mi tribu está allá lejos, en el Norte; fue abandonada cuando los zulúes bajaron aquí «hace mil años», mucho antes de que Chaka[6] reinase en Zululandia. No tengo *kraal.* He vagado muchos años. Salí del Norte cuando era niño y vine a Zululandia. Fui uno de los hombres de Cetewayo[7] en el regimiento de Nkomabakosi. Huí de Zululandia y vine a Natal porque quería ver las costumbres del hombre blanco. Después luché en la guerra contra Cetewayo. Desde entonces he trabajado en Natal. Ahora estoy cansado y quisiera volver al Norte. Mi sitio no está aquí. No quiero dinero, pero soy un hombre valiente, y puedo ganarme mi puesto y mi comida. He dicho.

Este hombre y su forma de hablar me dejaron perplejo. Por su porte, era evidente que, en general, decía la verdad, pero, en cierto sentido, era diferente a los zulúes corrientes, y desconfié de su oferta de venir con nosotros sin recibir paga. Al encontrarme en un apuro, traduje sus palabras a sir Henry y a Good, y les pedí su opinión. Sir Henry me dijo que le pidiese que se pusiera de pie. Umbopa lo hizo así, desprendiéndose al mismo tiempo del enorme abrigo militar que llevaba, con lo que quedó desnudo, salvo por la *moucha* que le rodeaba la cintura y un collar de garras de león. Verdaderamente era un hombre de un aspec-

Porte: Conducta, modo de portarse. Aspecto o disposición de una persona en cuanto al modo de vestirse, modales, etcétera.

[6] Chaka (1787-1828), jefe zulú desde 1818 hasta su muerte. Logró someter a muchas de las tribus bantúes de la zona de Natal y crear un poderoso dominio, lo que hizo que los europeos lo llamasen el Napoleón negro. Pero su autoritarismo hizo que algunos de los grupos a él sometidos iniciasen largas migraciones, mientras sus propios parientes conspiraban contra él, hasta ser asesinado por sus hermanos.

[7] Véase la nota 4 de este capítulo.

to magnífico; nunca había visto a un nativo más hermoso. Con una altura de unos seis pies y tres pulgadas, tenía una anchura proporcionada y estaba bien formado. Además, con la luz que había, su piel apenas parecía algo más que oscura, excepto en los lugares en que unas cicatrices negras señalaban antiguas heridas de azagayas.

Pulgada: Medida de longitud, equivalente a algo más de 23 milímetros.

Azagaya: Lanza pequeña arrojadiza.

Sir Henry se acercó a él y le miró la cara, hermosa y orgullosa.

—Hacen buena pareja, ¿verdad? —dijo Good—. Son igual de altos.

—Me gusta tu aspecto, Umbopa, y te tomo a mi servicio —dijo sir Henry en inglés.

Evidentemente, Umbopa le entendió, porque contestó en zulú:

—Está bien —y añadió, con una mirada apreciativa a la estatura y corpulencia del hombre blanco—: Usted y yo somos hombres.

Capítulo 4

La cacería de elefantes

No es mi propósito narrar con detalle todos los incidentes de nuestro largo viaje al *kraal* de Sitanda, cercano a la confluencia de los ríos Lukanga y Kalukwe, a una distancia de más de mil millas de Durban, de las que tuvimos que recorrer a pie las últimas trescientas, debido a la frecuente presencia de la terrible mosca tse-tse, cuya picadura es mortal para todos los animales, excepto para los burros y los hombres.

Mosca tse-tse: Nombre común de diversos insectos del género *Glossina* que transmiten flagelados del género *Trypanosoma,* causantes de la enfermedad del sueño en el hombre y de la nagana en los animales.

Salimos de Durban a finales de enero, y en la segunda semana de mayo acampamos cerca del *kraal* de Sitanda. En el camino, nuestras aventuras fueron muchas y diversas, pero como no son muy distintas de las que suelen acontecer a cualquier cazador africano, no las explicaré aquí —con una excepción que a continuación detallaré—, so pena de que esta historia se haga aburrida.

En Inyati, la estación comercial y financiera del país de los matabelé, cuyo rey es Lobengula[1] (un grandísimo canalla), nos separamos con gran pena de nuestro cómodo carro. Solo nos quedaban doce bueyes del magnífico tiro de veinte que había comprado en Durban. Perdimos uno por la picadura de una cobra,

Cobra: Serpiente venenosa de África y Arabia de hasta 2,4 m de longitud, de color amarillento o pardo, a veces con manchas.

[1] Lobengula (1836-1894), rey de los matabelé. En 1868 sucedió a su padre, Mzilikazi. La competencia de Portugal, Alemania y el financiero y colonialista británico Cecil Rhodes por el dominio de su territorio condujo al tratado por el que Lobengula se colocaba bajo protectorado británico (1888). Pero los malos tratos dados a los indígenas por los colonos, y una incursión del médico y político británico sir Leander Starr Jameson hasta Fort Victoria, obligaron al rey matabelé a tomar de nuevo las armas. Fue vencido y expulsado de su capital.

tres perecieron por la escasez de comida y la falta de agua, uno se perdió, y los otros tres murieron por comer la hierba venenosa llamada «tulipán». Por esta misma causa enfermaron otros cinco, pero logramos curarlos con una infusión a base de hojas de tulipán hervidas. Si se administra a tiempo, resulta un antídoto muy efectivo. Dejamos el carro y los bueyes al cargo de Goza y Tom, el conductor y el guía, ambos muchachos dignos de confianza, y pedimos a un respetable misionero escocés que vivía en aquel desolado lugar que lo vigilase.

Antídoto: Contraveneno, medicamento para contrarrestar los efectos del veneno.

Después, acompañados por Umbopa, Khiva, Ventvögel y media docena de porteadores que contratamos allí mismo, partimos a pie hacia nuestro disparatado objetivo. Recuerdo que estábamos todos un poco silenciosos en el momento de la partida, y creo que todos nos preguntábamos si volveríamos a ver el carro; por mi parte, no esperaba que fuese así.

Durante un rato caminamos pesadamente y en silencio, hasta que Umbopa, que marchaba en cabeza, inició un cántico zulú sobre unos hombres valientes que, cansados de la vida y de la insipidez de las cosas, partieron hacia lo desconocido para encontrar nuevas cosas o morir, y hete aquí que, cuando se adentraron en aquellas tierras, se encontraron con que no era un lugar salvaje, sino un lugar maravilloso, lleno de mujeres jóvenes y ganado robusto, de animales que cazar y enemigos que matar.

Todos nos echamos a reír y lo tomamos como un buen presagio. Umbopa era un alegre nativo con una gran dignidad, cuando no se sumergía en uno de sus accesos de melancolía, y poseía maravillosos trucos para animarnos. Todos nosotros le tomamos mucho cariño.

Y ahora voy a explayarme en el relato de una aventura, porque me encantan las historias de caza.

A los quince días de salir de Inyati, nos topamos con una bellísima región boscosa con mucha agua.

Las laderas de las colinas estaban densamente cubiertas de arbustos, el arbusto *idoro,* como lo llaman los nativos, y en algunos sitios, de espinos *wacht-een-beche* (espera-un-poco), y había bellísimos árboles *machabell,* cargados de refrescante fruta amarilla de huesos enormes. Este árbol es el alimento favorito de los elefantes, y no faltaban señales de que las grandes bestias merodearan por allí, porque no solo se encontraban numerosos rastros, sino que en muchos sitios los árboles estaban rotos, e incluso arrancados de raíz. El elefante destruye para alimentarse.

Merodear: Vagar por el campo viviendo de lo que se coge o roba.

Una tarde, tras la larga marcha del día, llegamos a un lugar de especial encanto. Al pie de una colina revestida de arbustos se extendía el lecho seco de un río, en el que, no obstante, se encontraban charcas de agua cristalina rodeadas de huellas de animales. Frente a la colina había una planicie como un parque, en la que crecían grupos de mimosas de copas planas, alternando con árboles *machabell* de hojas brillantes, todo ello rodeado por el gran mar de la selva silenciosa, sin senderos.

Mimosa: Árbol, variedad de acacia, de hasta 30 m de altura, de corteza lisa, gris verdosa, y flores de color amarillo vivo; se cultiva para fijación de terrenos, por su corteza tánica y por la goma que se obtiene de su tronco.

Al adentrarnos en el sendero marcado por el lecho seco del río, asustamos a un grupo de altas jirafas, que huyeron al galope, o más bien volaron, con su extraño modo de andar, las colas arrugadas sobre el lomo, haciendo sonar las pezuñas como castañuelas. Se encontraban a unas trescientas yardas de nosotros, y por tanto, prácticamente fuera de nuestro alcance, pero Good, que marchaba en cabeza y llevaba en las manos un rifle *express* cargado, no pudo resistir la tentación; apuntó y disparó al animal que iba en última posición, una hembra joven. Por una extraordinaria casualidad, la bala le acertó de lleno en la parte posterior del cuello, y le destrozó la columna vertebral; la jirafa cayó rodando como un conejo. Jamás había visto algo tan curioso.

Castañuela: Instrumento de percusión, de madera dura y forma parecida a una concha. Se unen de dos en dos por un cordón que atraviesa sus extremos.

—¡Maldición! —dijo Good, porque lamento decir que tenía la costumbre de utilizar un lenguaje subido de tono cuando estaba excitado, costumbre adquirida, sin duda, en el curso de su vida marinera—. ¡Maldición! La he matado.

—¡Ou, Bougwan! —exclamaron los cafres—. ¡Ou, ou!

Llamaban a Good «Bougwan» (ojo de cristal) por el monóculo.

—¡Ou, Bougwan! —coreamos sir Henry y yo, y desde ese día quedó establecida la reputación de Good como cazador extraordinario, sobre todo entre los cafres. En realidad, era muy malo, pero siempre que fallaba el tiro hacíamos la vista gorda, en recuerdo de la jirafa.

Hacer uno la vista gorda: Fingir que no ve una cosa.

Tras dejar a algunos de los «muchachos» dedicados a la tarea de cortar la mejor parte de la carne de la jirafa, nos pusimos a construir un *scherm* cerca de unas charcas, a unas cien yardas a la derecha de esta.

El *scherm* se hace cortando cierta cantidad de espinos y formando con ellos un seto circular. Después, se alisa el espacio interior y, si se puede obtener, se extiende a modo de lecho hierba *tambouki* seca, y se encienden uno o varios fuegos.

Cuando estuvo terminado el *scherm* empezaba a salir la luna, y ya estaba lista la cena a base de filetes de carne de jirafa y de tuétano asado. ¡Cómo disfrutamos del tuétano, a pesar del trabajo que costaba partir los huesos! No conozco bocado mejor que el tuétano de jirafa, a no ser el de corazón de elefante, que comimos por la mañana. Disfrutamos con aquella sencilla cena, deteniéndonos de vez en cuando para agradecer a Good su extraordinaria puntería, a la luz de la luna llena, y nos pusimos a fumar y a contar historias; debíamos formar un curioso cuadro, todos agazapados en torno al fuego. Sir Henry, con sus bucles rubios, que habían crecido bastante, y yo con mi pelo corto y gris, que se quedaba tieso, formábamos un gran contraste, especialmente porque yo soy delgado, bajo y de piel oscura, y solo peso cincuenta y

Tuétano: Médula, tejido adiposo que se halla dentro de los huesos de los animales.

Bucle: Rizo de cabello en forma helicoidal.

ocho kilos, y sir Henry es alto, robusto y rubio, y pesa noventa y ocho. Pero quizá tomando en consideración todas las circunstancias del caso, el que presentaba el aspecto más curioso de todos nosotros era el capitán John Good, oficial de la Marina. Sentado sobre una bolsa de cuero, tenía el aire de venir de una cómoda jornada de caza en un país civilizado, completamente limpio, aseado y bien vestido. Llevaba un traje de caza de mezclilla marrón, con sombrero a juego, y unas polainas impecables. Como de costumbre, iba muy bien afeitado, el monóculo y la dentadura postiza parecían encontrarse en perfecto estado, y además era el hombre más pulcro con que he topado en la selva. Llevaba incluso cuello duro, de los que tenía una buena provisión, de gutapercha blanca.

—Es que pesan muy poco —me dijo con inocencia cuando yo expresé mi asombro ante el hecho—; me gusta vestir siempre como un caballero.

Y así seguimos sentados un buen rato a la maravillosa luz de la luna, contando historias y observando a los cafres, que, a unas cuantas yardas de distancia, fumaban la embriagante *daccha* en una pipa cuya boquilla estaba hecha de cuero de antílope, hasta que, uno tras otro, se envolvieron en las mantas y se quedaron dormidos junto al fuego, todos menos Umbopa, que estaba un poco separado de ellos (observé que nunca se mezclaba demasiado con los otros cafres), con la barbilla apoyada en una mano, al parecer sumido en profunda meditación.

En ese momento, de las profundidades de los arbustos que había a nuestra espalda brotó un rugido, «*¡uof, uof!*».

—¡Es un león! —exclamé.

Todos nos pusimos de pie de un salto, atentos. Apenas habíamos hecho ese movimiento, cuando se oyó, procedente de la charca, a unas cien yardas, el barrito estridente de un elefante.

Mezclilla: Tejido de menos cuerpo que la mezcla, que es un tejido de hilo de diferentes clases y colores.

Polaina: Especie de media calza de paño o cuero, que cubre la pierna hasta la rodilla y a veces la abotona o abrocha por la parte de afuera.

Pulcro: Aseado, esmerado en el adorno de su persona, en la ejecución de las cosas, en la conducta, etcétera.

Gutapercha: Tela barnizada con una goma translúcida sólida, flexible e insoluble en el agua, que se obtiene de unos árboles homónimos.

Barrito: Berrido del elefante.

—¡Unkungunklovo!, ¡unkungunklovo! (¡Elefante!, ¡elefante!) —murmuraron los cafres.

Y al cabo de unos minutos vimos una serie de enormes formas indistintas que se desplazaban lentamente desde el agua hacia los arbustos.

Good dio un brinco, presto para la matanza; quizá pensaba que le iba a resultar tan fácil matar un elefante como lo había sido abatir a la jirafa, pero lo cogí por un brazo y le hice bajar el rifle.

—No vale la pena —dije—; déjelos ir.

—Parece que estamos en el paraíso de la caza. Propongo que paremos aquí uno o dos días y probemos suerte —dijo sir Henry.

Me sorprendió, porque hasta entonces sir Henry había sido partidario de avanzar con la mayor rapidez posible, especialmente desde que averiguamos en Inyati que, hacía unos dos años, un inglés llamado Neville *había vendido* allí su carro y se había dirigido hacia la región del Norte; pero supongo que sus instintos de cazador podían más que él.

Good se apresuró a aceptar la idea, porque estaba deseando probar suerte con los elefantes; y, a decir verdad, lo mismo me ocurría a mí, porque me remordía la conciencia dejar escapar una manada semejante sin llevarnos ninguna pieza.

—De acuerdo, muchachos. Creo que queremos un poco de diversión. Y ahora, vamos a recogernos, porque deberíamos partir al alba y quizá los pillemos comiendo antes de que se alejen.

Los otros asintieron y nos pusimos a hacer preparativos. Good se quitó la ropa, la sacudió, metió el monóculo y la dentadura postiza en el bolsillo del pantalón, la dobló cuidadosamente y la colocó a cubierto del rocío, bajo una esquina de su sábana impermeable. Sir Henry y yo nos conformamos con tomar unas medidas más simples, y al momento estábamos acurrucados en las mantas, sumidos en el pesado sueño que es la recompensa del viajero.

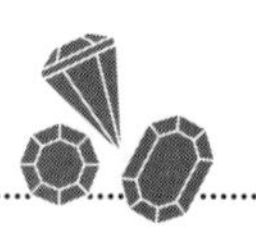

De repente... ¿qué es eso?

Desde donde se encontraba la charca nos llegó el ruido de una violenta pelea, y al instante una sucesión de terribles bramidos nos rompió los oídos. No cabía error posible sobre su procedencia; solo un león podía hacer semejante ruido. Todos nos levantamos de un salto y miramos hacia el agua, donde vimos una confusa masa, de color amarillo y negro, que se acercaba hacia nosotros tambaleándose y luchando. Cogimos los rifles, nos pusimos rápidamente los *veldtschoons* (zapatos de cuero sin curtir) y salimos corriendo del *scherm*; para entonces, la masa había caído al suelo y rodaba de un lado a otro, y cuando llegamos junto a ella, dejó de luchar y se quedó inmóvil.

Era lo siguiente. Sobre la hierba yacía muerto un antílope negro macho —el más hermoso de los antílopes africanos—, y traspasado por sus grandes cuernos curvados, había un magnífico león de melena negra, también muerto. Evidentemente, lo que había ocurrido era lo siguiente: el antílope negro había bajado a beber a la charca, donde el león —sin duda el mismo que habíamos oído rugir— estaba agazapado, al acecho. Mientras el antílope bebía, el león se abalanzó sobre él, pero se topó con los afilados cuernos curvos, que lo traspasaron. Yo ya había visto algo parecido en otra ocasión. El león, incapaz de liberarse, desgarró y mordió el pescuezo del antílope, el cual, enloquecido de terror y dolor, arremetió hasta quedar muerto.

En cuanto hubimos examinado suficientemente las bestias muertas, llamamos a los cafres, y entre todos logramos arrastrar los cadáveres hasta el *scherm*. A continuación entramos y nos acostamos, para no volver a despertarnos hasta el alba.

Estábamos ya levantados con la primera luz del día; hacíamos los preparativos para el combate. Tomamos los tres rifles del ocho, una buena provisión de municiones y las grandes cantimploras, llenas de té frío y poco cargado, que a mí siempre me ha parecido la mejor bebida para ir de caza. Tras tomar a toda prisa un frugal desayuno, nos pusimos en camino, acompañados por Umbopa, Khiva y Ventvögel. Dejamos a los otros cafres con instrucciones de desollar el león y el antílope y de cortar en pedazos este último.

Frugal: Que consiste en alimentos simples y no muy abundantes.

Desollar: Quitar la piel.

No tuvimos ninguna dificultad en encontrar el ancho rastro de los elefantes, que, según declaró Ventvögel tras examinarlo, habían hecho unos veinte o treinta animales, en su mayoría machos adultos. La manada había avanzado un poco durante la noche; eran las nueve y hacía ya mucho calor cuando descubrimos, por los árboles rotos, las hojas y cortezas magulladas y los excrementos humeantes, que no podíamos estar muy lejos de ellos.

Finalmente avistamos la manada, que estaba formada, como había dicho Ventvögel, por unos veinte o treinta animales, aposentados en una hondonada; agitaban sus grandes orejas tras acabar la comida de la mañana. Era una espléndida vista.

Estaban a unas doscientas yardas de nosotros. Tomé un puñado de hierba seca y lo lancé al aire para ver la dirección del viento, porque sabía que en cuanto nos olfatearan escaparían antes de que pudiéramos disparar el primer tiro. Al observar que el viento soplaba desde los elefantes hacia nosotros, avanzamos sigilosamente, y gracias a esto logramos llegar a unas cuarenta yardas de distancia de las grandes bestias. Justo delante de nosotros había tres espléndidos machos de costado, uno de ellos con unos colmillos colosales. Dije a los otros en un susurro que yo me encargaría del de en medio, sir Henry cubriría el de la izquierda y Good el de los colmillos grandes.

—Ahora —susurré.

¡Bum! ¡Bum! ¡Bum!, rugieron los tres pesados rifles, y el elefante de sir Henry se desplomó, muerto, con el corazón atravesado. El mío cayó de rodillas, y pensé que iba a morir, pero al cabo de un momento, se levantó y pasó precipitadamente junto a mí. Mientras huía, le disparé por segunda vez en el lomo, lo que le hizo caer definitivamente. Introduje a toda prisa dos cartuchos en el rifle, me acerqué a él, y una bala le atravesó el cerebro, lo que puso fin a los estertores de la pobre bestia. Después me volví para ver cómo le había ido a Good con el elefante grande, al que oí bramar de furor y dolor, al tiempo que daba al mío el golpe de gracia. Al llegar junto al capitán, observé que se hallaba en un estado de gran excitación. Al parecer, al recibir el proyectil, el elefante se dio la vuelta y se precipitó contra su agresor, quien apenas tuvo tiempo de quitarse de en medio, y después pasó a su lado embistiendo en dirección al campamento. Entre tanto, la manada se dispersó aterrorizada en dirección opuesta.

Estertor: Respiración anhelosa, con ronquido sibilante, propio de la agonía y el coma.

Discutimos durante un rato si debíamos seguir al elefante herido o a la manada, y finalmente nos decidimos por la última alternativa, y nos pusimos en camino pensando que no volveríamos a ver aquellos grandes colmillos. Muchas veces, desde entonces, he deseado que hubiese ocurrido así. Era tarea fácil seguir a los elefantes, porque habían dejado tras ellos un rastro como un camino para carruajes, aplastando los densos arbustos en su enloquecida huida, como si se tratase de hierba *tambouki*.

Pero encontrarlos era otra cuestión, y pasamos más de dos horas de búsqueda bajo un sol de justicia hasta dar con ellos. Estaban todos agrupados, salvo un macho, y por su inquietud y su forma de elevar continuamente la trompa para examinar el aire deduje que estaban atentos a cualquier indicio de peligro. El elefante macho solitario estaba delante, a unas cincuenta yardas del resto de la manada, a todas luces haciendo guardia para protegerla, y a unas sesenta yardas de nosotros. Como pensábamos que podía vernos y olfatearnos, y que si nos acercábamos se darían a la fuga una vez más, sobre todo teniendo en cuenta que nos hallábamos en espacio abierto, todos apuntamos al macho y disparamos cuando yo susurré «fuego». Los tres disparos dieron en el blanco y el animal cayó muerto. La manada huyó, pero, por desgracia para ellos, a unas cien millas había una *mullah*, o curso seco de agua, de riberas escarpadas, muy semejante al lugar en que mataron al príncipe imperial en Zululandia. Allí quedaron atrapados los elefantes, y cuando llegamos al borde los encontramos luchando en desesperada confusión por alcanzar la otra orilla; llenaban el aire con sus bramidos y barritaban al empujarse unos a otros en su pánico egoísta, como tantos seres humanos.

Escarpada: Que tiene declives ásperos.

Era nuestra oportunidad, así que disparamos con toda la rapidez con que podíamos recargar la munición, matamos cinco de aquellas pobres bestias, y sin duda habríamos derribado toda la manada de no ser porque repentinamente abandonaron sus intentos por trepar por la ribera y se precipitaron *mullah* abajo.

Estábamos demasiado cansados para seguirlos, y quizá también hartos de tanta matanza; ocho elefantes era un buen número de piezas para un día de caza.

De modo que, tras haber descansado un rato y después de que los cafres cortaran los corazones de dos elefantes para la cena, iniciamos el camino de vuelta, muy satisfechos de nosotros mismos, y con la decisión de enviar a los porteadores a la mañana siguiente a cortar los colmillos.

Poco después de pasar por el lugar en que Good había herido al elefante patriarcal, nos topamos con una manada de antílopes, pero no disparamos, puesto que ya teníamos suficiente carne. Pasaron cerca de nosotros, al trote, y después se detuvieron detrás de unos pequeños arbustos a unas cien yardas de distancia, y se dieron la vuelta para mirarnos. Como Good ardía en deseos de acercarse a ellos, porque nunca había visto un antílope de cerca, le dio el rifle a Umbopa

y, seguido por Khiva, se dirigió tranquilamente hacia los arbustos. Nos sentamos y nos pusimos a esperarlo, sin lamentar la excusa para descansar un poco.

El sol se ocultaba con un esplendor de rojos, y sir Henry y yo admirábamos la preciosa escena, cuando de repente oímos el barritar de un elefante, y vimos su enorme figura que embestía con la trompa y la cola levantadas y recortadas contra el gran globo rojo del sol. Al instante vimos algo más; Good y Khiva corrían precipitadamente hacia nosotros seguidos por el elefante herido (porque de él se trataba). Durante unos momentos no nos atrevimos a disparar —además, de poco habría servido a esa distancia—, por temor a alcanzar a los hombres, y a continuación ocurrió algo espantoso: Good fue víctima de su pasión por la ropa civilizada. De haber consentido en deshacerse de los pantalones y las polainas, como habíamos hecho los demás, y cazar con una camisa de franela y unos *veldtschoons*, todo habría ido bien; pero así, los pantalones le estorbaron en aquella carrera desesperada y, cuando estaba a unas sesenta yardas de nosotros, las botas, pulidas por la hierba seca, le hicieron resbalar y cayó al suelo de cabeza justo delante del elefante.

Franela: Tejido fino de lana, y a veces de algodón, ligeramente cardado por una de sus caras.

Sofocamos un grito, porque sabíamos que iba a morir y corrimos a toda velocidad hacia él. Tres segundos más tarde todo había acabado, pero no como habíamos pensado. Khiva, el muchacho zulú, vio caer a su amo y, como era un chaval valiente, dio media vuelta y lanzó su azagaya a la cabeza del elefante. Se clavó en la trompa.

Con un alarido de dolor, la bestia atrapó al pobre zulú, lo arrojó al suelo y, colocando su enorme pata sobre la cintura del muchacho, le enroscó la trompa en la parte superior del cuerpo y lo *rompió en dos.*

Nos precipitamos hacia allí, enloquecidos de terror, y volvimos a disparar una y otra vez, hasta que el elefante cayó sobre los despojos del zulú.

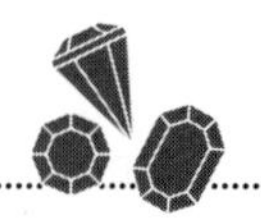

Con respecto a Good, se levantó y se retorció las manos, apenado, ante el cuerpo del valiente muchacho que había dado su vida por salvarlo, y a mí, aunque perro viejo, se me hizo un nudo en la garganta. Umbopa se puso de pie y contempló el enorme elefante muerto y los restos destrozados del pobre Khiva.

Perro viejo: Hombre cauto, advertido y prevenido por la experiencia.

—En fin —dijo—; está muerto, pero ha muerto como un hombre.

CAPÍTULO 5

Nuestra marcha por el desierto

Habíamos matado nueve elefantes, y tardamos dos días en cortar los colmillos y llevarlos al campamento y enterrarlos cuidadosamente en la arena, bajo un enorme árbol que llamaba la atención a varias millas a la redonda. Era un lote de marfil extraordinario. Nunca había visto uno mejor, puesto que el peso medio de cada colmillo era de unas cuarenta o cincuenta libras. Los dos colmillos del macho que había matado al pobre Khiva alcanzaban las ciento setenta libras, por lo que pudimos juzgar.

En cuanto a Khiva, enterramos sus restos en una madriguera de oso hormiguero, junto a una azagaya, para que lo protegiese en su viaje a un mundo mejor. Al tercer día partimos, con la esperanza de regresar a desenterrar el marfil, y andando el tiempo, tras una larga y fatigosa marcha y múltiples aventuras que no puedo detallar por falta de espacio, llegamos al *kraal* de Sitanda, cerca del río Lukanga, que constituía el verdadero punto de partida de nuestra expedición.

Oso hormiguero: Se caracteriza por su hocico y lengua larguísimos, especializados para cazar hormigas mediante una materia pegajosa. Es nocturno.

Recuerdo muy bien nuestra llegada a aquel lugar. A la derecha había un poblado nativo de casas dispersas, con unos cuantos *kraals* de ganado y tierras de cultivo junto al agua, donde aquellos salvajes plantaban su escasa provisión de grano, y detrás, grandes extensiones de *veldt* ondulante, cubiertas de hierba alta, por las que vagaban manadas de caza menor. A la izquierda se extendía el vasto desierto. Aquello parecía ser puesto avanzado de las regiones fértiles, y era difícil saber a qué causas naturales se debía un

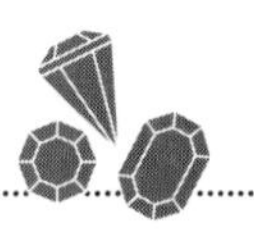

cambio tan brusco del carácter del suelo. Pero así era. Justo debajo de nuestro campamento corría un pequeño arroyo, cuya margen derecha era una pendiente pedregosa, la misma por la que vi arrastrarse al pobre Silvestre veinte años atrás, al regreso de su intento de llegar a las minas del rey Salomón, y detrás de aquella pendiente empezaba el desierto sin agua, cubierto con una especie de arbusto llamado *karoo.*

Caía el crepúsculo cuando montamos el campamento, y el gran globo ardiente del sol se hundía en el desierto, desparramando magníficos rayos multicolores en todas direcciones. Dejando a Good a cargo de la supervisión de los preparativos del pequeño campamento, me llevé a sir Henry, y llegamos hasta la cúspide de la pendiente que se erguía frente a nosotros y contemplamos el desierto. La atmósfera estaba muy limpia, y allá lejos, muy lejos, distinguí los débiles contornos azules coronados de blanco de la gran Berg de Sulimán.

—Ahí está la muralla de las minas del rey Salomón —dije—, pero solo Dios sabe si llegaremos a escalarla.

—Mi hermano tendría que estar ahí, y si es así, le encontraré como sea —dijo sir Henry en aquel tono de sosegada confianza que caracterizaba a aquel hombre.

—Eso espero —repliqué.

Al volverme para regresar al campamento, vi que no estábamos solos. Detrás de nosotros, el enorme zulú Umbopa contemplaba también con mucha atención las lejanas montañas.

El zulú habló al ver que le había estado observando, pero se dirigió a sir Henry, a quien había tomado gran cariño.

—¿Es a esa tierra a la que te diriges, Incubu? (palabra nativa que, según creo, significa elefante, que era el nombre que los cafres le habían puesto a sir Henry) —dijo, señalando hacia las montañas con su ancha azagaya.

 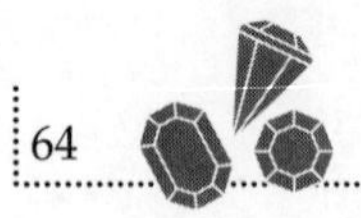

Le pregunté bruscamente qué pretendía al dirigirse a su amo en un tono tan familiar. Me parece muy bien que los nativos adopten un nombre entre ellos para llamar a los blancos, pero no es decente que se lo digan a la cara. El zulú emitió una risita tranquila que me enfureció.

—¿Cómo sabes tú que no soy igual que el *inkosi* al que sirvo? —dijo—. Él es de familia real, no hay duda; puede verse por su tamaño y sus ojos; quizá yo también lo sea. Al menos, soy tan grande como él. Transmite mis palabras, oh Macumazahn, al Inkoos Incubu, mi amo, porque os hablo a él y a ti.

Me enfadé con aquel hombre, porque no estoy acostumbrado a que los cafres me hablen así, pero no sé por qué sus palabras me impresionaron, y sentí curiosidad por saber qué iba a decir; así que las traduje, expresando al mismo tiempo mi opinión de que era un tipo insolente, y su jactancia era escandalosa.

—Sí, Umbopa —contestó sir Henry—; allí me dirijo.

—El desierto es grande y no tiene agua; las montañas son altas y están cubiertas de nieve, y ningún hombre puede decir qué hay más allá, detrás del lugar en que se oculta el sol. ¿Cómo llegarás allá, Incubu, y por qué vas?

Traduje sus palabras.

—Dígale —contestó sir Henry—, que voy porque creo que un hombre de mi sangre, mi hermano, ha llegado allí antes que yo, y que voy a buscarlo.

—Es cierto, Incubu; un hombre que conocí en la carretera me dijo que un hombre blanco se internó en el desierto hace dos años para ir a esas montañas con un sirviente, un cazador. No regresaron.

—¿Cómo sabes que era mi hermano? —preguntó sir Henry.

—No, no lo sé. Pero aquel hombre, al preguntarle que cómo era el hombre blanco, me dijo que tenía tus mismos ojos y la barba negra. También me contó que el cazador que iba con él se llamaba Jim, que era un cazador bechuana y que iba vestido.

—No hay duda —dije—; yo conocía bien a Jim.

Sir Henry asintió.

—Estaba seguro —dijo—. Cuando George se proponía algo, normalmente lo conseguía. Siempre le ha ocurrido así desde la infancia. Si tenía la intención de cruzar la Berg de Sulimán, la habrá cruzado, a menos que le haya sobrevenido algún accidente. Tenemos que buscarlo al otro lado.

Umbopa entendía inglés, aunque raras veces lo hablaba.

—Es un viaje muy largo, Incubu —intervino, y yo traduje sus palabras.

—Sí —replicó sir Henry—, es muy largo. Pero no hay viaje en esta tierra que no pueda realizar un hombre si pone todo su empeño en ello. No hay nada que no pueda hacer, Umbopa, no hay montañas que no pueda escalar, no hay desiertos que no pueda atravesar, salvo una montaña o un desierto que no conozca, si le guía el amor y defiende su vida sin darle importancia, dispuesto a salvarla o perderla según ordene la Providencia.

Providencia: Dios considerado como gobernando todas sus criaturas con su sabiduría.

Lo traduje.

—Esas son grandes palabras, padre mío —replicó el zulú (siempre le llamo zulú, aunque en realidad no lo era)—, grandes y magníficas palabras, dignas de salir de la boca de un hombre. Tienes razón, padre Incubu. Escucha. ¿Qué es la vida? Es una pluma, es la semilla de una hierba, aventada de acá para allá, que a veces se multiplica y muere en el acto y a veces asciende a los cielos. Pero si la semilla es buena y fuerte, es posible que viaje por el camino según su voluntad. Es bueno tratar de recorrer el propio camino y luchar contra el viento. El hombre tiene que morir. Lo peor que le puede ocurrir es morir un poco antes. Y cruzaré el desierto y escalaré las montañas contigo, a no ser que caiga al suelo en el camino, padre mío.

Aventada: Empujada por el viento.

Hizo una pausa y después prosiguió con uno de esos extraños accesos de elocuencia retórica en la que a veces se complacen los zulúes que, a mi entender, a pesar de sus vanas repeticiones, demuestran que esa raza no carece en absoluto de instinto poético y fuerza intelectual.

Elocuencia: Facultad de hablar o escribir de modo eficaz para deleitar, conmover o persuadir.

Retórica: Suelta, lúcida, despejada.

—¿Qué es la vida? Decídmelo vosotros, oh hombres blancos, que sois sabios, que conocéis los secretos del mundo, y el mundo de las estrellas y el mundo que está por encima y alrededor de las estrellas; vosotros, que transmitís las palabras desde lejos sin voz; decidme, hombres blancos, el secreto de vuestra vida: adónde va y de dónde viene. No podéis contestar; no lo sabéis. Escuchadme; yo sí puedo contestar. Venimos de la oscuridad; a la oscuridad vamos. Como un pájaro llevado por la tormenta en la noche, volamos salidos de la nada; nuestras alas se ven durante unos momentos a la luz de la hoguera y hete aquí que regresamos una vez más a la nada. La vida no es nada. La vida lo es todo. Es la mano con la que nos defendemos de la muerte. Es la luciérnaga que brilla en la noche y oscurece por la mañana; es el aliento blanco de los bueyes en invierno; es la pequeña sombra que atraviesa la hierba y se pierde al caer el crepúsculo.

Luciérnaga: Insecto coleóptero, de cuerpo blando, cuya hembra carece de alas, y está dotada de un aparato fosforescente.

—Eres un hombre extraño —dijo sir Henry cuando el zulú dejó de hablar.

Umbopa se echó a reír.

—Yo creo que nos parecemos mucho, Incubu. Quizá *yo* también busco a un hermano detrás de las montañas.

—¿Qué quieres decir? —pregunté, mirándolo con suspicacia—. ¿Qué sabes tú de las montañas?

—Poco; muy poco. Allí hay una tierra extraña, una tierra de brujería y de cosas maravillosas; una tierra de gentes valientes y de árboles y arroyos y montañas blancas, con una gran carretera blanca. Yo lo he oído decir. Pero ¿de qué sirve hablar? Oscurece. Quienes vivan para verlo lo verán.

Volví a mirarlo, dubitativo. Aquel hombre sabía demasiado.

—No tienes por qué temerme, Macumazahn —dijo, interpretando mi mirada—. No cavo agujeros para que tú caigas en ellos. No tramo ninguna trampa. Si llegamos a atravesar las montañas que hay detrás del sol, te diré lo que sé. Pero la muerte se sienta en ellas. Sed prudentes y volved atrás. Id a cazar elefantes. He dicho.

Y sin añadir una palabra más, levantó su lanza a modo de saludo y se dirigió al campamento, donde al poco tiempo le encontramos limpiando un rifle como cualquier otro cafre.

—Es un hombre extraño —dijo sir Henry.

—Sí —repliqué—, demasiado extraño. No me gustan sus pequeñas manías. Sabe algo, pero no lo quiere soltar. Supongo que no servirá de nada discutir con él. Hemos emprendido un curioso viaje, y un zulú misterioso no supondrá mucha diferencia.

Al día siguiente hicimos los preparativos para partir. Naturalmente, era imposible cargar con los pesados rifles para elefantes y otros avíos por el desierto, así que despedimos a los porteadores y nos pusimos de acuerdo con un viejo nativo que tenía un *kraal* cerca del campamento para que se hiciera cargo de ellos hasta nuestro regreso. Me dolió en el alma abandonar aquellas herramientas en las manos nada piadosas de un viejo ladrón, de un salvaje cuyos ojos codiciosos contemplaban los objetos con maligna satisfacción. Pero tomé algunas precauciones.

Avíos: Utensilios necesarios para algo.

En primer lugar, cargué todos los rifles y puse en su conocimiento que si los tocaba se dispararían. Inmediatamente hizo el experimento con mi rifle del calibre ocho, que se disparó y atravesó a uno de sus bueyes, que en este momento se dirigían al *kraal*, por no hablar del retroceso, que dejó al hombre patas arriba. Se levantó sumamente asustado, y no muy contento por la pérdida del buey, y tuvo la insolencia de pedirme que se lo pagara. Por nada del mundo volvería a tocar los rifles.

—Pon esos demonios vivos en el techo —dijo—; quítalos de en medio o nos matarán a todos.

Después le dije que, si a nuestro regreso faltaba alguno de aquellos chismes, lo mataría a él y a toda su gente mediante brujería; y que, si moríamos y trataba de robar los rifles, yo lo perseguiría y haría enloquecer su ganado y agriaría la leche, hasta que se aburriera de la vida, y haría que salieran los demonios de los rifles y que le hablasen de una forma que no le gustaría, y le di una idea general de lo que podría sucederle.

Tras esas recomendaciones, juró que los cuidaría como si fueran el espíritu de su padre. Era un viejo cafre muy supersticioso y un completo villano.

De modo que, tras desprendernos del equipo superfluo, preparamos el equipaje que habíamos de llevar en el viaje nosotros cinco —sir Henry, Good, yo, Umbopa y el hotentote, Ventvögel—. Era poca cosa, pero, a pesar de todos nuestros esfuerzos, no logramos que el peso fuera menor de cuarenta libras por hombre. Consistía en lo siguiente:

Los tres rifles *express* y doscientos cartuchos. Los dos rifles *Winchester* de repetición (para Umbopa y Ventvögel) con doscientos cartuchos. Tres revólveres *Colt* y sesenta balas. Cinco cantimploras, cada una con una capacidad de cuatro pintas. Cinco mantas. Veinticinco libras de *biltong* (caza secada al sol). Diez libras de cuentas de vidrio mezcladas de la mejor calidad, para regalarlas a los salvajes. Un botiquín en el que se incluían una onza de quinina y uno o dos pequeños instrumentos quirúrgicos. Cuchillos, objetos diversos, tales como una brújula, cerillas, un filtro de bolsillo, tabaco, una paleta, una botella de *brandy* y las ropas que llevábamos puestas.

En esto consistía la totalidad de nuestro equipo, verdaderamente pequeño para una aventura de tal ca-

Pinta: Medida para líquidos. En Gran Bretaña equivale a 0,568 litros, y en EE.UU. a 0,473.

Cuenta: Bolilla ensartada o taladrada para serlo, y especialmente las del rosario.

Onza: Peso equivalente a 28,70 gramos.

Quinina: Alcaloide de la corteza del quino. Muy soluble en alcohol y cloroformo, ha sido durante mucho tiempo el único fármaco para tratar el paludismo. También es un estimulante del sistema nervioso.

Brandy: Bebida alcohólica parecida al coñac.

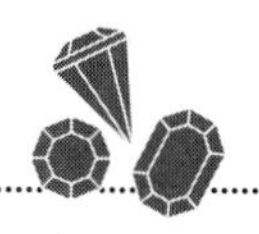

libre, pero no nos atrevimos a llevar más cosas. Aun así era carga pesada para atravesar el ardiente desierto, porque en tales lugares se deja sentir el peso de cada onza de más. Pero, por más que lo intentábamos, no encontrábamos manera de reducirlo. No llevábamos más que lo absolutamente necesario.

Con gran dificultad y bajo promesa de regalarles un buen cuchillo de caza a cada uno, logré convencer a tres miserables nativos de la aldea para que viniesen con nosotros en la primera etapa del viaje, durante veinte millas, llevando cada uno una gran calabaza con capacidad para un galón de agua. El objetivo era permitirnos rellenar las cantimploras después de la primera noche de marcha, porque decidimos partir con el fresco de la noche. Hice creer a los nativos que íbamos a cazar avestruces, que abundaban en el desierto. Farfullaron y se encogieron de hombros, y dijeron que estábamos locos y que moriríamos de sed, lo que debo añadir que parecía muy probable; pero, deseosos de obtener los cuchillos, que en aquella región eran tesoros casi desconocidos, aceptaron venir, probablemente tras reflexionar que, al fin y al cabo, si desaparecíamos, no era asunto suyo.

Avestruz: Ave estruciforme de África y Arabia, la mayor de las conocidas, de patas largas y robustas con solo dos dedos, y cabeza y cuello casi desnudos, muy largo este último.

Farfullar: Decir una cosa muy deprisa y atropelladamente.

Durante todo el día siguiente descansamos y dormimos, y al atardecer comimos abundantemente, a base de carne fresca de vaca, regada con té, posiblemente el último que habríamos de tomar durante muchos días, como apuntó con tristeza Good. Después, tras llevar a cabo los últimos preparativos, nos tumbamos y esperamos a que saliera la luna. Finalmente, alrededor de las nueve, se elevó con toda su casta magnificencia, inundando aquellas tierras salvajes con su luz de plata, y proyectando un extraño brillo sobre la vasta extensión de desierto ondulado ante nuestros ojos, que resultaba tan solemne y ajeno al hombre como el firmamento tachonado de estrellas. Nos levantamos y a los pocos minutos estábamos listos, aunque un poco dubitativos, ya que la naturale-

Tachonado: Salpicado.

za humana es propensa a dudar en el umbral de un paso irrevocable. Los tres hombres blancos estábamos solos. Umbopa, con la azagaya en la mano y el rifle cruzado sobre los hombros, a unos cuantos pasos delante de nosotros, contemplaba el desierto con mirada fija; los tres nativos que habíamos contratado, con las calabazas de agua, y Ventvögel estaban reunidos en un pequeño grupo detrás de nosotros.

—Caballeros —dijo sir Henry con su voz baja y profunda—, vamos a emprender el viaje más extraordinario que pueda hacer un hombre en este mundo. Es muy dudoso que vayamos a tener éxito. Pero somos tres hombres que se mantendrán juntos hasta el final, tanto en la fortuna como en la desgracia. Y ahora, antes de partir, roguemos un momento al Poder que rige los destinos de los hombres y que marca nuestros caminos desde hace siglos, para que se digne dirigir nuestros pasos según Su voluntad.

Quitándose el sombrero, se cubrió la cara con las manos durante unos minutos, y Good y yo hicimos lo mismo.

No voy a decir que yo tenga mucha costumbre de rezar; pocos cazadores la tienen, y en lo que respecta a sir Henry, nunca lo había oído hablar así, y desde entonces, solo una vez, aunque creo que en el fondo de su corazón es un hombre muy religioso. También Good es devoto, aunque tiene mucha tendencia a blasfemar. En cualquier caso, creo que nunca en mi vida, salvo en una ocasión, recé con más fervor que en aquellos momentos, y, por alguna razón, me hizo sentir muy feliz. Nuestro futuro era completamente desconocido, y creo que lo desconocido y lo terrible siempre acercan al hombre a su Hacedor.

—Y ahora —dijo sir Henry—, *¡en marcha!*

Y así iniciamos el viaje.

No teníamos nada con qué guiarnos, salvo las lejanas montañas y el viejo mapa de José da Silvestra que, teniendo en cuenta que fue dibujado sobre un trozo de tela por un hombre moribundo y medio loco tres siglos atrás, no era para fiarse demasiado. No obstante, nuestra única esperanza de éxito dependía de él. Si no llegábamos a encontrar la charca de agua que, según el viejo caballero, se encontraba en medio del desierto, a unas sesenta millas del punto de partida, y a la misma distancia de las montañas, lo más probable era que muriésemos de sed. Pero, a mi entender, la posibilidad de encontrarla en el gran mar de arena y matojos de *karoo* era casi infinitesimal. Incluso suponiendo que Da Silvestra lo hubiese señalado en el lugar correcto, ¿qué podría haber impedido que el sol la hubiese secado muchos años atrás, o que la hubiesen pisoteado los animales o que la hubiese cegado la arena arrastrada por el viento?

Caminábamos silenciosos en la noche sobre la pesada arena. Los arbustos de *karoo* se nos enredaban en las piernas y retrasaban la marcha, y la arena se colaba en nuestros *veldtschoons* y en las botas de caza de Good, de modo que teníamos que detenernos a cada pocas millas para vaciarlos; no obstante, la noche era bastante fresca, aunque la atmósfera era densa y pesada, lo que comunicaba al aire una especie de consistencia cremosa, y avanzábamos con bastante rapidez. Todo era quietud y soledad en el desierto, tanto que llegaba a ser opresivo. Good tuvo la misma sensación y se puso a silbar *La chica que dejé atrás*, pero las notas sonaban lúgubres en aquel lugar tan extenso y se calló. Poco después ocurrió un incidente que, aunque en su momento nos sobresaltó, después nos hizo reír. Good marchaba en cabeza, al cargo de la brújula, que, por ser marino, sabía manejar perfectamente, y los demás avanzábamos penosamente tras él en fila india, cuando de repente oímos una exclamación y Good desapareció. Al momento se armó una barahúnda extraordinaria; estábamos rodeados de bufidos, bramidos, ruidos frenéticos de pies en movimiento. A la débil luz pudimos divisar siluetas al

Lúgubre: Triste, funesto, melancólico.

Barahúnda: Ruido y confusión grandes.

galope, medio ocultas por polvaredas de arena. Los nativos soltaron sus cargas y se dispusieron a huir, pero, al darse cuenta de que no había ningún sitio donde poder refugiarse, se arrojaron al suelo, aullando que era el demonio. Sir Henry y yo nos quedamos de pie, estupefactos, y nuestra estupefacción no menguó cuando percibimos la silueta de Good que corría a toda velocidad hacia las montañas, al parecer encaramado en el lomo de un caballo y gritando como un loco. Seguidamente levantó los brazos, y oímos que caía a tierra con un golpe sordo. Entonces comprendí lo que había ocurrido: nos habíamos topado con una manada de *quaggas*[1] dormidos, Good había caído en el lomo de uno de ellos, y la bestia, como es natural, se había levantado y huido con él encima. Corrí al encuentro de Good gritando a los otros que no pasaba nada, temeroso de que se hiciera daño, pero para mi gran alivio lo encontré sentado en la arena, con el monóculo aún firmemente sujeto en el ojo, un tanto tembloroso y muy asustado, pero sin haber sufrido ningún daño.

Menguar: Disminuir.

Encaramado: Subido.

Después de este incidente proseguimos el viaje sin posteriores desgracias, hasta la una, en que hicimos un alto y, tras beber un poco de agua, no mucha, porque el agua era preciosa, y descansar durante media hora, reanudamos la marcha.

Anduvimos y anduvimos, hasta que el Este empezó a sonrojarse como las mejillas de una muchacha. Después vimos débiles rayos de una luz amarillo pálido, que se transformaron al momento en barras doradas, por las que se deslizaba el alba a través del desierto. Las estrellas empalidecieron más y más hasta desvanecerse finalmente; la dorada luna se tornó macilenta, y los bordes de sus montañas se recortaron

Macilenta: Descolorida.

[1] Mamífero perisodáctilo, de porte parecido al caballo y a la cebra. Corresponde a una especie que habitó en África austral, pero que se considera actualmente extinguida. Solo se conservan algunos ejemplares en museos.

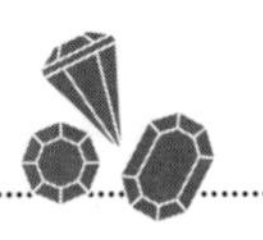

con claridad sobre su enfermiza cara, como los huesos de la faz de un moribundo; después, en la distancia relampaguearon un destello tras otro de magnífica luz que atravesaron el yermo sin límites, taladrando y encendiendo los velos de la neblina, hasta que el desierto se revistió de un trémulo brillo dorado y se hizo de día.

Faz: Cara, rostro.

Yermo: Terreno inhabitado.

Aún no nos detuvimos, aunque lo habríamos hecho con gusto, porque sabíamos que, una vez que el sol estuviese alto, nos resultaría casi imposible seguir caminando. Por fin, aproximadamente una hora más tarde, divisamos una pequeña elevación de rocas que emergía de la llanura, y hacia ella nos arrastramos. Por suerte, encontramos un bloque que sobresalía, alfombrado por debajo con arena fina, lo que proporcionaba un refugio sumamente agradable contra el calor. Nos deslizamos debajo de las rocas y, tras beber un poco de agua y comer *biltong,* nos acostamos y al poco estábamos profundamente dormidos.

Eran las tres de la tarde cuando nos despertamos, para encontrarnos con que los tres porteadores se estaban preparando para regresar. Ya se habían hartado del desierto, y ni una enorme cantidad de cuchillos hubiese sido suficiente tentación para hacerlos avanzar ni un paso más. Así que bebimos de buena gana y, tras vaciar las cantimploras, volvimos a llenarlas con el contenido de las calabazas y después los vimos iniciar el camino de veinte millas que los separaban del campamento.

A las cuatro y media también nosotros nos pusimos en camino. Era un viaje solitario y desolado, porque, salvo unos cuantos avestruces, no se veía un solo ser viviente en la vasta extensión de llanura arenosa. Evidentemente, era demasiado seca para que hubiera caza, y excepto una o dos cobras de aspecto terrible, no vimos ningún reptil. Sin embargo, abundaba un insecto, la mosca común o doméstica. Nos acosaban «no como espías aislados, sino en batallones», creo que dice el Antiguo Testamento en algún sitio.[2] Es un animal extraordinario esta mosca común. Vayas donde vayas, siempre te la encuentras, y debe de haber sido así siempre. Yo la he visto encerrada en un trozo de ámbar, que según me dijeron debía de tener medio millón de años, y tenía el mismo aspecto que su descendiente actual, y no cabe duda de que cuando el último hombre sobre la tierra esté a punto de expirar, allí estará la mosca zumbando a su alrededor —si esto ocurriese en verano—, esperando la oportunidad de posársele en la nariz.

Ámbar: Resina fósil, amarillenta, translúcida, electrizable por fricción y susceptible de pulimento, de que se hacen boquillas, collares, etcétera.

Al atardecer nos detuvimos, en espera de la luna. A las diez apareció, bella y serena como siempre, y tras otra parada a las dos de la mañana, seguimos caminando penosamente toda la noche, hasta que al fin el esperado sol puso punto final a nuestras fatigas. Bebimos un poco y nos tumbamos en la arena, completamente agotados, y pronto nos quedamos profundamente dormidos. No era necesario hacer guardia, porque no había nada que temer de nadie ni de nada en aquella vasta llanura deshabitada. Nuestros únicos enemigos eran el calor, la sed y las moscas, pero yo habría preferido enfrentarme a cualquier peligro procedente del hombre o de las bestias que a aquella espantosa trinidad.

En esta ocasión no tuvimos suerte de encontrar una roca que nos resguardara de la luz deslumbradora del sol, por lo que nos despertamos alrededor de las siete experimentando exactamente la misma sensación que podría atribuirse a un filete en la parrilla. Literalmente, nos estábamos asando. El ardiente sol parecía chuparnos la misma sangre. Nos sentamos jadeantes.

—¡Puff! —exclamé dando un manotazo a las moscas que zumbaban alegremente en torno a mi cabeza.

[2] Parece referirse a la tercera plaga de Egipto, cuando, al golpear Aarón «el polvo de la tierra, hubo mosquitos sobre los hombres y los ganados. Todo el polvo de la tierra se convirtió en mosquitos» (*Éxodo* 8,13; Cf. *Salmo* 104,31).

A *ellas* el calor no las afectaba.

—¡Caramba! —dijo sir Henry.

—¡Sí que *hace* calor! —dijo Good.

Hacía realmente calor, y no podíamos refugiarnos en ninguna parte. Dondequiera que mirásemos, no había árboles ni rocas, nada salvo un resplandor infinito, que resultaba deslumbrador, debido al aire que danzaba sobre la superficie del desierto como sobre una estufa al rojo vivo.

—¿Qué vamos a hacer? —preguntó sir Henry—. No podremos soportar esto durante mucho tiempo.

Nos miramos con perplejidad.

—Ya lo tengo —dijo Good—; vamos a cavar un hoyo y a meternos en él, y después nos cubriremos con arbustos de *karoo*.

No parecía una sugerencia muy prometedora, pero era mejor que nada, así que pusimos manos a la obra y, con la pala que llevábamos y con las manos, al cabo de una hora logramos excavar un agujero de unos diez pies de largo por doce de ancho, con una profundidad de dos pies. Luego cortamos unos cuantos matojos con los cuchillos de caza, nos deslizamos en el hoyo y nos cubrimos con ellos, salvo Ventvögel, al que, por ser hotentote, el sol no le afectaba especialmente. Esto nos proporcionó una ligera protección contra los ardientes rayos del sol, pero es más fácil imaginar que describir el calor que hacía en aquella especie de tumba. Comparado con este, el Agujero Negro de Calcuta[3] debía de ser una tontería. La verdad es que nunca he llegado a comprender cómo pudimos sobrevivir aquel día. Jadeantes, nos humedecíamos los labios de vez en cuando con la reserva escasa de agua. De haber seguido nuestros impulsos, habría-

[3] En 1756, Suraj-ud-Sowlah, gobernador de Bengala, se apoderó de Calcuta. Los ingleses escaparon, aunque no todos. De entre los que quedaron metió a 146 personas en un calabozo de menos de dos metros cuadrados. Al día siguiente solo quedaban 23 vivos, entre ellos el historiador del hecho. El macabro calabozo ha pasado a la historia con el nombre de «Agujero Negro de Calcuta».

mos acabado con ella en las dos primeras horas, pero teníamos que actuar con suma precaución, porque, si nos faltaba el agua, sabíamos que moriríamos rápidamente.

Aciago: Infeliz, desgraciado.

Pero todo tiene un fin, con tal de vivir lo suficiente para verlo, y de una u otra forma, aquel día aciago fue acercándose a la noche. Hacia las tres de la tarde llegamos a la conclusión de que no podíamos soportar aquello más tiempo. Era mejor morir caminando que perecer lentamente por el calor y la sed en aquel espantoso agujero. De modo que, tras beber un poco de la reserva de agua, que disminuía a toda velocidad y que estaba casi a la temperatura de la sangre humana, nos pusimos a andar, tambaleantes.

Ya habíamos cubierto unas cincuenta millas del desierto. Si el lector consulta la reproducción y traducción aproximadas del viejo mapa de Da Silvestra, verá que este asigna al desierto una extensión de cuarenta leguas, y que la «charca de agua sucia» está situada más o menos a mitad de camino. Ahora bien, cuarenta leguas son ciento veinte millas; así que debíamos estar, como mucho, a doce o quince millas del agua si es que existía.

Nos arrastramos lenta y dolorosamente durante toda la tarde, a poco más de milla y media por hora. Con el crepúsculo volvimos a descansar, mientras esperábamos a que saliera la luna, y después de beber un poco, intentamos dormir un rato.

Antes de acostarnos, Umbopa nos señaló un montículo bajo y confuso entre la superficie plana del desierto, a unas ocho millas. Desde lejos parecía un hormiguero, y mientras conciliaba el sueño, me pregunté qué sería.

Trompicón: Tropezón o paso tambaleante de una persona.

Al salir la luna nos pusimos en camino, terriblemente agotados y torturados por la sed y el calor sofocante. Quien no lo haya experimentado no puede saber lo que tuvimos que soportar. Ya no caminábamos, avanzábamos a trompicones, cayendo de cuando en cuando vencidos por el agotamiento, forzados a hacer un alto a cada hora. Apenas nos quedaban energías suficientes para hablar. Hasta entonces, Good había charlado y bromeado, porque era un tipo alegre; pero ya no le quedaban ánimos para más bromas.

Por fin, hacia las dos, completamente rendidos física y mentalmente, llegamos al pie de aquella colina o *koppie* arenoso, que a primera vista parecía un hormiguero gigantesco de una altura de unos cien pies, con una base de casi un *morgen* (dos acres).

Acre: Medida agraria inglesa, equivalente a 4.046 metros cuadrados, o sea, 40,46 áreas.

Allí nos detuvimos y, empujados por la sed apremiante, apuramos las últimas gotas de agua. No teníamos más que media pinta por cabeza, y habríamos podido beber un galón cada uno. Después nos acostamos. En el momento en que me estaba quedando dormido, oí la observación que Umbopa se hacía a sí mismo en zulú.

—Si no encontramos agua antes de que salga la luna mañana, habremos muerto todos.

Me recorrió un escalofrío a pesar del calor. La perspectiva cercana de una muerte tan espantosa no es agradable, pero ni siquiera esa idea pudo impedir que me durmiera.

CAPÍTULO 6

¡Agua! ¡Agua!

Al cabo de dos horas, alrededor de las cuatro, me desperté. En cuanto quedó satisfecha la primera exigencia opresiva de la fatiga corporal, la torturante sed que padecía volvió a manifestarse. No pude seguir durmiendo. Había soñado que me bañaba en un arroyo, con riberas verdes pobladas de árboles, y me desperté en medio de aquel yermo, recordando que, como había dicho Umbopa, si no encontrábamos agua aquel día, moriríamos de una forma espantosa. Ningún ser humano podía vivir mucho tiempo sin agua con aquel calor. Me incorporé y me froté la cara mugrienta con mis manos resecas y callosas. Tenía los labios y los párpados pegados, y solo después de frotarlos y de hacer un gran esfuerzo fui capaz de abrirlos. No faltaba mucho para el amanecer, pero en la atmósfera no flotaba la luminosidad que anuncia el alba, sino una pesadez y una oscuridad cálidas que no puedo describir. Los demás aún dormían. De repente, empezó a brotar luz suficiente para leer, así que saqué un pequeño volumen de bolsillo de las *Ingoldsby Legends* que traía conmigo y leí «El grajo de Reims». Al llegar a los versos que dicen:

Grajo: Ave paseriforme de plumaje de color violáceo negruzco, el pico y los pies rojos y las uñas negras.

Aguamanil: Jarro para echar agua en la palangana.

«Un hermoso niño llevaba
un aguamanil de oro con relieves,
rebosante del agua más pura
que fluye entre Reims y Namur[1]»,

[1] Reims es una ciudad de Francia, y Namur, de Bélgica.

literalmente me chupé mis cuarteados labios, o más bien traté de chupármelos. La sola idea de esa agua tan pura me volvía loco. Si hubiese aparecido por allí el cardenal con su campana, su libro y su cirio, me habría precipitado hacia él para beberme toda el agua, sí; incluso si hubiera estado llena de jabón con el que se hubiera lavado el Papa y aun a sabiendas de que pudieran caer sobre mí todas las excomuniones de la Iglesia católica por hacerlo. Casi me inclino a pensar que había perdido el seso debido a la sed, al cansancio y la falta de alimento; porque me puse a pensar en lo perplejos que se habrían quedado el cardenal, el hermoso niño y el grajo al ver aparecer repentinamente a un pequeño cazador de elefantes quemado por el sol, de ojos castaños y pelo canoso, que metía su sucia cara en la jofaina y se tragaba hasta la última gota del agua preciosa. La idea me pareció tan divertida que me eché a reír en voz alta, o más bien solté una carcajada histérica que despertó a los otros, que se pusieron a frotarse *sus* sucias caras y a abrir *sus* párpados y labios pegados.

Cuarteado: Agrietado.

Cirio: Vela de cera larga y gruesa.

Excomunión: Acción de excomulgar, es decir, apartar a uno de la comunidad de los fieles y del uso de los sacramentos.

Jofaina: Vasija ancha y poco profunda que sirve especialmente para lavarse la cara y las manos.

En cuanto estuvimos todos despiertos, nos pusimos a discutir la situación, que era realmente grave. No quedaba ni una gota de agua. Volvimos las cantimploras boca abajo y chupamos los bordes, pero todo fue inútil; estaban más secas que un hueso. Good, que tenía en su poder la botella de coñac, la sacó y la contempló con ansia; pero sir Henry se la quitó rápidamente, porque beber alcohol puro solo habría servido para precipitar el final.

—Si no encontramos agua, moriremos —dijo.

—Si confiamos en el viejo mapa de Da Silvestra, tiene que haber agua cerca —dije.

Pero a nadie pareció convencerle esta observación. Era evidente que no podía depositarse mucha fe en el mapa. La luz se iba haciendo más intensa gradualmente y, mientras nos contemplábamos unos a otros con expresión de perplejidad, observé que Ventvögel, el hotentote, se había levantado y caminaba con los ojos fijos en el suelo. Se detuvo repentinamente y, emitiendo una exclamación gutural, señaló a la tierra.

Gutural: Relativo a la garganta.

—¿Qué pasa? —exclamamos.

Y todos nos levantamos y nos dirigimos a donde señalaba el hotentote.

—Muy bien —dije—; son huellas recientes de gacela. ¿Y qué?

—Pues que las gacelas no se alejan mucho del agua —contestó en holandés.

—Es cierto —repliqué—; lo había olvidado. Demos gracias a Dios por ello.

Aquel pequeño descubrimiento nos alegró un poco. Es increíble cómo se aferra uno a la más ligera esperanza en situaciones desesperadas y que pueda sentirse casi feliz con ella. En una noche oscura, es mejor una sola estrella que nada en absoluto.

Entre tanto, Ventvögel tenía su chata nariz levantada y olfateaba el aire caliente como un viejo impala que percibe el peligro. En ese momento, volvió a hablar.

Impala: Antílope de mediano tamaño, pelaje de color pardo amarillento con el vientre blanco, y cuernos, solo presentes en el macho, en forma de lira.

—*Huelo* agua —dijo.

Sus palabras nos llenaron de júbilo, porque sabíamos el instinto tan extraordinario que poseen estos hombres nacidos en tierras salvajes.

En ese preciso instante salió el sol en todo su esplendor y reveló un panorama de tal grandeza ante nuestros ojos atónitos, que durante unos momentos nos olvidamos incluso de la sed.

Porque allí, a una distancia no mayor de cuarenta o cincuenta millas, relucientes como plata con los primeros rayos de sol de la mañana, estaban los senos de Saba; y a ambos lados se extendía, a lo largo de cientos de millas, la gran Berg de Sulimán.

Ahora que, sentado tranquilamente, trato de describir el esplendor y belleza extraordinarios de aquel panorama, me faltan las palabras. Me siento impotente ante el recuerdo de aquel paisaje. Frente a noso-

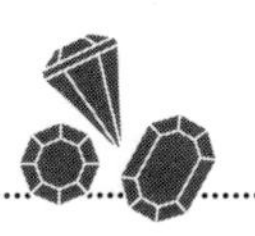

tros se alzaban dos enormes montañas como no creo que puedan verse en toda África, y acaso en ninguna otra parte del mundo, con una altura de al menos quince mil pies, separadas por unas doce millas, unidas por escarpadas rocas, y destacando sobre el cielo con su terrible solemnidad blanca. Estas montañas, como los pilares de un pórtico gigantesco, tienen exactamente la misma forma que los pechos de una mujer. La base se elevaba suavemente de la llanura, y desde lejos parecían completamente redondas y lisas. En la cumbre de ambas había un extenso montículo redondo cubierto de nieve, que se correspondía exactamente con el pezón del pecho femenino. Los riscos que las unían tenían, en apariencia, unos mil pies de altura, y eran totalmente escarpados, y a cada lado, hasta donde llegaba la vista, se extendían riscos similares solo interrumpidos acá y allá por mesetas, algo parecido a las mundialmente famosas formaciones de Ciudad de El Cabo, muy corrientes en África.

Risco: Peñasco alto y escarpado.

Está fuera de mis posibilidades describir la grandeza de aquel panorama. Había algo tan inexpresablemente solemne y abrumador en aquellos enormes volcanes —porque sin duda son volcanes extintos— que casi nos quitaba el aliento. Durante un rato, las luces de la mañana juguetearon sobre la nieve y las masas pardas y abultadas que había debajo, y después, como para separar con un velo aquel majestuoso panorama de nuestros ojos curiosos, a su alrededor se formaron extrañas neblinas y nubes que fueron espesando, hasta que solo pudimos distinguir sus perfiles puros y gigantescos que se hinchaban como fantasmas entre la envoltura aborregada. En realidad, como descubrimos más adelante, normalmente estaban envueltas en esa extraña gasa neblinosa, lo que sin duda había influido en que no las hubiésemos visto antes con mayor claridad.

Abrumador: Que agobia.

Extinto: Apagado.

Aborregada: A modo de vellones de lana.

Apenas se habían desvanecido las montañas en la intimidad de sus ropajes de nubes, cuando la sed

—que literalmente nos abrasaba— volvió a presentarse.

Era un consuelo que Ventvögel hubiese dicho que olía a agua, pero por mucho que mirábamos, no veíamos rastro de ella en ningún otro sitio. Hasta donde alcanzaba la vista, no había más que aridez sofocante y matojos de *karoo*. Rodeamos el altozano y miramos ansiosamente al otro lado, pero era la misma historia; no se veía una gota de agua; no había ninguna indicación de que existiera un pozo, una charca o un arroyo.

Altozano: Monte de poca altura en terreno llano.

—Eres idiota —dije airadamente a Ventvögel—; no hay agua.

Pero siguió levantando su chata nariz para olfatear.

—La huelo, *baas* (amo) —contestó—; está en el aire.

—Sí —dije—; sin duda está en las nubes, y de aquí a dos meses caerá y nos lavará los huesos.

Sir Henry se acariciaba pensativo la rubia barba.

—Quizá esté en la cumbre de la colina —sugirió.

—¡Qué tontería! —dijo Good—. ¿A quién se le ocurre que pueda haber agua en la cima de una colina?

—Vamos a verlo —intervine, y, con muy pocas esperanzas, escalamos dificultosamente las laderas empinadas de la colina, con Umbopa a la cabeza. De pronto, se detuvo como petrificado.

—¡Nanzia manzie! (aquí hay agua) —gritó.

Nos precipitamos hacia él, y allí, sin ningún género de duda, en una profunda hondonada o depresión, en la cumbre misma del *koppie* de arena, había una charca de agua. No nos detuvimos a preguntarnos cómo había llegado hasta un lugar tan extraño, ni dudamos ante su aspecto negruzco y poco atractivo. Era agua, o una buena imitación, y con eso teníamos suficiente. Nos precipitamos hacia la charca de un salto, y a los pocos segundos estábamos todos tumbados boca abajo sorbiendo aquel líquido poco apetecible como si fuera néctar digno de los dioses. ¡Cielo santo, cómo bebimos! Después de beber, nos despojamos de la ropa y nos sentamos en la charca, absorbiendo la

Néctar: En la mitología, bebida de los dioses.

humedad por nuestras pieles resecas. Tú, lector, que no tienes más que abrir un par de grifos para elegir «fría» o «caliente» de un inmenso depósito invisible, solo puedes hacerte una pequeña idea del lujo que suponía revolcarse en aquella agua tibia, fangosa y salobre.

Agua salobre: Aquella cuya proporción de sales la hace impropia para la bebida.

Al cabo de un rato salimos de la charca, verdaderamente refrescados, y nos lanzamos como fieras sobre el *biltong* que apenas habíamos podido tocar durante veinticuatro horas, y comimos hasta hartarnos. Después fumamos una pipa y nos acostamos junto a aquella bendita charca bajo la sombra que proyectaba la ribera, y dormimos hasta el mediodía.

Durante todo el día nos quedamos descansando junto al agua, agradeciendo a nuestra buena estrella el haber tenido la suerte de encontrarla, a pesar de lo mala que era, y sin olvidar rendir un homenaje de gratitud a la sombra de Da Silvestra, muerto tiempo atrás, que lo había anotado con tanta exactitud en el faldón de su camisa. Lo que más nos sorprendía era que hubiese durado tanto tiempo, y la única explicación que se me ocurre es suponer que estaba alimentada por algún arroyo que corría a gran profundidad.

Tras saciar nuestra sed y llenar las cantimploras hasta los topes, nos pusimos de nuevo en marcha con mucha mejor disposición de ánimo al salir la luna. Aquella noche recorrimos casi veinticinco millas, pero, como era de esperar, no encontramos más agua, aunque tuvimos la suerte de encontrar un poco de sombra al día siguiente tras unos hormigueros. Cuando salió el sol y despejó durante un rato las misteriosas neblinas, la Berg de Sulimán y los senos majestuosos, que ahora estaban solo a una distancia de unas veinte millas, parecían erguirse justo por encima de nuestras cabezas, y se veían más grandes que nunca. Al acercarse la noche nos pusimos de nuevo en marcha, y para decirlo en pocas palabras, con la luz de la mañana siguiente nos encontramos sobre las lomas más bajas del seno izquierdo de Saba, hacia el que nos habíamos dirigido continuamente. Para entonces ya se nos había agotado el agua. Sufríamos una sed terrible, y no veíamos ninguna posibilidad de aliviarla hasta llegar a la línea de nieve, que se marcaba muy por encima de nuestras cabezas. Tras descansar una o dos horas, inducidos por la sed torturante, empezamos a caminar de nuevo, avanzando con dificultad a causa del asfixiante calor por las vertientes de lava, porque descubrimos que la enorme base de la montaña estaba compuesta totalmente de lechos de lava erupcionados en época remota.

Escoria: Lava esponjosa de los volcanes.

Alrededor de las once estábamos completamente agotados, y nos encontrábamos en muy mal estado. La escoria de lava sobre la que teníamos que avanzar, aunque era relativamente lisa en comparación con otras escorias de las que he oído hablar, por ejemplo, la que existe en la isla de Ascensión[2], era lo suficientemente áspera como para llagarnos dolorosamente los pies, y esto, junto a nuestras otras desventuras, acabó totalmente con nosotros. A unas cuantas yardas por encima de nuestras cabezas había grandes trozos de lava, y hacia ellos nos dirigimos con la intención de tumbarnos al amparo de su sombra. Al llegar allí y para nuestra sorpresa, en la medida en que nos quedaba capacidad para sorprendernos, vimos que en una pequeña altiplanicie o cuesta cercana la lava estaba cubierta de una densa verdura. Evidentemente, aquella tierra se había formado con lava descompuesta que con el paso del tiempo se había convertido en receptáculo de semillas depositadas por los pájaros. Pero aquella verdura no despertó en nosotros demasiado interés, porque no se puede vivir de hierba como Nabucodonosor[3]. Para ello se necesi-

[2] Isla de Gran Bretaña , en el Atlántico sur, a 1.100 km al noroeste de Santa Elena, de la que depende administrativamente. Está constituida por materiales volcánicos. Tiene 88 km^2 y 300 habitantes. Su capital es Georgetown.

[3] Alusión al sueño que tuvo el rey de Babilonia, relatado en la Biblia (*Daniel* 4).

ta un designio de la Providencia y órganos digestivos especiales. De modo que nos sentamos bajo las rocas y nos pusimos a quejarnos, y por primera vez deseé de todo corazón no haber comenzado nunca aquella estúpida aventura.

Mientras estábamos allí sentados, observé que Umbopa se levantaba y se dirigía hacia la mancha de verdura, y unos minutos después, para mi gran asombro, pude ver que aquel individuo, habitualmente tan digno, se ponía a bailar y a gritar como un loco, agitando algo verde que llevaba en la mano. Nos precipitamos hacia él tan velozmente como nos lo permitieron nuestros cansados miembros, con la esperanza de que hubiese encontrado agua.

—¿Qué ocurre, Umbopa, pedazo de imbécil? —le grité en zulú.

—Que hay comida y agua, Macumazahn —y volvió a agitar una cosa verde.

Entonces vi lo que tenía en la mano. Era un melón. Nos habíamos topado con un melonar; había melones silvestres a miles, completamente maduros.

—¡Melones! —grité a Good, que estaba cerca de mí; y al cabo de un instante clavó sus dientes postizos en uno de ellos.

Creo que comimos seis cada uno, hasta hartarnos y, a pesar de no ser de muy buena calidad, dudo que nada me haya parecido nunca tan sabroso.

Pero los melones no llenan mucho, y cuando hubimos satisfecho la sed con su pulpa, y tras dejar unos cuantos a refrescar mediante el simple procedimiento de cortarlos en dos y colocarlos boca arriba al sol ardiente para que se enfriasen por evaporación, empezamos a sentir un hambre terrible. Aún nos quedaba un poco de *biltong*, pero nuestros estómagos se negaban a admitir más *biltong* y además teníamos que racionarlo, porque no sabíamos cuándo encontraríamos más comida. Justo en aquel momento ocurrió un feliz percance: al mirar hacia el desierto vi una bandada de unos diez grandes pájaros que volaban hacia nosotros.

—¡*Skit, baas, skit!* (dispare, amo, dispare) —susurró el hotentote, tirándose al suelo de bruces, ejemplo que seguimos todos.

De bruces: Tendido con la boca hacia el suelo.

Entonces vi que los pájaros eran una bandada de *pauw* (avutardas), y que iban a pasar a unas cincuenta yardas por encima de nuestras cabezas. Cogí uno de los *Winchesters* de repetición y esperé a que estuvieran casi encima de nosotros, y entonces me levanté de un salto. Al verme, los *pauw* se agruparon, como yo esperaba que ocurriese, y disparé dos tiros al grueso de la bandada y, por suerte, cayó uno de ellos, un buen ejemplar que pesaba unas veinte libras. Al cabo de media hora habíamos encendido una hoguera con tronchos de melón, en la que asamos el ave, y preparamos una comida como no habíamos disfrutado desde hacía una semana. Comimos el *pauw;* no quedó nada, salvo los huesos y el pico, y después nos sentimos muchísimo mejor.

Avutarda: Ave gruiforme, de vuelo bajo, y cuerpo grueso, leonado y rayado de negro.

Troncho: Tallo, tronco.

Aquella noche reemprendimos la marcha al salir la luna cargados con la mayor cantidad de melones que pudimos. A medida que ascendíamos, el aire se enfriaba cada vez más, lo que suponía un gran alivio, y al amanecer, según nuestros cálculos, nos encontrábamos a no más de doce millas de la nieve. Encontramos más melones, con lo que desapareció nuestra angustia por el agua, porque sabíamos que pronto dispondríamos de nieve. Pero la ladera era muy escarpada, y la ascensión muy lenta; no recorríamos más de una milla por hora. Esa noche comimos el último pedazo de *biltong*. Hasta entonces, y con la excepción de los *pauw,* no habíamos visto ningún ser vivo en la montaña, ni nos habíamos topado con ningún torrente o arroyo, hecho que nos resultaba muy extraño, teniendo en cuenta la proximidad de la nieve que, según pensábamos, debía derretirse a veces. Pero según descubrimos más tarde, debido a alguna

 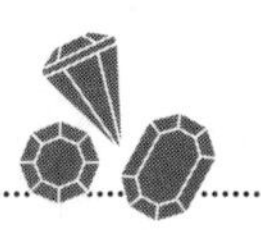

causa que yo no puedo explicar, todos los torrentes discurrían por el norte de las montañas.

Empezamos a angustiarnos por la comida. Nos habíamos librado de morir de sed, pero parecía probable que solo para morir de hambre. La mejor forma de describir los acontecimientos de los tres terribles días que siguieron es copiar las notas que tomé entonces en mi agenda.

21 de mayo.—Salimos a las once de la mañana, al ver que el aire estaba suficientemente frío para viajar de día; llevamos unos cuantos melones. Avanzamos con gran dificultad todo el día, sin encontrar ninguno más, porque, evidentemente, hemos dejado atrás la región en que se dan. No hemos visto caza de ningún tipo. Nos detuvimos por la noche, al atardecer, sin comer nada durante horas. Por la noche pasamos un frío terrible.

22.—Iniciamos la marcha a la salida del sol, débiles y medio desmayados. Solo recorrimos cinco millas durante todo el día. Encontramos algunos montones de nieve, de la que comimos un poco, pero nada más. Acampamos por la noche bajo el saliente de una gran altiplanicie. Hace un frío espantoso. Bebimos un poco de coñac, y nos apretamos unos contra otros, bien arropados con las mantas para no morirnos. Sufrimos terriblemente por el hambre y el cansancio. Pensé que Ventvögel iba a morir en el transcurso de la noche.

23.—Seguimos avanzando a duras penas en cuanto salió el sol y nos calentamos un poco los miembros. Nuestra situación es espantosa, y temo que, si no encontramos comida, este será nuestro último día de viaje. Queda poco coñac. Good, sir Henry y Umbopa están muy animados, pero Ventvögel se encuentra muy mal. Como la mayoría de los hotentotes, no soporta el frío. Las punzadas del hambre no son terribles, pero dejan una sensación de vacío en el estómago. Los otros dicen que les ocurre lo mismo. Nos encontramos ahora al nivel de la cordillera escarpada, o pared de lava, que une los dos senos, y el panorama es magnífico. A nuestra espalda el gran desierto refulgente y ondulante se pierde en el horizonte, y ante nosotros se extienden, casi uniformes, millas y millas de superficie nevada, suave y dura, pero en ligera ascensión, desde el centro de la cual se eleva hacia el cielo, a una altura de unos cuatrocientos pies, el pezón de la montaña, que parece tener una circunferencia de varias millas. No se ve ni un solo ser vivo. Que Dios nos ayude; temo que ha llegado nuestra última hora.

Y ahora voy a dejar el diario, en parte porque su lectura no es muy interesante, y en parte porque lo que sigue a continuación quizá requiera una narración más exacta.

Durante todo aquel día (23 de mayo), ascendimos penosamente por la ladera nevada; nos tumbábamos de cuando en cuando a descansar. Debíamos parecer una cuadrilla extraña, esqueléticos y cargados de enseres, arrastrando los pies por la planicie deslumbrante, mirando ferozmente a nuestro alrededor con los ojos hambrientos. No es que fuese muy útil mirar, porque no había nada que comer. Ese día no recorrimos más de siete millas. Justo antes del crepúsculo nos encontramos bajo el pezón del seno izquierdo de Saba, que se elevaba hacia el cielo a cientos de pies de altura; era un enorme montículo de nieve helada. A pesar de lo mal que nos encontrábamos, no pudimos por menos de apreciar el maravilloso escenario, cuya belleza quedaba realzada por los rayos voladores de la luz del sol poniente, que manchaban aquí y allá la nieve de rojo sangre y coronaban la masa que se cernía sobre nuestras cabezas con una diadema de esplendor.

Enseres: Utensilios, útiles, instrumentos, bártulos.

Cerner: Elevar.

—Escuchen —dijo Good con voz entrecortada—; tenemos que estar cerca de la cueva a la que se refería ese caballero.

—Sí —dije—, si es que existe esa cueva.

—Vamos, Quatermain —gimió sir Henry—, no diga eso. Tengo una fe total en aquel hombre; recuerde lo del agua. Pronto encontraremos ese lugar.

—Si no lo encontramos antes de que oscurezca, somos hombres muertos; eso es todo —repliqué a modo de consuelo.

Caminamos penosamente y en silencio durante los siguientes diez minutos, hasta que Umbopa, que marchaba a mi lado arropado con su manta, y con un cinturón de cuero en torno al estómago para «hacer pequeña el hambre», como él decía, tan apretado que su cintura parecía la de una muchacha, me tomó del brazo.

—¡Mire! —dijo señalando hacia la ladera en que empezaba a tomar forma el pezón.

Seguí su mirada y, a unas cien yardas de distancia, vi lo que parecía ser un agujero en la nieve.

—Es la cueva —dijo Umbopa.

Llegamos a duras penas hasta allí, y tuvimos la certeza de que aquel agujero era la boca de la cueva, sin duda la misma a la que se refería Da Silvestra. Justo en cuanto llegamos y entramos en el refugio, el sol se puso con asombrosa rapidez, dejando el lugar casi a oscuras. En esas latitudes apenas hay crepúsculo. Nos arrastramos hasta el interior de la cueva, que no parecía ser muy grande, y pegándonos unos a otros para calentarnos, engullimos lo que quedaba de coñac —apenas un sorbo para cada uno— e intentamos olvidar nuestras desventuras en el sueño. Pero el frío era demasiado intenso para dejarnos dormir. Estoy convencido de que a esa gran altura el termómetro no podía marcar menos de catorce o quince grados bajo cero. El lector imaginará mejor de lo que yo pueda describir lo que esto significaba para nosotros, debilitados como estábamos por las privaciones, la falta de alimento y el tremendo calor del desierto. Baste decir que nunca me había sentido tan cerca de morir de

Engullir: Tragar atropelladamente.

frío. Allí nos quedamos sentados, hora tras hora, en medio de un frío espantoso, sintiendo el acecho de la congelación que nos pellizcaba en los dedos, en los pies, en la cara. En vano nos apretujábamos unos contra otros; en nuestros miserables cuerpos muertos de hambre no había calor. A veces, uno de nosotros se sumía en una inquieta somnolencia de unos cuantos minutos, pero no podíamos dormir durante mucho tiempo, y acaso eso nos salvara, porque dudo que hubiésemos despertado. Creo que solo nuestra fuerza de voluntad nos mantuvo vivos.

Poco antes del amanecer oí al hotentote, Ventvögel, cuyos dientes estuvieron castañeteando toda la noche, emitir un profundo suspiro, y después sus dientes dejaron de castañetear. No le di mayor importancia en aquel momento, y supuse que se había quedado dormido. Su espalda estaba apoyada contra la mía, y parecía enfriarse cada vez más, hasta que se quedó como un bloque de hielo.

Castañetear: Sonarle a uno los dientes dando los de una mandíbula contra los de la otra, por efecto del frío o del miedo.

Finalmente, el aire comenzó a ponerse gris con la luz; a continuación unas flechas doradas centellearon rápidas sobre la nieve, y el sol magnífico se asomó por encima de la pared de lava y acarició nuestras seis figuras y la de Ventvögel, que estaba sentado *completamente muerto*. No es de extrañar que tuviera la espalda tan fría el pobre hombre. Murió cuando le oí suspirar, y ya estaba casi rígido. Terriblemente impresionados, nos apartamos del cadáver (es extraño el horror que nos inspira la compañía de un cuerpo muerto), y lo dejamos allí sentado con los brazos alrededor de las rodillas.

Para entonces el sol derramaba sus fríos rayos (porque allí eran fríos) directamente sobre la entrada de la cueva.

De repente oí que alguien dejaba escapar una exclamación de terror, y volví la cabeza hacia la cueva.

Y esto es lo que vi: sentado en el fondo de la cueva, que no tenía más de cuarenta pies de largo, había

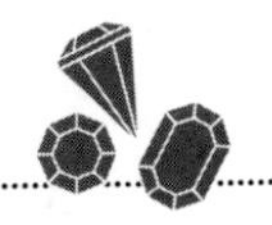

otra forma humana, con la cabeza apoyada sobre el pecho y los largos brazos caídos. Me quedé mirándolo y comprendí que también era un *hombre muerto,* y aún más, un hombre blanco.

También los otros lo vieron, y la visión resultó excesiva para nuestros nervios destrozados. Todos sin excepción salimos corriendo de la cueva, con toda la rapidez que nos permitían nuestros miembros medio congelados.

Capítulo 7

La carretera de Salomón

Nos detuvimos a la salida de la cueva con una sensación de ridículo.

—Yo voy a volver —dijo sir Henry.

—¿Por qué? —preguntó Good.

—Porque pienso que... que lo que hemos visto podría ser mi hermano.

No se nos había ocurrido, así que volvimos a entrar en la cueva para comprobarlo. Tras la brillante luz del exterior, nuestros ojos, debilitados de mirar la nieve, no pudieron perforar las tinieblas de la cueva durante un rato. Pero finalmente nos acostumbramos a la semioscuridad y avanzamos hacia el cuerpo muerto.

Sir Henry se arrodilló y miró de cerca su cara.

—Gracias a Dios —dijo con un suspiro de alivio—; ¡no es mi hermano!

Entonces me acerqué yo y lo miré. Era el cadáver de un hombre alto, de mediana edad, con rasgos aquilinos, pelo canoso y largo bigote negro. La piel estaba completamente amarilla y pegada a los huesos. Sus ropas, salvo lo que parecían ser los restos de unas calzas de lana, habían desaparecido, y el esquelético cuerpo estaba desnudo. En torno al cuello colgaba un crucifijo de marfil amarillo. El cadáver estaba congelado, completamente rígido.

Aquilino: Aguileño. Largo y afilado; encorvado, parecido al pico del águila.

Calza: Prenda de vestir que cubría el muslo y la pierna, o solo el muslo o la mayor parte de él.

—¿Quién demonios puede ser? —dije.

—¿No lo adivina? —preguntó Good.

Negué con la cabeza.

—Pues José da Silvestra, naturalmente. ¿Quién si no?

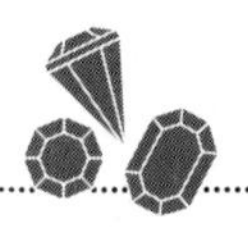

—Imposible —dije con voz entrecortada—; murió hace trescientos años.

—¿Y qué impide que se mantenga así durante trescientos años en esta atmósfera si se puede saber? —preguntó Good—. Solo con que el aire sea lo suficientemente frío, la carne y la sangre se mantendrán tan frescos como el cordero de Nueva Zelanda, y Dios sabe que aquí hace suficiente frío. No llega el sol; no entra ningún animal que pueda despedazarlo o destruirlo. Sin duda, su esclavo, al que se refiere en el mapa, le quitó la ropa y lo dejó aquí. No podía enterrarlo él solo. Mire —prosiguió, agachándose y recogiendo un hueso de forma extraña, uno de cuyos extremos había sido raspado y acababa en punta—, y este es el hueso que utilizó para dibujar el mapa.

Nos quedamos atónitos durante unos momentos, olvidando nuestras propias desventuras ante aquella visión tan extraordinaria y, a nuestro entender, casi milagrosa.

—Ah —dijo sir Henry—, y de ahí sacó la tinta —y señaló una pequeña herida en el brazo izquierdo del cadáver—. ¿Habrá algún hombre que haya visto una cosa semejante?

Ya no cabía duda sobre el tema, que he de confesar que me aterraba. Allí teníamos sentado al hombre cuyas indicaciones, escritas diez generaciones atrás, nos habían llevado a aquel lugar. En mi propia mano tenía la pluma rudimentaria con que las había escrito, y de su cuello pendía el crucifijo que habían besado sus labios moribundos. Al mirarlo, mi imaginación podía reconstruir toda la escena: el viajero que moría de frío y de hambre, y a pesar de ello luchaba por comunicar al mundo el gran secreto que había descubierto; la espantosa soledad de su muerte, cuya evidencia estaba sentada ante nosotros. Incluso me parecía que podía distinguir entre sus rasgos fuertemente marcados el parecido con los de mi pobre amigo Silvestre, su descendiente, que había muerto veinte años atrás en mis brazos, pero quizá fueran figuraciones mías. En cualquier caso, allí estaba, triste recuerdo del destino que con tanta frecuencia sorprende a los que se adentran en lo desconocido; y probablemente allí se quedaría, coronado con la pavorosa majestad de la muerte, durante siglos, para sobrecoger las miradas de los viajeros como nosotros, si es que alguien vuelve a invadir su soledad. Aquello nos dejó estupefactos, ya casi al borde de la muerte por hambre y frío como estábamos.

—Vamos —dijo sir Henry en voz baja—; esperen, le daremos un compañero.

Levantó el cuerpo muerto del hotentote Ventvögel, y lo colocó cerca del viajero Da Silvestra. Después se agachó y de un tirón arrancó el cordel putrefacto del crucifijo que le rodeaba el cuello, porque tenía los dedos demasiado fríos para intentar desatarlo. Creo que aún lo conserva. Yo cogí la pluma, y mientras escribo esto la tengo ante mí; a veces firmo con ella.

Después de dejar a aquellos dos hombres, al orgulloso blanco de una época pasada y al pobre hotentote en su eterna vigilia en medio de las nieves perpetuas, salimos arrastrándonos de la cueva al bendito sol y reanudamos el camino, preguntándonos en nuestros corazones cuántas horas pasarían hasta vernos como ellos.

Al cabo de media milla llegamos al borde de una altiplanicie, porque el pezón de la montaña no se elevaba desde el centro mismo, aunque desde el desierto así parecía. No podíamos ver lo que se extendía a nuestros pies, porque el paisaje estaba velado por espirales de bruma matutina. Pero al poco se despejaron las capas superiores de niebla y dejaron al descubierto a unas quinientas yardas por debajo de nosotros, al final de una pendiente oblonga de nieve, una mancha de verdura, por la que corría un arroyo; tomando el sol de la mañana, unos de pie y otros sen-

Oblonga: Más larga que ancha.

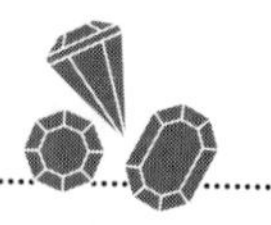

tados, había un grupo de diez o quince *grandes antílopes* (a esa distancia no podíamos distinguir con claridad lo que eran).

La vista de aquellos animales nos llenó de un júbilo exorbitado. Si podíamos hacernos con ella, allí había comida en cantidad suficiente. Pero el problema consistía en cómo obtenerla. Las bestias estaban a seiscientas yardas, distancia excesiva para disparar cuando nuestra vida dependía de los resultados.

Exorbitado: Exagerado.

Consideramos apresuradamente la conveniencia de acechar a los animales, pero finalmente desechamos un poco a regañadientes esta posibilidad. En primer lugar, el viento no era favorable, y además era seguro que, por mucho cuidado que tuviésemos, los animales nos verían en cuanto nuestras figuras se recortasen sobre el fondo de nieve que teníamos necesariamente que atravesar.

A regañadientes: De mala gana, refunfuñando.

—Bueno, habrá que intentarlo desde donde estamos —dijo sir Henry—. ¿Qué utilizamos, Quatermain, los rifles de repetición o los *express?*

Este era otro problema. Los *Winchesters* de repetición (dos en total; Umbopa llevaba el del pobre Ventvögel y el suyo) solo tenían un alcance de trescientas cincuenta yardas de distancia, pasada la cual disparar con ellos era más o menos una cuestión de azar. Por otra parte, si acertábamos, al ser las balas del rifle *express* expansivas, teníamos muchas más probabilidad de abatir al animal. Era un asunto complicado, pero decidí que debíamos arriesgarnos a utilizar los *express.*

—Que cada uno se encargue del que tiene enfrente. Apunten al lomo, bien alto —dije—; tú, Umbopa, darás la señal para que todos disparemos a la vez.

Se hizo una pausa; cada hombre apuntaba lo mejor que podía, como es de imaginar cuando se sabe que la propia vida depende del disparo.

—¡Fuego! —dijo Umbopa en zulú, y casi al mismo instante los tres rifles sonaron con estrépito; ante no-

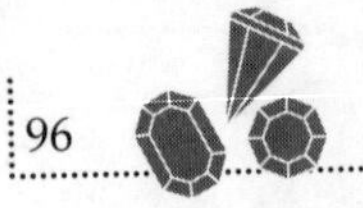

sotros se elevaron durante unos momentos tres nubes de humo, y cientos de resonancias atravesaron la silenciosa nieve. El humo se disipó, y descubrimos —¡oh alegría!— un gran macho que yacía sobre el lomo, pateando furiosamente en agonía de muerte. Dimos un grito de triunfo; estábamos salvados; no moriríamos de hambre. A pesar de nuestra debilidad, atravesamos a toda velocidad la pendiente de nieve que nos separaba del animal, y a los diez minutos de haber disparado teníamos el corazón y el hígado humeantes del animal ante nosotros. Pero entonces surgió una nueva dificultad; no teníamos combustible y, por tanto, no podíamos encender fuego para cocinarlo. Nos miramos desolados.

—Cuando se está muerto de hambre, no se puede ser caprichoso —dijo Good—; tendremos que comer carne cruda.

No había otra forma de resolver el dilema, y el hambre que nos corroía hacía que la proposición fuese menos desagradable de lo que habría sido en cualquier otro caso. Así que cogimos el corazón y el hígado y los enterramos durante unos minutos bajo un montón de nieve para enfriarlos. Luego los lavamos en el agua helada del arroyo, y finalmente los comimos con avidez. Parece asqueroso, pero, sinceramente, nunca había probado nada tan bueno como aquella carne cruda. Un cuarto de hora después éramos unos hombres diferentes. Recobramos la vida y el vigor, nuestros débiles pulsos se fortalecieron y la sangre empezó a correr por nuestras venas. Pero, conscientes de los resultados del exceso de alimento en un estómago vacío, tuvimos la precaución de no comer demasiado, y paramos cuando aún sentíamos hambre.

—¡Gracias a Dios! —dijo sir Henry—. Esa bestia nos ha salvado la vida. ¿Qué es, Quatermain?

Me levanté y fui a mirar el animal, porque no estaba seguro de que fuese un antílope. Era del tamaño

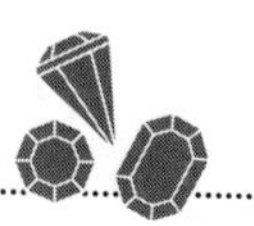

aproximado de un burro, con grandes cuernos curvos. Nunca había visto uno igual; aquella especie era nueva para mí. Era pardo, con rayas ligeramente rojizas, y tenía un pelaje muy denso. Después descubrí que los nativos de aquel maravilloso país llaman a esta especie *inco*. Es muy rara, y solo se encuentra en las grandes alturas, donde no vive ninguna otra especie. El animal había recibido el balazo en el lomo; aunque, por supuesto, no pudimos saber quién de nosotros lo había derribado. Creo que Good, acordándose del estupendo disparo de la jirafa, se lo atribuía secretamente a su propia destreza, y los demás no le contradijimos.

Habíamos estado tan ocupados en saciar nuestros vacíos estómagos que hasta entonces no nos había dado tiempo a mirar a nuestro alrededor. Pero ahora, tras encargar a Umbopa que cuartease la mejor carne para llevarnos la mayor cantidad posible, nos pusimos a inspeccionar los alrededores. La niebla ya había aclarado, porque eran las ocho y el sol la había absorbido, de modo que pudimos apreciar con una sola mirada toda la región que se extendía ante nosotros. No sé cómo describir el magnífico panorama que se desplegaba ante nuestros ojos embelesados. Nunca he visto nada igual, y creo que nunca volveré a verlo.

Cuartear: Descuartizar.

Embelesado: Encantado, cautivado.

Por detrás y por encima de nosotros se erguían los senos de Saba, y por debajo, a unos cinco mil pies debajo de donde nos encontrábamos, se extendían leguas y leguas del más delicioso paisaje de fértiles campos. Acá había densas manchas de grandiosos bosques, acullá un gran río serpenteaba en su lecho de plata. A la izquierda había una vasta extensión de hierba o *veldt*, ondulante y de color intenso, en la que distinguíamos incontables manadas de animales salvajes o reses; a esa distancia no podíamos precisarlo. A la derecha, el terreno era más o menos montañoso, es decir, se erguían colinas solitarias en mitad de la

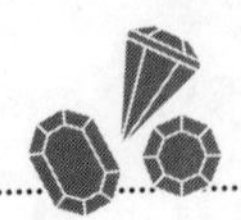

llanura, con parcelas de tierras de cultivo entre medias, en las que se veían claramente grupos de chozas de forma abovedada. El paisaje se nos ofrecía como un mapa en el que los ríos centelleaban como serpientes plateadas y se alzaban con solemne magnificencia picos como los de los Alpes, coronados de guirnaldas de nieve caprichosamente retorcidas, todo ello presidido por el sol alegre y el profundo aliento de la vida feliz de la Naturaleza.

Guirnalda: Corona abierta de flores y ramos, o tira entretejida de flores y ramos, aunque no tenga forma circular.

Mientras lo contemplábamos, nos sorprendieron dos cosas. La primera, que el paisaje que teníamos ante nosotros debía encontrarse al menos a cinco mil pies por encima del desierto que habíamos atravesado, y la segunda, que todos los ríos discurrían de Sur a Norte. Como sabíamos por dolorosas razones, no había agua en absoluto en la zona meridional de la vasta región en que nos encontrábamos, pero en la parte septentrional había muchos arroyos, la mayoría de los cuales parecían unirse con el gran río que podíamos ver serpenteando más allá de lo que nuestra vista alcanzaba.

Nos sentamos un rato y contemplamos en silencio el bello panorama. Finalmente, sir Henry rompió el silencio. Dijo:

—¿No hay nada en el mapa referente a la gran carretera de Salomón?

Asentí, con los ojos aún fijos en la distancia.

—¡Sí, mire; allí está! —y señaló hacia la derecha.

Good y yo miramos en aquella dirección, y allí vimos lo que parecía ser una amplia carretera que serpenteaba hacia la llanura. No la habíamos visto al principio porque, al llegar a la llanura, se adentraba en terreno accidentado. No dijimos nada; al menos, no mucho; empezábamos a perder la capacidad de asombro. Por alguna razón, no nos resultaba especialmente extraordinario encontrar una especie de calzada romana en aquella extraña tierra. Nos limitamos a aceptar el hecho sin más.

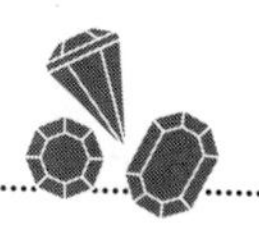

—Bueno —dijo Good—; debe de quedar bastante cerca si acortamos por la derecha. ¿Les parece que iniciemos la marcha?

Era una medida prudente, y, en cuanto nos hubimos lavado la cara y las manos en el río, empezamos a caminar. Durante aproximadamente una milla nos abrimos paso entre arbustos y atravesamos extensiones de nieve hasta que repentinamente, al remontar un pequeño altozano, nos topamos con la carretera, que se extendía a nuestros pies. Era una carretera espléndida, excavada en la roca viva, de al menos cincuenta pies de anchura y, al parecer, en buen estado; pero lo que resultaba curioso es que parecía empezar allí. Descendimos y nos adentramos en ella, pero a solo cien pasos por detrás de nosotros, en dirección a los senos de Saba, desaparecía, cubierta toda la superficie de la montaña por lomas entremezcladas con extensiones de nieve.

—¿Qué le parece, Quatermain? —preguntó sir Henry.

Moví la cabeza; no se me ocurría nada.

—¡Ya la entiendo! —dijo Good—. Sin duda, la carretera pasaba por la cordillera y atravesaba el desierto hasta el otro lado, pero allí se ha cubierto de arena, y encima de nosotros ha quedado destruida por la lava fundida de una erupción volcánica.

Aquella idea parecía lógica y, en cualquier caso, la aceptamos y seguimos descendiendo por la montaña. Viajar cuesta abajo por aquel magnífico camino y con los estómagos llenos era muy diferente a caminar cuesta arriba, sobre nieve, medio muertos de hambre y casi congelados. En realidad, de no haber sido por los recuerdos melancólicos del triste destino del pobre Ventvögel, y de aquella lóbrega cueva en que quedara haciendo compañía al viejo portugués, nos hubiéramos sentido verdaderamente felices, a pesar de saber que nos acechaban peligros desconocidos. A cada milla que recorríamos, el aire se hacía más lige-

Lóbrega: Oscura, tenebrosa.

ro y fragante, y el paisaje resplandecía ante nosotros con una belleza aún más luminosa. En cuanto a la carretera, debo decir que nunca había visto una obra de ingeniería como aquella, aunque sir Henry dijo que la gran carretera que atraviesa el San Gotardo[1], en Suiza, es muy parecida. Ninguna dificultad debió de ser realmente seria para el magnífico ingeniero de la antigüedad que la ideó.

Llegamos a una gran hondonada de trescientos pies de anchura y al menos cien de profundidad. La vasta hondonada había sido rellenada, al parecer por enormes bloques de piedra tallada, con arcos abiertos en el fondo para la conducción de agua, sobre los que discurría la carretera, sublime. En otro punto la carretera estaba excavada en zigzag en el borde de un precipicio de quinientos pies de profundidad, y en un tercer punto pasaba bajo un túnel en la base de un risco a lo largo de treinta yardas o más.

Observamos que los lados del túnel estaban cubiertos de originales esculturas, en su mayoría figuras con cotas de malla que conducían carros. Una de ellas, que era extraordinariamente bella, representaba una escena bélica, en la que se veía un grupo de prisioneros que marchaba penosamente en la distancia.

—Bueno —dijo sir Henry, tras inspeccionar aquella antigua obra de arte—; me parece muy bien llamar a esto Carretera de Salomón, pero, en mi humilde opinión, los egipcios estuvieron aquí antes de que pusieran el pie las gentes de Salomón. Si esto no son obras egipcias, solo puedo decir que se parecen mucho.

Hacia el mediodía habíamos descendido lo suficiente por la montaña para llegar a la región, en que podía encontrarse leña. Primero topamos con arbustos diseminados, que a medida que avanzábamos eran cada vez más numerosos, hasta que finalmente

[1] Macizo de Suiza, en los Alpes Centrales; 3.630 m de altitud. En él nacen los ríos Rin, Ródano, Ticino, Aare y Reuss.

encontramos la carretera, que serpenteaba por entre un bosquecillo de árboles plateados semejantes a los que se ven en las laderas de la meseta de Ciudad de El Cabo. Nunca me había topado con ellos en mis viajes, excepto en El Cabo, y su presencia allí me sorprendió enormemente.

—¡Ah! —exclamó Good al observar las brillantes hojas de los árboles con evidente entusiasmo—. Aquí hay mucha leña; vamos a detenernos y a hacer la cena. Ya casi he digerido la carne cruda.

Nadie hizo la menor objeción, de modo que abandonamos la carretera y avanzamos hacia un arroyo cuyo rumor se oía a poca distancia, y al rato ya habíamos encendido un brillante fuego con ramas secas. Cortamos unos sustanciosos trozos de la carne de *inco* que llevábamos y procedimos a asarlos colocándolos en el extremo de unos palos afilados, al modo de los cafres, y los comimos con delectación. Una vez saciados, encendimos las pipas y nos entregamos a un placer que, comparado con las fatigas que habíamos sufrido recientemente, nos pareció punto menos que divino.

El arroyo, cuyas orillas estaban tapizadas con densas masas de una especie gigante de culantrillo entremezclado con matojos plumosos de espárragos silvestres, canturreaba alegremente a nuestro lado, el suave viento murmuraba entre las hojas de los árboles plateados, las palomas se arrullaban a nuestro alrededor y los pájaros de brillantes plumas centelleaban como gemas vivientes de rama en rama. Era como estar en el paraíso.

Culantrillo: Helecho de frondas divididas en hojuelas redondeadas que suele criarse en las paredes de los pozos y otros sitios húmedos; se usa en infusión, como pectoral y sudorífico.

La magia de aquel lugar, combinada con la abrumadora sensación de los peligros que habíamos dejado atrás, y de haber llegado por fin a la tierra prometida, parecían cubrirnos con un hechizo que nos obligaba a guardar silencio. Sir Henry y Umbopa estaban sentados hablando una mezcla de inglés chapurreado y de zulú de andar por casa en voz baja, pero con animación, y yo estaba tumbado con los ojos semicerrados sobre la fragante alfombra de helechos, y los observaba.

De repente eché en falta a Good y miré a mi alrededor para ver qué estaba haciendo. Lo descubrí sentado en la orilla del riachuelo, en el que se había bañado. Estaba desnudo, salvo por la camisa de franela, y como habían reaparecido sus hábitos naturales de extraordinaria limpieza, se hallaba entregado a la tarea de su aseo personal. Había lavado el cuello de gutapercha, sacudido con esmero los pantalones, la chaqueta y el chaleco, y en ese momento los doblaba con sumo cuidado, hasta que se encontró en disposición de ponérselos; meneó la cabeza tristemente al observar los numerosos rotos y descosidos que tenían, resultado natural de nuestro espantoso viaje. A continuación cogió las botas, las frotó con un manojo de helechos y finalmente las restregó con un trozo de grasa que había recogido cuidadosamente de la carne de *inco,* hasta que adquirieron un aspecto relativamente respetable. Tras inspeccionarlas detenidamente, provisto de su monóculo, se las calzó y se entregó a una nueva ocupación. De una pequeña bolsa que llevaba sacó un peine de bolsillo en el que había un pequeño espejo, y en él se examinó. Al parecer, no se encontraba satisfecho, porque empezó a peinarse con sumo cuidado. Después hizo un pausa, mientras volvía a contemplar el efecto, que aún no resultaba satisfactorio. Se palpó el mentón, en el que se habían acumulado las frondas de una barba de diez días. «No se pondrá a afeitarse...», pensé.

Pero así fue. Cogió el trozo de grasa con que había frotado las botas y lo lavó cuidadosamente en el arroyo. Después se puso a hurgar una vez más en la bolsa, de la que sacó una pequeña navaja de afeitar con guarnición, como las que usan las personas que temen cortarse o las que inician un viaje por mar. A continuación se frotó vigorosamente el rostro y el men-

Guarnición: Defensa que se pone en las espadas y armas blancas para preservar la mano.

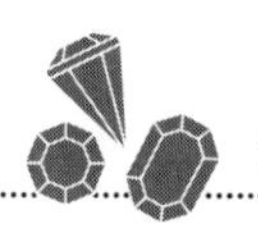

tón con la grasa y empezó a afeitarse. Pero a todas luces se trataba de una operación dolorosa, porque gemía mientras la realizaba, y yo tenía convulsiones de risa contenida al verle luchar contra aquella barba hirsuta. Me resultaba extraño que un hombre se molestase en afeitarse en semejante lugar y en tales circunstancias. Finalmente, logró liberarse de los pelos del lado derecho del rostro y del mentón, y en aquel momento, yo, que lo observaba, percibí un destello de luz que pasó rozándole la cabeza.

Hirsuta: Áspera y dura.

Good se levantó de un salto con un juramento (si no hubiese tenido una navaja de seguridad, sin duda se habría cortado el cuello), y yo hice lo mismo, pero sin juramento, y esto el lo que vi: a poco más de veinte pasos de donde me encontraba, y a unos diez de Good, había un grupo de hombres. Eran muy altos y de pigmentación cobriza, y algunos llevaban grandes penachos de plumas negras y capas cortas de piel de leopardo; esto es lo que pude apreciar en aquel momento. Delante de ellos había un joven de unos diecisiete años, con la mano aún levantada y el cuerpo inclinado hacia delante en la actitud de una escultura griega de un lanzador de jabalina. Sin duda, el destello de luz que había visto era un arma que él había arrojado.

Juramento: Taco, blasfemia.

Cobriza: Parecida al cobre en el color.

Jabalina: Arma, a manera de lanza corta, que se usaba en la caza mayor.

Mientras los miraba, un hombre anciano con aspecto de guerrero se adelantó unos pasos al grupo y, cogiendo al joven por el brazo, le dijo algo. A continuación avanzaron hacia nosotros.

Sir Henry, Good y Umbopa ya habían cogido sus rifles y apuntaban amenazadoramente. El grupo de nativos siguió avanzando. Se me ocurrió que no podían saber lo que era un rifle, ya que de otro modo no los habrían tratado con tanto desprecio.

—¡Bajen los rifles! —grité a los demás, al comprender que nuestra única posibilidad de salvación estaba en la conciliación.

Obedecieron y, avanzando unos pasos, me dirigí al hombre anciano que había frenado al joven.

—Saludos —dije en zulú, sin saber qué idioma debía utilizar. Para mi sorpresa, me comprendieron.

—Saludos —respondió aquel hombre, no exactamente en la misma lengua, sino en un dialecto tan estrechamente relacionado con ella que ni Umbopa ni yo tuvimos dificultad en comprenderlo.

En realidad, como descubrimos más tarde, el idioma que hablaban aquellas gentes era una forma arcaica de la lengua zulú, que guardaba con ella aproximadamente la misma relación que el inglés de Chaucer[2] con el inglés del siglo diecinueve.

—¿De dónde venís? —prosiguió—. ¿Quiénes sois? ¿Y por qué los rostros de tres de vosotros son blancos y el rostro del cuarto es como el de los hijos de nuestra madre? —y señaló a Umbopa.

Miré a Umbopa y me di cuenta de que tenía razón. Umbopa tenía los mismos rasgos que los hombres que había frente a mí, y lo mismo ocurría con su fuerte complexión. Pero no tenía tiempo para reflexionar sobre esa coincidencia.

Complexión: Constitución fisiológica de una persona o animal.

—Somos extranjeros, y venimos en son de paz —contesté, hablando con mucha lentitud para que me entendiesen—, y este hombre es nuestro criado.

—Mentís —replicó—; ningún extranjero puede atravesar las montañas donde mueren todas las cosas. Pero no importan vuestras mentiras; si sois extranjeros, debéis morir, porque ningún extranjero puede vivir en la tierra de los kukuanas. Es la ley real. ¡Preparaos para morir, oh extranjeros!

Me quedé un poco titubeante ante aquellas palabras, especialmente al ver que las manos de algunos hombres del grupo descendían hacia los costados, de los que colgaban unos objetos que me parecieron cuchillos grandes y pesados.

[2] Geoffrey Chaucer (*c.* 1340-1400). Poeta y prosista inglés, considerado el mejor escritor medieval inglés. Escribió *Cuentos de Canterbury,* viva representación de las costumbres inglesas del siglo XIV, *Troilo y Cresida, La casa de la fama,* y tradujo el *Romance de la rosa.*

—¿Qué dice ese tipo? —preguntó Good.

—Dice que nos van a rebanar el cuello —contesté inexorable.

Rebanar: Cortar.

Inexorable: Implacable, duro, cruel.

—Oh, Dios mío —gimió Good y, como era su costumbre cuando estaba perplejo, se llevó la mano a la dentadura postiza, se despegó la parte superior y volvió a colocarla en su sitio con un chasquido. Fue un gesto sumamente afortunado, porque, a los pocos segundos, el digno grupo de kukuanas profirió al unísono un grito de terror, y retrocedió varias yardas.

Al unísono: En el mismo tono. Figuradamente, sin discrepancia, con unanimidad.

—¿Qué ocurre? —pregunté.

—Es su dentadura —susurró sir Henry con excitación—. La ha movido... ¡Quítesela, Good, quítesela!

Obedeció y deslizó la dentadura en la manga de su camisa de franela.

Al cabo de unos instantes, la curiosidad había vencido al temor, y los hombres avanzaron lentamente. Al parecer, habían olvidado sus amistosas intenciones de liquidarnos:

—¿Cómo es posible, oh extranjeros —preguntó el anciano con solemnidad—, que este hombre —y señaló a Good, que solo llevaba la camisa de franela y no había acabado de afeitarse—, que lleva ropas y cuyas piernas están desnudas, que tiene pelo en un lado de su cara enfermiza y no en el otro, y un ojo brillante y transparente, tenga dientes que se mueven solos, que se salen de las mandíbulas y vuelven a su sitio por su propia voluntad?

—Abra la boca —le dije a Good, que inmediatamente frunció los labios y sonrió al anciano caballero como un perro furioso, mostrando ante su mirada atónita dos encías rojas delgadas como líneas, tan vírgenes de marfil como un elefante recién nacido. La concurrencia emitió un grito sofocado.

—¿Dónde están los dientes? —gritaron—. Los hemos visto con nuestros propios ojos.

Girando la cabeza con lentitud, en un gesto de inefable desprecio, Good se pasó la mano por la boca.

Inefable: Que no se puede explicar con palabras .

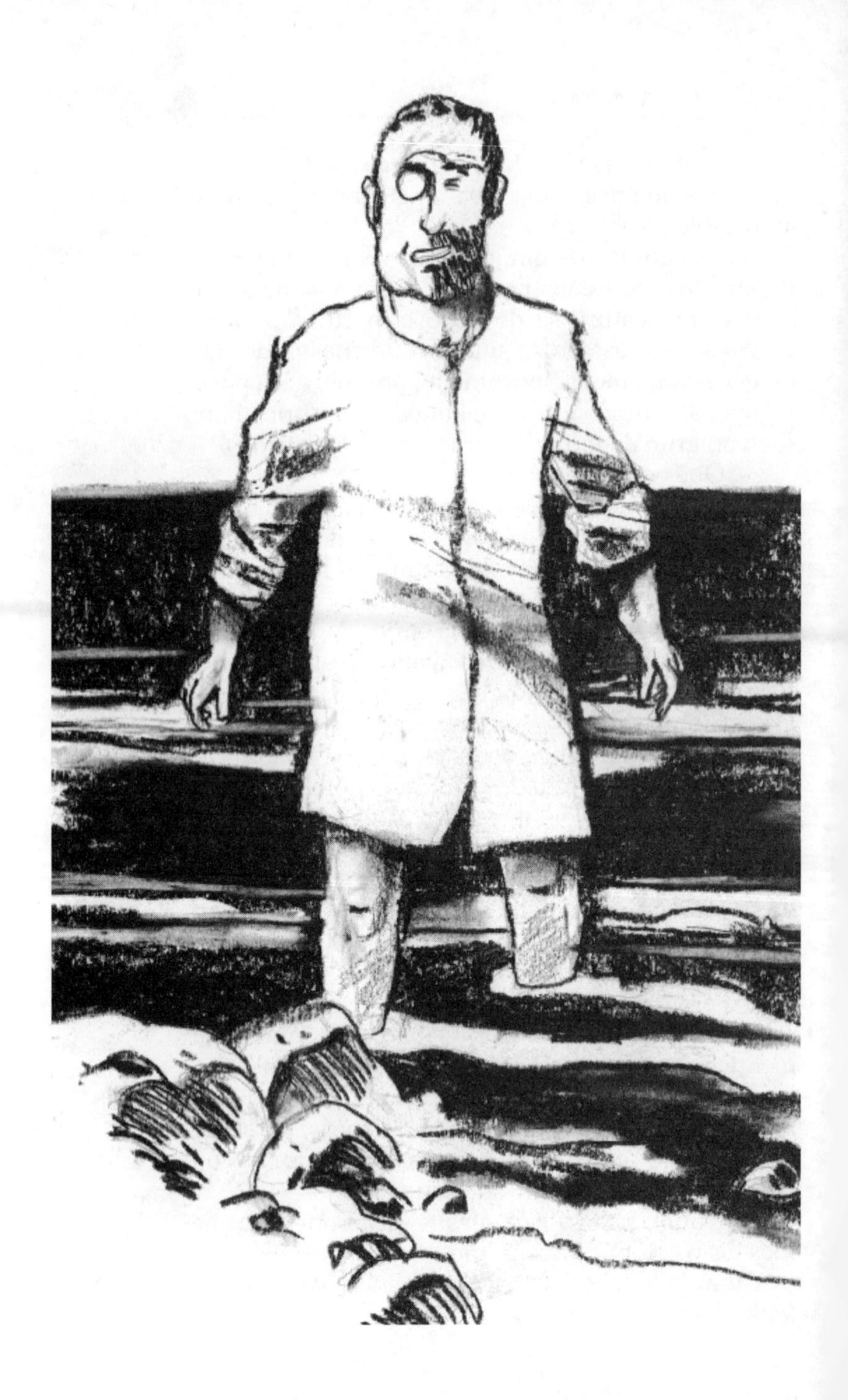

Luego volvió a sonreír, y héteme aquí dos hileras de hermosos dientes.

El joven que había lanzado el cuchillo se arrojó al suelo y dio rienda suelta a un prolongado alarido de terror; y con respecto al anciano caballero, se le entrechocaron las rodillas de terror.

—Veo que sois espíritus —dijo en un balbuceo—. ¿Acaso algún hombre nacido de mujer tiene pelo en un lado de la cara y no en el otro, o un ojo redondo y transparente, o dientes que se mueven y se esfuman y vuelven a crecer? Perdonadnos, señores.

Balbuceo: Acción de balbucir, hablar articulando las palabras de una manera vacilante y confusa, como los niños, por defecto natural o a causa de alguna emoción.

Aquello fue un verdadero golpe de suerte y, como es de suponer, me precipité a aprovechar la oportunidad.

—Perdón concedido —repliqué con una sonrisa imperial—. Pero debéis saber la verdad. Venimos de otro mundo, aunque somos hombres como vosotros; venimos —proseguí— de la estrella más grande que brilla en la noche.

—¡Ah! ¡Oh! —exclamaron a una los estupefactos aborígenes.

—Sí —proseguí—, así es. —Y volví a sonreír con benevolencia mientras pronunciaba el sorprendente embuste—. Hemos venido a quedarnos con vosotros algún tiempo, y a bendeciros con nuestra presencia. Como podéis ver, amigos, me he preparado para la visita aprendiendo vuestro idioma.

Aborigen: Originario del suelo en que vive. Nativo.

Benevolencia: Simpatía y buena voluntad hacia las personas.

—Así es, así es —corearon.

—Pero, mi señor —intervino el anciano caballero—, lo habéis aprendido muy mal.

Le lancé una mirada de indignación que le amedrentó.

—Y ahora, amigos —proseguí—, comprenderéis que después de tan largo viaje nuestros corazones sientan la necesidad de vengar tal recibimiento, quizá fulminando a la mano impía que... que, en pocas palabras, arrojó un cuchillo a la cabeza de aquel cuyos dientes se mueven.

Amedrentar: Infundir miedo, atemorizar.

—Perdonadlo, señores —suplicó el anciano—; es el hijo del rey, y yo soy su tío. Si algo sucede, me pedirán cuentas de su sangre.

Atajar: Interrumpir.

—Sí, es así —atajó el joven con gran énfasis.

—Quizá dudéis de nuestro poder para vengarnos —proseguí, haciendo caso omiso de sus palabras—. Esperad, que os lo demostraré. Tú, perro esclavo —me dirigí a Umbopa en tono fiero—, dame el tubo mágico que habla —y le guiñé un ojo, señalando mi rifle *express*.

Hacer caso omiso de una cosa: Prescindir de ella.

Umbopa se puso a la altura de las circunstancias y me tendió el rifle con lo más parecido a una sonrisa que nunca había visto en su digno rostro. Con una profunda reverencia dijo:

—Aquí está, oh señor de señores.

Ahora bien, justo antes de pedir el rifle, había observado un pequeño gamo que estaba entre unas rocas a una distancia de unas setenta yardas, y decidí arriesgarme a disparar.

Gamo: Mamífero rumiante cérvido, de pelaje rojizo, salpicado de manchas pequeñas y blancas, cabeza erguida y cuernos en forma de pala.

—¿Veis aquel animal? —dije señalando el gamo al grupo que tenía frente a mí—. Decidme, ¿es posible que un hombre nacido de mujer lo mate desde aquí con un ruido?

—No es posible, mi señor —contestó el anciano.

—Pues yo lo mataré —dije tranquilamente.

El anciano sonrió.

—Eso no lo puede hacer mi señor —dijo.

Alcé el rifle y apunté al gamo. Era un animal pequeño, por lo que era fácil errar el tiro, pero sabía que no fallaría.

Aspiré una profunda bocanada de aire y apreté lentamente el gatillo. El animal estaba inmóvil como una estatua.

¡Bang, pum! El gamo dio un salto en el aire y cayó sobre las rocas, fulminado. El grupo de nativos emitió un grito de terror.

—Si queréis carne —dije con frialdad—, id a coger ese gamo.

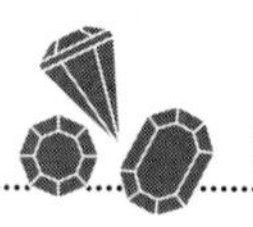

El anciano hizo una señal, y uno de sus seguidores se separó del grupo y volvió al poco rato con el gamo. Observé con satisfacción que le había acertado justo en el lomo. Rodearon el cuerpo de la pobre bestia, mirando con consternación el agujero que había hecho el proyectil.

—Como veis —dije—, no hablo en vano.

No hubo réplica.

—Si dudáis de nuestro poder —proseguí—, que uno de vosotros suba a esa roca y haré con él lo mismo que con este gamo.

Nadie parecía dispuesto a aceptar el reto, así que finalmente habló el hijo del rey.

—Son palabras cuerdas. Tú, tío, súbete a la roca. Lo que ha matado la magia es un gamo, pero no podrá matar a un hombre.

El anciano no aceptó la idea de buena gana. Por el contrario pareció muy molesto.

—¡No, no! —exclamó apresuradamente—. Mis viejos ojos han visto suficiente. Sin duda sois brujos. Llevémoslos ante el rey. Pero, si alguien quiere otras pruebas, que *él mismo* se suba a la roca, y que el tubo mágico hable.

Inmediatamente se oyeron exclamaciones de desaprobación.

—No malgastéis la magia buena en nuestros miserables cuerpos —dijo uno—; nos damos por satisfechos. Toda la magia de nuestro pueblo no puede compararse con esta.

—Así es —secundó el anciano, en tono de intenso alivio—; así es sin duda ninguna. Escuchad, hijos de las estrellas, hijos del ojo brillante y de los dientes móviles, que rugís como el trueno y matáis desde la distancia. Soy Infadoos, hijo de Kafa, en otro tiempo rey del pueblo kukuana. Este joven es Scragga.

Secundar: Apoyar.

—Pues casi me corta el cuello[3] —murmuró Good.

[3] Juego de palabras. En el original inglés, *scragged*, que significa cortar el cuello.

—Scragga, hijo de Twala, el gran rey; Twala, marido de mil mujeres, dueño y señor absoluto de los kukuanas, guardián de la gran carretera, terror de sus enemigos, estudioso de la magia negra, jefe de cien mil guerreros; Twala, el del ojo único, el negro, el terrible.

Magia negra: Nigromancia, arte supersticioso de adivinar lo futuro evocando a los muertos y consultándolos.

Displicente: Descontento, desabrido o de mal humor.

—Pues bien —dije, displicente—, llevadnos entonces ante Twala. No hablamos con gentes inferiores ni con subordinados.

—Está bien, mis señores, os llevaremos ante él, pero el camino es largo. Estamos cazando a tres días de viaje del lugar en que vive el rey. Pero tened paciencia y os llevaremos hasta allí.

—Está bien —dije sin darle importancia—; tenemos todo el tiempo, porque nosotros no morimos. Estamos dispuestos. Llevadnos. ¡Pero tened cuidado vosotros dos, Infadoos y Scragga! No traméis nada, no nos tendáis ninguna trampa, porque, antes de que vuestros cerebros de barro hayan pensado en ello, lo sabremos y nos vengaremos. La luz del ojo transparente del que lleva las piernas desnudas y tiene media barba os destruirá y acabará con vuestra tierra; sus dientes se clavarán en vosotros y os devorarán, a vosotros y a vuestras mujeres e hijos. Los tubos mágicos os hablarán en voz alta y os dejarán como un colador. ¡Tened cuidado!

Este magnífico discurso no erró el blanco; en realidad, apenas era necesario, porque nuestros amigos ya estaban profundamente impresionados por nuestros poderes.

El anciano hizo una profunda reverencia y murmuró las palabras *kum, kum,* que después descubrí que era el saludo real, equivalente al *bayete* de los zulúes, y dando media vuelta se dirigió a sus seguidores. Estos procedieron de inmediato a recoger todos nuestros enseres y pertenencias, con objeto de transportarlos, con la única excepción de los rifles, que no querían tocar bajo ningún concepto. Incluso cogieron

las ropas de Good, que estaban, como recordará el lector, pulcramente dobladas junto a él.

—Oh, mi señor del ojo transparente y los dientes que desaparecen —dijo el anciano—, dejad vuestras ropas. Sus esclavos las llevarán con mucho gusto.

—¡Pero quiero ponérmelas! —gruñó Good en inglés, nervioso.

Umbopa tradujo sus palabras.

—No, mi señor —atajó Infadoos—. ¿Es que mi señor va a ocultar sus hermosas piernas blancas —a pesar de ser muy moreno, Good tenía una piel singularmente banca— de la vista de sus siervos? ¿En qué hemos ofendido a nuestro señor para que nos haga una cosa así?

Al oír al nativo estuve a punto de soltar la carcajada, y, entre tanto, uno de los hombres del grupo inició la marcha con las ropas del capitán.

—¡Maldita sea! —gruñó Good—. Ese negro bribón se ha llevado mis ropas.

—Mire, Good —dijo sir Henry—; ha aparecido en estas tierras con un cierto aspecto y tiene que mantenerlo. No le favorecería volver a ponerse los pantalones. De aquí en adelante tendrá que vivir con una camisa de franela, las botas y el monóculo.

—Sí —dije yo—, y con bigotes en un solo lado de la cara. Si cambia alguna de estas características, pensarán que somos impostores. Lo siento mucho por usted, pero le digo en serio que tiene que hacerlo. Como empiecen a sospechar de nosotros, nuestra vida valdrá menos que un penique.

Impostor: Suplantador, persona que se hace pasar por quien no es.

—¿De veras piensa eso? —preguntó Good, lúgubre.

—Desde luego que sí. Sus «hermosas piernas blancas» y su monóculo son *los* rasgos distintivos de nuestro grupo y, como dice sir Henry, debe mantenerlos. Dé gracias al cielo por llevar las botas puestas y porque la temperatura sea cálida.

Good suspiró y no dijo nada más, pero tardó dos semanas en acostumbrarse a su atavío.

Capítulo 8

Entramos en Kukuanalandia

Viajamos durante toda la tarde por aquella magnífica carretera, que nos conducía inexorablemente hacia el Noroeste. Infadoos y Scragga caminaban con nosotros, pero sus seguidores marchaban a unos cien pasos por delante.

—Infadoos —dije al cabo de un rato—, ¿quién hizo esta carretera?

—Fue construida hace mucho tiempo, mi señor; nadie sabe cómo ni cuándo, ni siquiera Gagool, la mujer sabia, que ha vivido durante muchas generaciones. Nosotros no somos lo suficientemente viejos como para recordar su construcción. Ya nadie puede hacer carreteras así, pero el rey no deja que en ella crezca la hierba.

—¿Y quién hizo las inscripciones que hay en las paredes de las cuevas que hemos encontrado en el camino? —pregunté, refiriéndome a las esculturas de estilo egipcio que habíamos visto.

—Mi señor, las mismas manos que construyeron la carretera hicieron las maravillosas inscripciones, pero no sabemos quién.

—¿Cuándo llegó la raza kukuana a estas tierras?

—Mi señor, nuestra raza bajó hasta aquí como el viento de una tormenta hace diez mil lunas, desde las grandes tierras que se extienden más allá —y señaló al Norte—. No pudieron seguir avanzando debido a las grandes montañas que rodean el país —y señaló hacia los picos cubiertos de nieve—; así lo dicen las voces de nuestros antepasados que han llega-

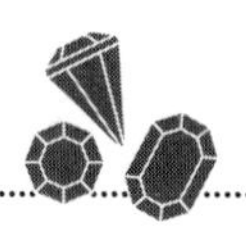

do hasta nosotros, sus hijos, y así lo dice Gagool, la mujer sabia, la que descubre a los brujos. De todos modos, el país era bueno, así que se asentaron aquí y se hicieron fuertes y poderosos, y ahora somos numerosos como la arena del mar, y cuando Twala, el rey, convoca a sus ejércitos, sus penachos de plumas cubren la llanura hasta donde alcanza la vista de un hombre.

—Pero si el país está cercado por montañas, ¿contra quién luchan los ejércitos?

—No, mi señor, el país está abierto por allí —y de nuevo señaló al Norte—, y de cuando en cuando nos atacan guerreros que llegan en nubes desde una tierra que no conocemos, y nosotros los matamos. Desde la última guerra, ha pasado la tercera parte de la vida de un hombre. En ella murieron muchos millares de guerreros, pero destruimos a los que venían a devorarnos, y desde entonces no ha habido otra guerra.

—Vuestros guerreros deben de aburrirse de estar apoyados sobre sus lanzas.

—Mi señor, hubo una guerra inmediatamente después de haber destruido al pueblo que nos atacó, pero fue una guerra civil, de hermano contra hermano.

—¿Y cómo fue?

—Mi señor, el rey, mi hermanastro, tenía un hermano nacido el mismo día y de la misma mujer. Nuestras costumbres no permiten vivir a los gemelos, mi señor; el más débil debe morir. Pero la madre del rey escondió al niño más débil, que nació el último, ya que su corazón lo amaba, y el niño es Twala, el rey. Yo soy su hermano mayor, nacido de otra madre.

—¿Y bien?

—Mi señor: Kafa, nuestro padre, murió cuando nosotros llegamos a la edad viril, y le sucedió en el trono mi hermano, Imotu, que reinó durante algún tiempo y tuvo un hijo de su esposa favorita. Cuando el niño contaba tres años, inmediatamente después de la gran guerra, durante la que nadie pudo sembrar ni cosechar, el hambre asoló nuestra tierra, y el pueblo empezó a murmurar debido al hambre, y a buscar algo que llevarse a la boca como leones hambrientos. Fue entonces cuando Gagool, esa mujer sabia y terrible que nunca muere, se dirigió al pueblo con estas palabras: «El rey Imotu no es rey». Imotu estaba entonces enfermo a causa de una herida, acostado en su choza sin poder moverse.

»Entonces Gagool entró en una choza y sacó a Twala, mi hermanastro y hermano gemelo del rey, a quien había escondido desde su nacimiento entre las rocas, le arrancó la *moocha* (taparrabos), mostró a los kukuanas la marca de la serpiente sagrada enroscada en torno a su cintura, con la que se señala al hijo mayor de un rey al nacer, y gritó en voz alta: «¡Mirad, este es vuestro rey, a quien yo he salvado para vosotros hasta hoy!». Y el pueblo, enloquecido por el hambre y privado de la razón y del conocimiento de la verdad, gritó: «¡El rey! ¡El rey!», pero yo sabía que no era cierto, porque Imotu, mi hermano, era el mayor de los gemelos y nuestro rey legítimo. Y cuando el tumulto alcanzaba su punto culminante, Imotu, el rey, a pesar de estar tan enfermo, salió arrastrándose de su cabaña, con su mujer tomada de la mano y seguido por su hijito Ignosi (el iluminado). «¿A qué viene todo este ruido? —preguntó—. ¿Por qué gritáis ¡el rey! ¡el rey!?».

Taparrabos: Pedazo de tela u otra cosa, a modo de falda, con que se cubren los salvajes.

»Entonces Twala, su propio hermano, nacido de la misma mujer y a la misma hora, corrió hacia él; lo cogió por los cabellos, y le atravesó el corazón con su cuchillo. Y el pueblo, que es inconstante y siempre está dispuesto a adorar al sol que más calienta, empezó a batir palmas y a gritar: *¡Twala es rey!* ¡Ahora sabemos que Twala es rey!

—¿Y qué ocurrió con su mujer y con su hijo Ignosi? ¿También los mató Twala?

—No, mi señor. Al ver que su señor había muerto, la mujer cogió al niño dando un grito y huyó. A los

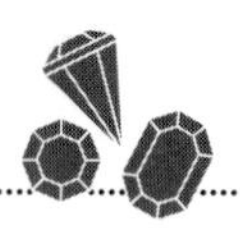

dos días llegó a un *kraal*, hambrienta, pero nadie quiso darle comida ni leche, muerto su señor rey, porque todos los hombres detestan a los desgraciados. Pero, al anochecer, una niñita salió a escondidas y le llevó comida, y la mujer bendijo a la niña y se dirigió a las montañas con su hijo antes de que el sol saliera de nuevo, y allí habrá perecido, porque nadie la ha visto a ella ni al niño Ignosi desde entonces.

—Entonces, si Ignosi hubiera vivido, ¿sería él el verdadero rey de los kukuanas?

—Así es, mi señor; tiene la serpiente sagrada en la cintura. Si vive, él es el rey, pero, ¡ay!, hace tiempo que murió. Mirad, mi señor —y señaló hacia un amplio grupo de chozas que se extendía en la llanura a nuestros pies, rodeado por una cerca que a su vez estaba rodeada de un gran foso—. Ese es el *kraal* en que vieron por última vez a la mujer de Imotu con su hijo Ignosi. Allí es donde dormiremos esta noche si es que —añadió dubitativo— mis señores duermen realmente en este mundo.

—Mientras estemos entre los kukuanas, mi buen amigo Infadoos, haremos lo que hacen los kukuanas —dije majestuosamente, y me volví apresuradamente para dirigirme a Good, que se arrastraba de mal humor detrás de mí, completamente ocupado en insatisfactorias tentantivas de impedir que la brisa de la tarde levantara los faldones de su camisa de franela, y para mi asombro me topé con Umbopa, que caminaba inmediatamente detrás de mí y que, a todas luces, había estado escuchando con sumo interés mi conversación con Infadoos. En su rostro había una expresión extraña, la del hombre que lucha, sin lograrlo totalmente, por recordar algo olvidado tiempo atrás.

Durante todo aquel rato habíamos avanzado a buen paso hacia la llanura ondulante que se extendía a nuestros pies. Las montañas que habíamos cruzado se alzaban ahora por encima de nuestras cabezas, y los senos de Saba estaban púdicamente velados por diáfanos cendales de niebla. A medida que avanzábamos, el paisaje se hacía cada vez más hermoso. La vegetación era exuberante, sin llegar a ser tropical; el sol, brillante y cálido, no quemaba, y una deliciosa brisa soplaba suavemente por las fragantes laderas de las montañas. Verdaderamente, esta nueva tierra era poco menos que el paraíso terrenal; nunca he visto otra igual por su belleza, su riqueza natural y su clima. El Transvaal es un país hermoso, pero no tiene ni punto de comparación con Kukuanalandia.

Diáfano: Claro, limpio.
Cendal: Tela de seda o lino muy delgada y transparente.
Exuberante: Abundante y copioso en exceso.

En cuanto emprendimos la marcha, Infadoos envió un mensajero a avisar de nuestra llegada a los habitantes del *kraal*, que a la sazón estaba bajo su mando militar. El hombre partió a una velocidad extraordinaria que, según me dijo Infadoos, mantendría durante todo el camino, puesto que correr era un ejercicio muy practicado entre su pueblo.

A la sazón: Entonces.

El resultado del mensaje no se hizo esperar. Al llegar a unas dos millas de distancia del *kraal* vimos que, formación tras formación, los guerreros salían a las puertas del poblado y se dirigían hacia nosotros.

Sir Henry puso su mano sobre mi hombro y comentó que, al parecer, nos íbamos a encontrar con una cálida recepción. Algo en su tono de voz llamó la atención de Infadoos.

—No temáis nada, mis señores —se apresuró a decir—, porque en mi pecho no hay lugar para la traición. Este ejército se encuentra bajo mi mando y sale a recibirnos por órdenes mías.

Asentí tranquilamente, aunque en mi interior no estaba nada tranquilo.

A una media milla de las puertas del *kraal* había una larga franja de terreno elevado que ascendía suavemente desde la carretera. Y allí formaron las compañías. Era un espectáculo espléndido, cada compañía compuesta por unos trescientos hombres fuertes que marchaban a paso ligero colina arriba, con lanzas centelleantes y plumas ondulantes para ocupar el lugar que les correspondía. En el momento en que llegábamos a la colina, salían doce de estas compañías, que sumaban en total tres mil seiscientos hombres, y ocupaban sus puestos en la carretera.

Nos acercamos a la primera compañía y tuvimos la oportunidad de contemplar el más extraordinario grupo de hombres que jamás he visto. Eran todos ya maduros, en su mayoría veteranos de unos cuarenta años, y ni uno solo medía menos de seis pies y tres o cuatro pulgadas. Llevaban en la cabeza pesados penachos negros de plumas de *sakaboola,* como los que utilizaban nuestros guías. En torno a la cintura y bajo la rodilla derecha llevaban unos anillos blancos de rabo de buey, y con la mano izquierda sujetaban escudos redondos de unas veinte pulgadas de diámetro. Estos escudos eran muy curiosos. El armazón consistía en una plancha delgada de hierro batido, sobre la que se había superpuesto una piel blanca de buey. Las armas que cada hombre portaba eran sencillas pero sumamente útiles; consistían en una lanza corta y muy pesada de doble filo, con mango de madera, y la hoja tenía un diámetro de unas seis pulgadas en la parte más ancha. Estas lanzas no se usaban como armas arrojadizas, sino que, al igual que el *bangwan* zulú o azagaya de estocada, solo estaban destinadas a la lucha cuerpo a cuerpo, en la que la herida que infligen es terrible. Además de los *bangwans,* cada hombre llevaba tres cuchillos grandes y pesados, de unas dos libras. Un cuchillo iba sujeto al cinto de cola de buey, y los otros dos a la parte posterior del escudo redondo. Estos cuchillos, que los kukuanas llaman *tollas,* cumplen la misma función que las azagayas arrojadizas de los zulúes. Un guerrero kukuana sabe lanzarlos con gran precisión a una distancia de cincuenta yardas, y tiene la costumbre de cargar contra el enemigo arrojando una verdadera lluvia de ellos al entrar en el combate cuerpo a cuerpo.

Batido: Martilleado hasta ser reducido a chapa.

Infligir: Producir.

Cada compañía permaneció inmóvil como estatuas de bronce hasta que llegamos frente a ellos, momento en que, obedeciendo a una señal dada por el oficial, que llevaba como distintivo una capa de piel de leopardo y se encontraba unos pasos delante de la compañía, todas las lanzas se alzaron en el aire, y de las trescientas gargantas ascendió, en un súbito bramido, el saludo real de *kum*. Entonces, cuando hubimos pasado, la compañía formó detrás de nosotros y nos siguió hacia el *kraal*, hasta que finalmente el regimiento completo de «Grises» (así llamados por los escudos blancos, fuerza de choque del pueblo kukuana) marchaba a nuestra espalda a un paso que hacía temblar la tierra.

Finalmente nos separamos de la gran carretera de Salomón y llegamos al profundo foso que rodeaba el *kraal*, que tenía por lo menos una milla de circunferencia y estaba cercado por una fuerte empalizada de estacas hechas de troncos de árboles. En la puerta, el foso estaba cubierto por un primitivo puente levadizo, que la guardia dejó caer para que pasáramos. El *kraal* estaba extraordinariamente bien distribuido. Por el centro discurría una amplia avenida cortada en ángulo recto por otras avenidas, dispuestas de tal modo que las cabañas quedaban separadas en bloques cuadrados, y cada bloque era el cuartel general de la compañía. Las cabañas tenían techos abovedados y estaban construidas, como las de los zulúes, con una estructura de ramas hábilmente bardadas con hierba, pero, a diferencia de las zulúes, tenían puertas por donde se podía pasar sin tropiezo. Además eran mucho más grandes y estaban rodeadas por una galería de unos seis pies de ancho, bellamente pavimentada con cal en polvo bien apisonada. A ambos lados de la amplia avenida que cruzaba el *kraal* había cientos de mujeres en fila, que habían salido a vernos atraídas por la curiosidad. Para pertenecer a una raza nativa, estas mujeres son extraordinariamente bellas. Son al-

Empalizada: Obra hecha de estacas clavadas en la tierra.

Bardar: Cubrir con ramaje, espino, broza, etcétera.

Cal: Óxido de calcio, sustancia blanca, ligera, cáustica y alcalina, que en contacto con el agua se hidrata con desprendimiento de calor.

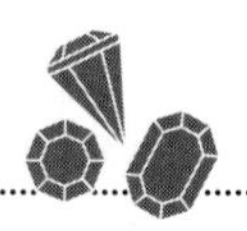

tas y esbeltas, con una figura maravillosamente estilizada. El pelo, a pesar de llevarlo corto, es más rizado que lanoso, los rasgos son con frecuencia aquilinos, y los labios no son desagradablemente gruesos, como sucede con la mayoría de las razas africanas. Pero lo que más nos impresionó fue su porte sosegado, extraordinariamente digno. Son tan distinguidas a su modo como las damas asiduas a un salón de moda, y en este sentido difieren de las mujeres zulúes y de sus parientes, las masai[1], que viven más allá de la zona de Zanzíbar[2] La curiosidad las había hecho salir para vernos, pero no permitieron que por sus labios pasara ninguna expresión de asombro o de violenta crítica mientras caminábamos, cansados, frente a ellas. Ni siquiera cuando el viejo Infadoos señaló con un movimiento subrepticio de la mano la maravilla culminante de las «hermosas piernas blancas» del pobre Good, exteriorizaron el sentimiento de admiración que sin duda dominaba su pensamiento. Se limitaron a clavar sus ojos en la blancura de nieve de sus piernas (la piel de Good es extraordinariamente blanca). Pero fue suficiente para Good, que es modesto por naturaleza.

Subrepticio: Oculto, escondido disimulado.

Cuando llegamos al centro del *kraal*, Infadoos se detuvo a la puerta de una choza grande, que estaba rodeada a cierta distancia por un círculo de cabañas más pequeñas.

—Entrad, hijos de las estrellas —dijo en un tono de voz grandilocuente—, y dignaos descansar un poco en nuestra humilde morada. Se os traerá un poco de comida, para que no tengáis que apretaros el cinturón a causa del hambre; miel y leche y uno o dos bueyes, y unos corderos; no mucho, mis señores, pero al fin comida es.

Grandilocuente: Con gran elocuencia.

[1] Pueblo negroafricano de estatura alta y rasgos armónicos, que habita en una extensa zona en Kenya y Tanganica. De vida seminómada, practican la agricultura y la ganadería.

[2] Estado federado de Tanzania, formado por la isla homónima y la de Pemba. Se halla en el océano Índico y está separado del continente por el canal homónimo.

—Está bien, Infadoos —dije—; estamos cansados de viajar por los reinos del aire; déjanos descansar.

Acto seguido entramos en la cabaña, que encontramos perfectamente dispuesta para nuestra comodidad. Habían tendido lechos de piel curtida para que descansáramos sobre ellos y habían colocado agua para que nos laváramos.

Damisela: Señorita, en sentido apreciativo, cariñoso y a veces irónico.

De repente oímos gritos fuera y, al acercarnos a la puerta, vimos una hilera de damiselas que portaban leche y tortas de maíz, y un cántaro de miel. Detrás de ellas venían unos jóvenes que conducían un magnífico ternero. Aceptamos los regalos, y a continuación uno de los jóvenes cogió el cuchillo de su cinto y cortó limpiamente la garganta del animal. A los diez minutos estaba muerto, desollado y troceado. Después separaron la mejor parte de la carne para nosotros, y yo, en nombre de nuestro grupo, ofrecí el resto a los guerreros que nos custodiaban, quienes lo cogieron y distribuyeron el «regalo de los hombres blancos».

Umbopa, ayudado por una joven extraordinariamente atractiva, se puso a hervir nuestra porción de carne en un gran recipiente de arcilla sobre una hoguera que encendieron a la puerta de la cabaña, y cuando ya casi estaba lista la comida, enviamos un mensaje a Infadoos en el que pedíamos a él y a Scragga, el hijo del rey, que nos acompañasen.

Vinieron al poco y se sentaron sobre unos pequeños taburetes, de los que había varios alrededor de la cabaña (porque por lo general, los kukuanas no se sientan en cuclillas, como los zulúes), y nos ayudaron a despachar nuestra cena.

Despachar: Familiarmente, comer o beber una cosa por completo.

Afable: Agradable, suave en la conversación y el trato.

Recelo: Temor, desconfianza.

El anciano se mostró sumamente afable y cortés, pero nos pareció que el joven nos observaba con recelo. Al igual que los demás, estaba atemorizado por nuestra blancura y nuestros poderes mágicos; pero se me antojaba que, al descubrir que comíamos, bebíamos y dormíamos como el resto de los mortales, su

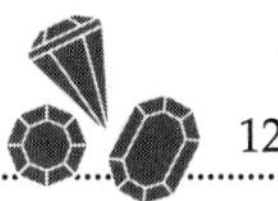

temor empezaba a disiparse para dar paso a un recelo resentido, que nos hacía sentirnos bastante incómodos.

En el transcurso de la comida, sir Henry me sugirió que convendría tratar de descubrir si nuestros huéspedes sabían algo de la suerte que había corrido su hermano, o si le habían visto u oído hablar de él; pero yo pensé que sería más prudente no hablar del asunto en aquellos momentos.

Huésped: Persona que hospeda a otra en su casa.

Después de cenar llenamos las pipas y las encendimos, operación que dejó a Infadoos y a Scragga atónitos. Evidentemente, los kukuanas no estaban familiarizados con la costumbre divina de fumar tabaco. La planta crece en abundancia en Kukuanalandia, pero, al igual que los zulúes, solo la utilizan en forma de rapé, y no supieron identificarla bajo aquella nueva forma. Al cabo de un rato pregunté a Infadoos cuándo proseguiríamos el viaje, y quedé encantado al saber que habían hecho los preparativos necesarios para que pudiésemos salir a la mañana siguiente, y que ya habían enviado mensajeros para informar al rey Twala de nuestra llegada. Al parecer, Twala se encontraba en su cuartel general, un lugar llamado Loo[3], dirigiendo los preparativos de la gran fiesta anual que se celebraba en la primera semana de junio. A esa asamblea acudían todos los regimientos, a excepción de ciertos destacamentos que quedaban como guarnición, y desfilaban ante el rey, y después se celebraba la caza de brujos anual.

Rapé: Tabaco en polvo para tomarlo por las narices.

Asamblea: Reunión numerosa de personas convocadas para algún fin.

Debíamos partir al amanecer, e Infadoos, que iba a acompañarnos, esperaba que, a no ser que nos detuviera algún percance o la crecida de un río, llegaríamos a Loo en la noche del segundo día.

Tras proporcionarnos esta información, nuestros visitantes se despidieron, deseándonos buenas no-

[3] Adviértase que este lugar figura en el mapa (pág. 29) como Leu, del mismo modo que el río Kalukwe figura como Kalukawe.

ches, y tras disponer un turno de guardia, tres de nosotros nos acostamos y disfrutamos del dulce sueño que recompensa el cansancio, en tanto que el cuarto permanecía en vela, en prevención de una posible traición.

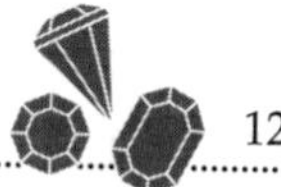

CAPÍTULO 9

El rey Twala

No creo necesario explicar con detalle los incidentes de nuestro viaje a Loo. Nos llevó dos días de marcha por la gran carretera de Salomón, que sigue su trayectoria uniforme hasta adentrarse en el corazón de Kukuanalandia. Baste decir que, a medida que avanzábamos, parecía que la tierra se hacía cada vez más fértil, y los *kraals*, con el amplio cinturón de cultivos que los rodeaban, eran cada vez más numerosos. Todos estaban construidos según el mismo modelo que el primero que vimos, y protegidos por fuertes guarniciones de tropas. De hecho, en Kukuanalandia, al igual que entre los alemanes, los zulúes y los masai, todo hombre útil es soldado, de modo que toda la fuerza bélica de la nación está dispuesta a movilizarse para una guerra ofensiva o defensiva.

Mientras avanzábamos, nos adelantaban cientos de guerreros que se dirigían apresuradamente hacia Loo para tomar parte en la gran revista y en la fiesta anual. Nunca había visto tropas tan magníficas. Al atardecer del segundo día nos detuvimos para descansar un rato en la cima de unas lomas por las que discurría la carretera, desde donde se divisaba, en una hermosa y fértil llanura que se extendía ante nosotros, la ciudad de Loo. Para ser una ciudad nativa, era enorme, yo diría que de unas cinco millas de perímetro, a lo que hay que añadir los *kraals* que sobresalían de ella, que en las grandes ocasiones servían como acantonamiento para las tropas, y una extraña colina en forma de herradura situada a unas dos mi-

Revista: Inspección que un jefe hace de las personas o cosas sometidas a su autoridad o cuidado.

Acantonamiento: Lugar donde se distribuyen y alojan las tropas.

llas al Norte, que estábamos destinados a conocer muy bien. Está en un lugar maravilloso, y por el centro del *kraal*, dividiéndolo en dos partes, discurre un río, al parecer cruzado por varios puentes, quizá el mismo que habíamos visto desde las laderas de los senos de Saba. A unas sesenta o setenta millas se alzaban de la llanura tres grandes montañas coronadas de nieve, situadas como los ángulos de un triángulo. La conformación de aquellas montañas era diferente de las de Saba; en lugar de ser suave y redondeada, era escarpada y rocosa.

Infadoos vio que las mirábamos e hizo la siguiente observación:

—La carretera termina allí —dijo, señalando hacia las montañas conocidas entre los kukuanas como «Las tres brujas».

—¿Por qué termina ahí? —pregunté.

—¿Y quién lo sabe? —contestó encogiéndose de hombros—. Las montañas están llenas de cuevas, y entre ellas hay una gran sima. Allí es donde acudían los hombres sabios de la antigüedad a buscar aquello por lo que venían a este país, y también allí es donde ahora están enterrados nuestros reyes, en el Lugar de la Muerte.

—¿A qué venían aquellos hombres? —pregunté con ansiedad.

—No lo sé. Mis señores, que vienen de las estrellas, deben saberlo —respondió con una mirada rápida.

Evidentemente, sabía más de lo que estaba dispuesto a decir.

—Sí —proseguí—, tienes razón; en las estrellas sabemos muchas cosas. He oído decir, por ejemplo, que los hombres sabios de la antigüedad iban a esas montañas a buscar piedras brillantes, bonitos juguetes y hierro amarillo.

—Mi señor es sabio —replicó con frialdad—. Yo no soy más que un niño y no puedo hablar de tales cosas con él. Mi señor debe hablar con la vieja Gagool, que es tan sabia como mi señor y está en la ciudad del rey.

Y se alejó. En cuanto se hubo marchado, me volví hacia los otros y señalé las montañas.

—Ahí están las minas de diamantes del rey Salomón —dije.

Umbopa estaba con ellos, al parecer sumido en uno de los accesos de meditación tan corrientes en él, y comprendió mis palabras.

—Sí, Macumazahn —dijo en zulú—, los diamantes están sin duda allí y los conseguiréis, puesto que a vosotros, los blancos, os gustan tanto los juguetes y el dinero.

—¿Cómo sabes eso, Umbopa? —pregunté ásperamente, porque no me gustaba su tono misterioso.

Se echó a reír.

—Lo soñé anoche, hombres blancos —y a continuación giró sobre sus talones y se marchó.

—¿Qué le ocurre a nuestro amigo negro? —dijo sir Henry—. Sabe más de lo que dice, eso está claro. A propósito, Quatermain, ¿ha oído decir algo sobre..., sobre mi hermano?

—No, no sabe nada. Ha preguntado a todos aquellos con los que ha entablado amistad, pero todos declaran que nunca se había visto a un hombre blanco en este país antes de llegar nosotros.

—¿Cree que realmente llegó hasta aquí? —preguntó Good—. Nosotros lo hemos conseguido por puro milagro. ¿Es posible que él llegara sin el mapa?

—No lo sé —repuso sir Henry, sombrío—, pero estoy convencido de que lo encontraré de una u otra forma.

El sol se puso lentamente, y de pronto la oscuridad descendió sobre la tierra como un objeto tangible. No había respiro entre el día y la noche; no se produjo una escena de suave transformación, porque en aquellas latitudes no existe el crepúsculo. El paso

Tangible: Que se puede tocar.

del día a la noche es tan rápido y tan absoluto como el paso de la vida a la muerte. El sol se puso y el mundo quedó envuelto en sombras. Aunque no por mucho tiempo, porque por el Este se vio un resplandor, después una orla de luz plateada y, finalmente, apareció sobre la llanura una luna llena magnífica, que lanzaba sus brillantes flechas por todas partes, llenando la tierra de un trémulo fulgor, como refulge el brillo de las buenas obras de un hombre sobre su pequeño mundo cuando su sol se ha puesto, iluminando a los viajeros de ánimo débil hacia un crepúsculo más pleno.

Trémulo: Tembloroso.
Fulgor: Resplandor.

Permanecimos contemplando el panorama maravilloso, mientras las estrellas palidecían ante aquella casta majestad, y sentimos que nuestros corazones se elevaban ante una belleza que no podíamos comprender y mucho menos describir.

Lector, mi vida ha sido muy dura, pero hay algunas cosas por las que agradezco haber vivido, y una de ellas es haber visto salir la luna en Kukuanalandia.

De pronto nuestras meditaciones se vieron interrumpidas por nuestro cortés amigo Infadoos.

—Si mis señores han descansado, podemos seguir el viaje hacia Loo, donde se ha preparado una choza para que pasen la noche mis señores. La luna brilla, así que no tropezaremos por el camino.

Asentimos, y al cabo de una hora nos encontrábamos en las afueras de la ciudad, cuya extensión, señalada por millares de hogueras, parecía absolutamente interminable. Good, que siempre estaba dispuesto a hacer un chiste malo, la bautizó como «Retrete ilimitado[1]».

Al poco llegamos a una puerta con un puente levadizo, y al atravesarla nos recibieron con un estrépito de armas y el ronco reto de un centinela. Infadoos dio una consigna que no entendí, a la que respondie-

Consigna: Orden dada al que manda un puesto, a un centinela, guarda.

[1] *Loo*, en inglés, significa «retrete».

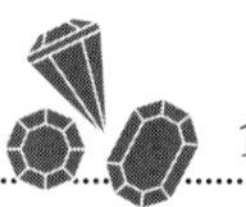

ron con un saludo, y atravesamos la calle principal de la gran ciudad. Tras casi media hora de marcha, durante la que pasamos ante interminables hileras de cabañas, Infadoos se detuvo ante las puertas que resguardaban un pequeño grupo de cabañas que rodeaban un patio de suelo de tierra apisonada, y nos informó de que aquello era nuestro «pobre cuartel general».

Entramos y vimos que nos habían asignado una cabaña a cada uno de nosotros. Aquellas cabañas eran mucho mejores que las que habíamos visto anteriormente, y en cada una de ellas había una cómoda cama hecha a base de pieles curtidas desplegadas sobre colchones de hierbas aromáticas. También nos habían preparado comida, y en cuanto nos hubimos lavado con el agua que contenían unos jarros de arcilla, unas jóvenes muy hermosas nos trajeron carne asada y tortas de maíz primorosamente servidas en fuentes de madera, y nos lo ofrecieron con grandes reverencias.

Comimos y bebimos y, después que hubieron llevado todas las camas a una sola cabaña a petición nuestra, precaución que hizo sonreír a las jóvenes, nos sumimos en un profundo sueño, completamente agotados por el largo viaje.

Al despertarnos vimos que el sol estaba muy alto y que nuestras sirvientas, a las que no parecía preocupar ningún sentimiento de falsa vergüenza, ya habían entrado en la cabaña, pues les habían ordenado que nos sirvieran y que nos ayudaran a «prepararnos» .

—Sí, sí..., prepararnos —refunfuñó Good—. Cuando solo se tienen una camisa de franela y unas botas, no se necesita mucho tiempo. Me gustaría que les pidiera mis pantalones.

Así lo hice, pero me dijeron que ya habían llevado aquellas sagradas reliquias al rey, quien nos recibiría antes del mediodía.

Tras rogar a aquellas damas que salieran de la cabaña, cosa que las dejó atónitas y un tanto decepcionadas, procedimos a arreglarnos lo mejor que pudimos en semejantes circunstancias. Good incluso llegó al extremo de volver a afeitarse el lado derecho de la cara; le convencimos de que bajo ningún concepto debía tocar el lado izquierdo, en el que había crecido una barba bastante poblada. Nosotros nos conformamos con lavarnos y peinarnos. Los bucles rubios de sir Henry le llegaban casi hasta los hombros, y parecía más que nunca un antiguo danés, en tanto que mi mata de pelo canoso tenía ya una pulgada, en lugar de la media que considero su longitud normal.

Bucle: Rizo de cabello en forma helicoidal.

Una vez que hubimos desayunado y fumado una pipa, nos hicieron llegar un mensaje a través de un personaje no menos importante que Infadoos, en el que se nos comunicaba que Twala, el rey, estaba dispuesto a recibirnos si queríamos acudir.

Respondimos que preferiríamos esperar a que el sol estuviese un poco más alto, porque aún estábamos cansados del viaje, etc., etc.. Siempre es conveniente, en el trato con gentes incivilizadas, no apresurarse demasiado. Tienen inclinación a confundir la cortesía con el temor o el servilismo. Así que, aunque estábamos tan ansiosos por ver a Twala como pudiera estarlo él por vernos a nosotros, nos sentamos a esperar durante una hora, intervalo que empleamos en preparar los regalos que nos permitían nuestras escasas pertenencias, a saber, el rifle *Winchester* que había utilizado el pobre Ventvögel y unas cuentas de vidrio. Decidimos regalar el rifle con su munición a Su Alteza Real, y destinamos las cuentas de vidrio a sus mujeres y cortesanos. Ya habíamos dado unas cuantas a Infadoos y a Scragga, y descubrimos que estaban encantados con ellas, ya que nunca habían visto nada parecido. Por fin les dijimos que ya estábamos listos y, guiados por Infadoos, nos dirigimos a la recepción, tras encargar a Umbopa que llevase el rifle y las cuentas.

Servilismo: Ciega y baja adhesión a los poderosos.

Después de caminar unos cientos de yardas, llegamos a un cercado similar al que circundaba las cabañas que se nos habían asignado, pero cincuenta veces mayor. Su extensión no debía de ser menor de unos seis o siete acres. Alrededor de la valla exterior había una hilera de cabañas que constituían las habitaciones de las esposas del rey. Justamente frente a la puerta de entrada, al otro lado del espacio abierto, había una cabaña muy grande, aislada, en la que residía Su Majestad. El resto era espacio abierto, mejor dicho, habría sido espacio abierto de no haber estado cubierto por una formación tras otra de guerreros, que se habían congregado allí en número de siete u ocho mil. Aquellos hombres permanecían inmóviles como estatuas mientras avanzábamos entre ellos, y sería imposible dar una idea de la magnificencia del espectáculo que ofrecían, con sus penachos ondeantes, sus lanzas refulgentes y sus escudos de hierro guarnecidos de piel de buey.

El espacio frente a la cabaña grande estaba despejado, pero habían colocado unos cuantos taburetes. A una señal de Infadoos, nos sentamos en tres de ellos, y Umbopa se quedó de pie detrás de nosotros. Infadoos tomó posición junto a la puerta de la cabaña. En esta postura esperamos durante diez minutos o más, en medio de un silencio absoluto, conscientes de ser el objeto de la mirada concentrada de ocho mil pares de ojos. Resultó una prueba dura, pero la superamos lo mejor que pudimos. Finalmente se abrió la puerta de la choza, y apareció una figura gigantesca, con un espléndido manto de piel de tigre sobre los hombros, seguida de Scragga y de lo que pareció ser un mono marchito envuelto en una capa de pieles. La gigantesca figura se sentó en un taburete, Scragga se quedó de pie detrás de él y el mono marchito se arrastró a cuatro patas hasta la sombra de la cabaña y se acurrucó.

El silencio era absoluto.

De repente, la gigantesca figura se despojó del manto y se puso de pie frente a nosotros; era un espectáculo verdaderamente alarmante. Era un hombre enorme, con el aspecto más repulsivo que habíamos visto jamás. Tenía los labios gruesos como los de un negro, la nariz chata, un solo ojo reluciente y negro (el otro estaba representado por un hueco en la cara), y su expresión era cruel y sensual en grado sumo. En su enorme cabeza se erigía un magnífico penacho de plumas blancas de avestruz, el cuerpo estaba cubierto por una brillante cota de malla, en tanto que en torno a la cintura y la rodilla derecha llevaba el adorno usual de colas de buey blanco. Con la mano derecha empuñaba una enorme lanza. En el cuello llevaba una gruesa gargantilla de oro, y sujeto a la frente un diamante descomunal sin tallar.

Gargantilla: Collar corto que ciñe el cuello.

Aún seguía el silencio, pero no duró mucho tiempo. De repente, la enorme figura, a quien con razón habíamos tomado por el rey, alzó la gran lanza que llevaba en la mano. Al instante se elevaron ocho mil lanzas en respuesta, y ocho mil gargantas dejaron escapar el saludo real de *kum.* Esto se repitió tres veces, y cada vez la tierra se estremeció con el ruido, que solo puede compararse con las notas más profundas del trueno.

—Humíllate, oh pueblo —dijo una voz débil que parecía proceder del mono sentado a la sombra—, es el rey.

—*¡Es el rey!* —respondieron al unísono ocho mil gargantas—. *¡Humíllate, oh pueblo, es el rey!*

Después volvió a hacerse el silencio, un silencio absoluto. Pero se rompió de repente. Un soldado que había a nuestra izquierda soltó su escudo, que cayó con estrépito en el suelo de arcilla.

Twala dirigió su frío ojo hacia el lugar en que se había producido el ruido.

—Acércate —dijo con voz de trueno.

Un hermoso joven salió de las filas y se presentó ante él.

—Es tuyo el escudo que se ha caído, ¿verdad, perro estúpido? ¿Acaso quieres avergonzarme ante los ojos de los extranjeros que vienen de las estrellas? ¿Qué tienes que decir?

Vimos cómo el pobre hombre palidecía bajo su oscura piel.

—Ha sido un accidente, oh ternero de la vaca negra —murmuró el guerrero.

—Entonces, es un accidente por el que habrás de pagar. Me has puesto en evidencia. Prepárate a morir.

—Yo soy el buey del rey —respondió en voz baja.

—Scragga —bramó el rey—, enséñame cómo usas la lanza. Mátame a este perro estúpido.

Scragga dio unos pasos al frente con una fea mueca y levantó su lanza. La pobre víctima se cubrió los ojos con la mano y se quedó inmóvil. Nosotros estábamos petrificados de terror.

Una, dos veces agitó la lanza y descargó el golpe, y, oh, Dios mío, la lanza atravesó al joven, sobresaliendo un palmo de la espalda del soldado. Agitó los brazos en el aire y cayó muerto. De la multitud emergió algo parecido a un murmullo que fue extendiéndose y finalmente se desvaneció. La tragedia se había consumado. Allí estaba el cadáver, pero nosotros aún no habíamos tomado conciencia de que tal tragedia hubiese tenido lugar. Sir Henry se levantó de un salto y soltó un terrible juramento, y después, vencido por la fuerza del silencio reinante, volvió a sentarse.

Consumar: Llevar a cabo totalmente una cosa.

—Ha sido un buen lanzazo —dijo el rey—. Lleváoslo.

Cuatro hombres salieron de las filas, levantaron el cuerpo del hombre asesinado y se lo llevaron.

—Cubrid las manchas de sangre, cubridlas —dijo la voz débil procedente de la figura simiesca—; el rey ha hablado, la sentencia del rey se ha cumplido.

A los pocos instantes salió una joven que estaba detrás de la cabaña con un jarro de cal en polvo y lo esparció sobre las manchas rojas, que desaparecieron de la vista.

Entre tanto, sir Henry estaba fuera de sí por lo que había ocurrido; nos costó mucho trabajo convencerlo de que se estuviera callado.

—Siéntese, por lo que más quiera —susurré—; nuestras vidas dependen de ello.

Cedió y se quedó quieto.

Twala permaneció sentado inmóvil hasta que desaparecieron los restos de la tragedia; entonces se dirigió a nosotros diciendo:

—Hombres blancos que venís de un lugar que no conozco y por razones que ignoro; os saludo.

—Saludos, Twala, rey de los kukuanas —repliqué—. Venimos de las estrellas, y no nos preguntes cómo hemos llegado hasta aquí. Hemos venido a ver esta tierra.

—Venís desde muy lejos para ver una cosa tan pequeña. Y ese hombre que os acompaña —dijo señalando a Umbopa—, ¿también viene él de las estrellas?

—Sí, también. En los cielos también hay gente de vuestro color. Pero no preguntes cosas que son demasiado elevadas para ti, rey Twala.

—Habláis en voz muy alta, moradores de las estrellas —replicó Twala en un tono que no me gustó nada—. Recordad que las estrellas están muy lejos y que vosotros estáis aquí. ¿Qué os parecería si os hiciera lo mismo que al que acaban de llevarse?

Solté una gran carcajada, a pesar de que no tenía ninguna gana de reír.

—Oh rey —dije—, ten cuidado; anda con pies de plomo, no vaya a ser que te caigas; sujeta bien la lanza, no vaya a ser que te cortes las manos. Si nos tocas un solo pelo de la cabeza, la destrucción se abatirá sobre ti. ¿Acaso estos —y señalé a Infadoos y Scragga, que el muy villano estaba ocupado en limpiar la sangre del soldado de su lanza— no te han dicho qué clase de personas somos? ¿Has visto alguna vez a alguien como nosotros? —y señalé a Good, con la seguridad de que nunca había visto a nadie que guardase el menor parecido con *él,* dado el aspecto que presentaba en aquel momento.

—Cierto, no lo he visto —dijo el rey.

—¿No te han contado que matamos desde lejos? —proseguí.

—Sí, me lo han contado, pero no lo he creído. Mostrádmelo. Mata a uno de esos hombres que están allí —dijo, señalando hacia el otro lado del *kraal*—, y entonces lo creeré.

—No —respondí—, nosotros no derramamos sangre humana excepto en justo castigo, pero si quieres verlo, ordena a tus sirvientes que traigan un buey y lo conduzcan por la puerta del *kraal,* y antes de que haya dado veinte pasos lo mataré.

—No —dijo el rey riendo—; mata a un hombre y creeré.

—Muy bien, rey, se hará como deseas —contesté con frialdad—; camina hacia la explanada, y antes de que tus pies lleguen a las puertas del poblado, habrás muerto; o si no quieres ir tú, envía a tu hijo Scragga —a quien en esos momentos hubiera matado con mucho gusto.

Al oír mi sugerencia, Scragga soltó una especie de alarido y huyó precipitadamente hacia la choza.

—Que traigan un novillo —dijo el rey.

Inmediatamente partieron dos hombres.

—Y ahora, sir Henry —dije—, dispare usted. Quiero demostrar a este rufián que yo no soy el único mago del grupo.

Sir Henry cogió el *express* y se preparó.

—Espero hacer un buen tiro —gimió.

—Tiene que hacerlo —repliqué—. Si falla el primer disparo, dispare de nuevo. Apunte a ciento cincuenta yardas y espere a que el animal se ponga de lado.

Se hizo el silencio, y finalmente vimos un buey que entraba corriendo por las puertas del *kraal*. Al ver a tanta gente, se detuvo estúpidamente, se dio la vuelta y mugió.

—Ahora es el momento —susurré.

El rifle se elevó.

¡Bang, pum!, y el buey pateaba tendido sobre el lomo, con una bala en las costillas. El proyectil había hecho un buen trabajo, y un suspiro de asombro se escapó de las gargantas de las ocho mil personas allí congregadas. Me di la vuelta con frialdad.

—¿Te he mentido, rey?

—No, hombre blanco; has dicho la verdad —respondió el rey con cierto temor.

—Escucha, Twala —proseguí—. Tú lo has visto. Debes saber que venimos en son de paz, no queremos guerra. Mira esto —y levanté el *Winchester*—. Aquí tienes este tubo hueco que te permitirá matar como lo hacemos nosotros. Solo te pongo una condición, y es que no mates con él a ningún hombre. Si lo levantas contra un hombre, te matará a ti. Espera, te lo mostraré. Ordena a uno de tus hombres que avance cuarenta pasos y que clave el mango de una lanza en el suelo de forma que la hoja mire hacia nosotros.

A los pocos segundos se cumplieron las órdenes.

—Ahora voy a romper la lanza.

Apunté con sumo cuidado y disparé. El proyectil golpeó la lanza y la hoja saltó hecha añicos.

De nuevo se elevó de la multitud un suspiro de asombro.

—Bien, Twala —dije, tendiéndole el rifle—, te regalamos este tubo mágico, y poco a poco te iré enseñando a usarlo, pero no utilices la magia de las estrellas contra los hombres de la tierra.

Lo cogió con suma cautela y lo colocó a sus pies. Al mismo tiempo observé que la apergaminada figura simiesca se deslizaba hacia nosotros desde la sombra de la cabaña. Iba a cuatro patas, pero, al llegar al

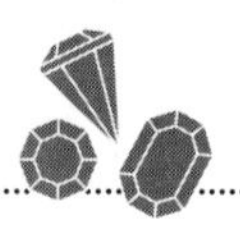

lugar en que se encontraba el rey, se puso de pie y, arrancando la piel que le cubría la cara, dejó ver unas facciones extraordinariamente raras. Al parecer, se trataba de una mujer muy anciana, tan encogida que no era más alta que un niño de un año, y su cara estaba formada por una acumulación de profundas arrugas amarillas. Entre las arrugas había una hendidura que representaba la boca, bajo la que se curvaba una afilada barbilla. No se podía decir que tuviese nariz. Su rostro podía tomarse por el de un cadáver secado al sol de no ser por los ojos, grandes y negros, aún llenos de fuego e inteligencia, que brillaban y jugueteaban bajo las níveas cejas y el prominente cráneo de color pergamino, como gemas en un osario. Su cráneo estaba totalmente pelado y era de color amarillo, en tanto que el cuero cabelludo se movía y contraía como la cabeza de una cobra.

Nívea: Blanca como la nieve.

Osario: Lugar donde se hallan huesos.

La figura a la que pertenecía aquel espantoso rostro, que al mirarlo nos provocó un escalofrío de temor, se quedó inmóvil durante unos momentos, y de repente extendió una esquelética garra armada de unas uñas de casi una pulgada de largo y la posó en el hombro del rey, Twala, y empezó a hablar con una voz débil y chillona:

—¡Escucha, oh rey! ¡Escucha, oh pueblo! ¡Escuchad, oh montañas y llanuras y ríos, hogar de la raza de los kukuanas! ¡Escuchad, oh cielos y sol, oh lluvia y tormentas y niebla! ¡Escuchad, cosas todas que viven y deben morir! ¡Escuchad, cosas muertas que habrán de vivir de nuevo, para morir de nuevo! ¡Escuchad; el espíritu de la vida habita en mí y yo profetizo! ¡Yo profetizo! ¡Yo profetizo!

Profetizar: Anunciar o predecir las cosas distantes o futuras en virtud del don de profecía.

Las palabras se desvanecieron con un leve gemido y el terror pareció apoderarse de los corazones de todos los que la escuchaban, incluidos nosotros. La anciana era verdaderamente horripilante.

—*¡Sangre, sangre, sangre!* Ríos de sangre; sangre por todas partes, la huelo, la veo, siento su sabor. Es salada. Corre por el suelo, roja, cae de los cielos como la lluvia.

»*¡Pasos, pasos, pasos!* Las pisadas de los hombres blancos que vienen de muy lejos. Sacuden la tierra; la tierra tiembla ante su amo.

»La sangre es buena, la roja sangre es brillante; no existe olor comparable al de la sangre recién derramada. Los leones la lamerán y rugirán, los buitres lavarán sus alas en ella y chillarán de alegría.

»¡Soy vieja! ¡Soy vieja! He visto mucha sangre, *¡ja, ja!*, pero aún habré de ver más hasta que muera, y me siento feliz. ¿Cuántos años creéis que tengo? Vuestros padres me conocieron, y *sus* padres me conocieron también, y los padres de *sus* padres. He visto al hombre blanco y conozco sus deseos. Yo soy vieja, pero las montañas son más viejas que yo. Decidme, ¿quién construyó la gran carretera? Decidme, ¿quién hizo las inscripciones en las rocas? Decidme, ¿quién erigió los Tres Silenciosos que miran a través de la sima?

Erigir: Fundar, instituir o levantar.

Y señaló hacia las tres montañas escarpadas que habíamos observado la noche anterior.

—No lo sabéis, pero yo sí. Fue un pueblo de hombres blancos que llegaron aquí antes que vosotros, que estarán aquí cuando vosotros no existáis, que os devorarán y os destruirán. *¡A vosotros! ¡A vosotros! ¡A vosotros!*

»¿Y a qué vinieron los hombres blancos, los hombres terribles, los sabios en magia y en todas las ciencias, los fuertes, los indestructibles? ¿Qué es esa piedra brillante que llevas en la frente, oh rey? ¿Qué manos hicieron los adornos de hierro que llevas sobre el pecho, oh rey? Tú no lo sabes, pero yo sí. ¡Yo, la vieja; yo, la sabia; yo, la *isanusi* (bruja)!

Volvió su cabeza calva, como de buitre, hacia nosotros y prosiguió:

—¿Qué buscáis, hombres blancos de las estrellas? ¡Ya, claro, de las estrellas! ¿Buscáis al que se ha perdido? No lo encontraréis aquí. No está aquí. Durante

siglos y siglos, ningún pie blanco ha hollado esta tierra, ninguno, excepto uno, y solo para morir. Venís a buscar piedras brillantes, lo sé; yo lo sé. Las encontraréis cuando la sangre se haya secado, pero ¿regresaréis al lugar de donde venís u os quedaréis aquí conmigo? *¡Ja, ja, ja!*

»Y tú, el de piel oscura y porte orgulloso —prosiguió señalando con un dedo esquelético a Umbopa—, ¿quién eres *tú,* y qué buscas *tú* aquí? No buscas piedras brillantes, ni metal amarillo que refulge, porque eso lo dejas para los «hombres blancos de las estrellas». Me parece que te conozco; me parece que puedo oler el olor de la sangre de tus venas. Quítate el taparrabos.

En ese momento se convulsionaron los rasgos de aquella extraordinaria criatura y cayó al suelo echando espuma por la boca, presa de un ataque de epilepsia, y se la llevaron a la cabaña.

Epilepsia: Enfermedad nerviosa crónica, caracterizada por accesos de pérdida del conocimiento seguida de convulsiones.

El rey se puso de pie temblando e hizo un gesto con la mano. Al momento empezaron a desfilar los guerreros, y al cabo de diez minutos la gran explanada quedó despejada, excepto por la presencia del rey, sus siervos y nosotros tres.

—Hombres blancos —dijo el rey—, ha pasado por mi mente la idea de mataros. Gagool ha dicho extrañas palabras. ¿Qué decís vosotros?

Me eché a reír.

—Ten cuidado, oh rey, no es fácil matarnos. Ya has visto la suerte que ha corrido el buey. ¿Quieres que te ocurra lo mismo que a él?

El rey frunció el ceño.

—No se debe amenazar a un rey.

—No amenazamos, solo decimos la verdad. Trata de matarnos, oh rey, y lo sabrás.

Aquel hombre gigantesco se pasó la mano por la frente.

—Marchad en paz —dijo por fin—. Esta noche se celebra la gran danza. Vosotros la veréis. No temáis

que os tienda una trampa. Mañana pensaré lo que debo hacer.

—Está bien, oh rey —repliqué con displicencia y a continuación, acompañados por Infadoos, nos pusimos de pie y regresamos a nuestro *kraal*.

Capítulo 10

La caza de brujos

Al llegar a nuestra cabaña, hice una señal a Infadoos para que entrase.

—Ahora, Infadoos —dije—, nos gustaría hablar contigo.

—Que mis señores hablen.

—Infadoos, nos parece que el rey Twala es un hombre cruel.

—Así es, señores. ¡Ay! La tierra clama por sus crueldades. Esta noche lo veréis. Es la gran caza de brujos, muchos serán acusados de hechiceros y morirán. Nadie está a salvo. Si el rey codicia el ganado o la vida de un hombre, o si teme que alguien vaya a incitar una rebelión contra él, entonces Gagool, a quien ya habéis visto, o alguna de las rastreadoras de brujos a las que ella ha instruido, acusarán a ese hombre de hechicería y lo matarán. Muchos morirán antes de que esta noche palidezca la luna. Siempre es así. Quizá yo también muera. Hasta ahora me he librado porque soy muy hábil en la guerra y querido por los soldados, pero no sé cuánto tiempo viviré. La tierra gime por las crueldades del rey Twala; está cansada de él y de sus derramamientos de sangre.

Rastreadora: Que sigue el rastro.

—Entonces, Infadoos, ¿por qué no lo derroca el pueblo?

—No, mis señores, él es el rey y, si muriese, Scragga ocuparía el trono en su lugar, y el corazón de Scragga es aún más negro que el de su padre Twala. Si Scragga fuese rey, el yugo que ciñe nuestros cuellos sería más pesado que el yugo de Twala. Si Imotu no

hubiese sido asesinado, o si Ignosi, su hijo, viviese, todo habría sido diferente, pero ambos están muertos.

—¿Cómo sabes que Ignosi está muerto? —dijo una voz a nuestra espalda. Miramos y nos quedamos atónitos al comprobar que el que había hablado era Umbopa.

—¿Qué quieres decir, muchacho? —preguntó Infadoos—. ¿Quién te ha dado permiso para hablar?

—Escucha, Infadoos —replicó, porque voy a contarte una historia. Hace años fue asesinado el rey Imotu en este país, y su mujer huyó con su hijo Ignosi. ¿Es cierto?

—Así es.

—Se dijo que la mujer y el niño habían muerto en las montañas. ¿No es así?

—Así es.

—Pues bien, lo que en realidad sucedió es que Ignosi y su madre no murieron. Cruzaron las montañas y fueron conducidos por una tribu nómada del desierto más allá de las dunas hasta llegar a una tierra en que había agua, árboles y prados.

—¿Como sabes tú eso?

—Escucha. Siguieron viajando durante muchos meses hasta llegar a una tierra en que un pueblo llamado los amazulu, que también pertenecen a la raza de los kukuanas, vivía de la guerra, y con ellos permanecieron muchos años, hasta que finalmente murió la madre. Entonces el hijo, Ignosi, volvió a la vida nómada y llegó a esas tierras maravillosas en las que habitan los hombres blancos, y durante muchos años aprendió la sabiduría de los hombres blancos.

—Es una bonita historia —dijo Infadoos, incrédulo.

—Vivió allí durante muchos años, trabajando como sirviente y soldado, pero guardaba en su corazón todo lo que su madre le había contado sobre su lugar de origen y alimentaba la idea de volver a su propio pueblo y la casa de su padre antes de morir. Durante muchos años vivió esperando, y por fin llegó el momento, como siempre le sucede a aquel que sabe esperar, y conoció a unos hombres blancos que deseaban llegar a estas tierras desconocidas y se unió a ellos. Los hombres blancos partieron y viajaron durante muchos días, en busca de alguien que se había perdido hace tiempo. Atravesaron el desierto ardiente, atravesaron las montañas cubiertas de nieve y llegaron a la tierra de los kukuanas, y allí te conocieron *a ti*, oh Infadoos.

—Tienes que estar loco para hablar así —dijo atónito el viejo guerrero.

—Si lo crees así, mira, te mostraré una cosa, oh tío mío. *¡Yo soy Ignosi, legítimo rey de los kukuanas!*

Y diciendo esto, se despojó con un rápido movimiento del *moocha,* o taparrabos, que llevaba en torno a la cintura y se quedó desnudo ante nosotros.

—Mira —dijo—, ¿qué es esto?

Y señaló una marca que representaba una gran serpiente, cuya cola desaparecía en la boca abierta justo por encima de las ingles, tatuada en azul en torno a su cintura.

Infadoos lo miró con ojos desorbitados y cayó de rodillas ante él.

—*¡Kum, kum!* —exclamó—. ¡Es el hijo de mi hermano, es el rey!

—¿No te lo había dicho, tío? Levántate. Aún no soy el rey, pero con tu ayuda y la de estos valientes hombres blancos, que son mis amigos, lo seré. Pero la anciana Gagool tiene razón: primero la tierra se cubrirá de ríos de sangre, y la suya formará parte de esos ríos, porque ella mató a mi padre con sus palabras e hizo huir a mi madre. Y ahora, Infadoos, elige. ¿Quieres darme la mano y ponerte a mi lado? ¿Quieres compartir los peligros que me acechan y ayudarme a derrocar a ese tirano asesino, o no? Elige.

El anciano se llevó la mano a la cabeza y se puso a pensar. Después se levantó; dio unos pasos hacia donde se encontraba Umbopa, o mejor dicho, Ignosi, se arrodilló ante él y le cogió la mano.

—Ignosi, legítimo rey de los kukuanas, te doy la mano y estaré a tu lado hasta la muerte. Cuando eras un niño recién nacido, te tuve sobre mis rodillas, y ahora mi viejo brazo luchará por ti y por la libertad.

—Está bien, Infadoos. Si salgo victorioso, tú serás el más grande hombre del reino después del rey. Si fracaso, solo te espera la muerte, pero la muerte no está muy lejos de ti. Levántate, tío.

—Y vosotros, hombres blancos, ¿queréis ayudarme? ¿Qué puedo ofreceros? Las piedras blancas, si alcanzo la victoria y puedo encontrarlas; tendréis tantas como podáis llevaros. ¿Es eso suficiente para vosotros?

Traduje sus palabras.

—Dígale —contestó sir Henry— que no conoce a los ingleses. La riqueza es deseable y, si nos topamos con ella, la aceptamos, pero un caballero no se vende por dinero. Por lo que a mí respecta, solo tengo que decir una cosa: siempre me ha gustado Umbopa y, mientras tenga fuerzas, permaneceré a su lado en este asunto. Sería muy agradable tratar de ajustar cuentas con ese cruel villano de Twala. ¿Qué dicen ustedes, Good y Quatermain?

—Bien —dijo Good—, adoptaré el lenguaje de la hipérbole, que tanto complace a estas gentes; puede decirle que el combate es siempre deseable y que calienta el corazón, y que en lo que a mí respecta, estoy de su parte. La única condición que pongo es que me permita llevar mis pantalones.

Hipérbole: Figura que consiste en aumentar o disminuir exageradamente lo que se expresa.

Traduje las palabras de ambos.

—Está bien, amigos míos —dijo Ignosi, antes Umbopa—. ¿Y qué dices tú, Macumazahn? ¿Estás conmigo, viejo cazador, más astuto que un búfalo herido?

Pensé durante unos momentos y me rasqué la cabeza.

—Umbopa o Ignosi —dije—, no me gustan las revoluciones. Yo soy hombre de paz, y un poco cobarde —al decir esto, Umbopa sonrió—, pero soy fiel a mis amigos, Ignosi. Tú nos has sido fiel y te has portado como un hombre; yo te seré fiel. Pero ten en cuenta que soy un comerciante y tengo que ganarme la vida, de modo que acepto tu oferta acerca de esos diamantes en caso de que estemos en situación de hacernos con ellos. Otra cosa: hemos venido aquí, como sabes, a buscar al hermano perdido del *Incubu* (sir Henry). Debes ayudarnos a buscarlo.

—Lo haré —replicó Ignosi—. Fíjate, Infadoos, y por el signo de la serpiente que rodea mi cintura, dime la verdad. ¿Sabes si algún hombre blanco ha puesto el pie en esta tierra?

—No, oh Ignosi.

—Si se hubiera visto a un hombre blanco por aquí, o si se hubiera oído hablar de él, ¿lo sabrías tú?

—Sin duda me habría enterado.

—Ya lo has oído *Incubu* —dijo Ignosi a sir Henry—. No ha estado aquí.

—Bien, bien —dijo sir Henry con un suspiro—. ¡Qué le vamos a hacer! Supongo que no pudo llegar hasta aquí. ¡Pobre hombre, pobre hombre! Así que todo ha sido inútil. Es la voluntad de Dios.

—Pasemos a otro asunto —intervine, deseoso de abandonar aquel tema tan doloroso—. Está bien ser rey por derecho divino, Ignosi, pero ¿cómo te propones convertirte en rey de verdad?

—No lo sé. Infadoos, ¿tienes algún plan?

—Ignosi, hijo de la luz —contestó su tío—, esta noche tendrá lugar la gran danza y la caza de brujos. Muchos serán acusados y morirán, y en los corazones de muchos otros habrá dolor y angustia y cólera contra el rey Twala. Cuando acabe la danza, hablaré con algunos de los grandes jefes, que a su vez, si puedo ganarlos para nuestra causa, hablarán con sus soldados. Al principio hablaré con los jefes suavemente y les haré ver que tú eres el verdadero rey, y creo que mañana al amanecer tendrás veinte mil lanzas bajo tu mando. Y ahora me voy a pensar y a escuchar lo

Cólera: Ira, rabia.

que se dice y a prepararme. Después de la danza, y si es que aún estoy vivo y estamos vivos todos, me reuniré contigo aquí para hablar. En el mejor de los casos, habrá guerra.

En ese momento nuestra reunión quedó interrumpida por los gritos de los mensajeros que venían de parte del rey. Llegamos a la puerta de la choza y ordenamos que se les dejase entrar, y al instante aparecieron tres hombres que portaban una brillante cota de malla cada uno y una magnífica hacha de guerra.

—¡He aquí los regalos de mi señor el rey para los hombres blancos que vienen de las estrellas! —exclamó un heraldo que los acompañaba.

Heraldo: Mensajero.

—Damos las gracias a tu rey —repliqué—. Retiraos.

Los hombres se marcharon, y examinamos las armaduras con gran interés. Eran las más hermosas que habíamos visto jamás. Formaban un manto tan apretado, que constituía una verdadera masa de eslabones, y tan grande que apenas podía abarcarse con ambas manos.

—¿Hacéis esto aquí, Infadoos? —le pregunté—. Son muy hermosas.

—No, mi señor; las hemos heredado de nuestros antepasados. No sabemos quién las hizo, y quedan muy pocas. Solo los que poseen sangre real pueden llevarlas. Son mallas mágicas que no puede atravesar ninguna lanza. El que la lleva está completamente a salvo en la batalla. El rey debe de estar muy complacido con vosotros, o muy atemorizado, porque en otro caso no os las hubiera regalado. Ponéoslas esta noche, mis señores.

Pasamos el resto del día tranquilamente, descansando y hablando sobre la situación, que era realmente excitante. Por fin se puso el sol, se encendieron miles de hogueras y en medio de la oscuridad oímos el sonido de muchos pies en movimiento y el vibrar de cientos de lanzas, a medida que los regimientos desfilaban para dirigirse a los puestos que se les había asignado para prepararse para la gran danza. A eso de las ocho salió la luna en todo su esplendor y, mientras contemplábamos su ascenso, llegó Infadoos, revestido con todos sus atuendos de guerra y acompañado por una guardia de veinte hombres que habían de escoltarnos hasta el lugar en que se iba a celebrar la danza. Siguiendo su recomendación, debajo de nuestras ropas corrientes nos pusimos las cotas de malla que nos había regalado el rey y descubrimos con sorpresa que no eran ni muy pesadas ni demasiado incómodas. Aquellas camisas de acero, hechas evidentemente para hombres de gran estatura, a Good y a mí nos quedaban muy holgadas, pero se ajustaban a la magnífica constitución de sir Henry como un guante. Tras abrocharnos los revólveres a la cintura y coger las hachas de guerra que nos había enviado el rey junto a las armaduras, nos dispusimos a partir.

Holgada: Ancha.

Al llegar al gran *kraal* en el que habíamos mantenido la entrevista con el rey aquella mañana, descubrimos que el lugar estaba ocupado por una multitud de unos veinte mil guerreros dispuestos en regimientos. A su vez, los regimientos estaban divididos en compañías, y entre cada compañía se abría un pequeño sendero para permitir el libre acceso de las cazadoras de brujos. Es imposible concebir algo más impresionante que el espectáculo que ofrecía aquella enorme y ordenada asamblea de hombres armados. Permanecían en absoluto silencio, y la luna arrojaba su luz sobre el bosque de las lanzas alzadas, sobre sus majestuosas siluetas, sus penachos de plumas ondulantes y las sombras armoniosas de los escudos de diversos colores. Adondequiera que mirásemos, veíamos una hilera tras otra de rostros sombríos coronados por lanzas centelleantes.

—Todo el ejército se ha congregado aquí, ¿verdad? —dije a Infadoos.

—No, Macumazahn —contestó—, solo un tercio. Todos los años, la tercera parte está aquí en la danza;

otra tercera parte está acantonada en el exterior por si surgen problemas cuando empiece la matanza; otros diez mil guerreros cubren las guarniciones que rodean Loo; y el resto vigila los *kraals* del país. Como puedes ver, es un gran pueblo.

—Están muy silenciosos —dijo Good, y verdaderamente el profundo silencio que reinaba entre tan gran concurrencia de hombres vivos resultaba casi sobrecogedor.

Sobrecogedor: Que sorprende, intimida, asusta.

—¿Qué dice Bougwan? —preguntó Infadoos.

Traduje sus palabras.

—Aquellos sobre los que se cierne la sombra de la muerte están en silencio —contestó en tono lúgubre.

—¿Matarán a muchos?

—Sí, muchos.

—Al parecer —dije a los otros—, vamos a asistir a un espectáculo de gladiadores preparado sin reparar en gastos.

Gladiador: Persona que en los juegos públicos romanos batallaba a muerte con otro o con una bestia feroz.

Sir Henry se estremeció, y Good dijo que esperaba que pudiésemos salir de todo aquello bien parados.

Bien parado: Beneficiado.

—Dime, ¿estamos en peligro? —pregunté a Infadoos.

—No lo sé, mis señores, confío en que no, pero no demostréis temor. Si salís con vida esta noche, todo irá bien. Los soldados murmuran contra el rey.

Todo esto ocurría mientras avanzábamos lentamente hacia el centro de la explanada, en la que habían colocado varios taburetes. Mientras caminábamos, observamos que se acercaba un grupo procedente de la cabaña real.

—Es el rey, Twala, y su hijo Scragga, y la vieja Gagool y, mirad, con ellos vienen los verdugos —dijo Infadoos señalando a un pequeño grupo compuesto por unos doce hombres gigantescos de aspecto feroz, armados con lanzas y pesadas mazas.

El rey se sentó en el taburete situado en el centro; Gagool se acurrucó a sus pies y los otros se quedaron detrás, de pie.

—Saludos, señores blancos —dijo en voz alta cuando nos acercamos—. Sentaos, no malgastéis el tiempo; la noche es demasiado corta para todo lo que hay que hacer. Llegáis en buena hora y veréis un espectáculo grandioso. Mirad a vuestro alrededor, señores blancos, mirad a vuestro alrededor —y diciendo esto posó su único y malvado ojo en los regimientos formados—. ¿Pueden mostraros las estrellas un panorama como este? Mirad cómo tiemblan por su maldad todos aquellos que albergan el mal en sus corazones y temen el juicio de los «cielos».

—*¡Empezad, empezad!* —gritó Gagool con su voz débil y chillona—. Las hienas están hambrientas, aúllan porque quieren comida. *¡Empezad, empezad!*

Hiena: Mamífero carnívoro propio de África y Asia, de pelaje áspero, gris amarillento, con listas o manchas en el lomo y en los flancos. Es nocturno y carroñero, de aspecto repulsivo y olor desagradable por lo desarrolladas que tiene sus glándulas anales.

Después se hizo un profundo silencio que duró unos momentos; fue terrible, porque presagiaba lo que había de seguir.

El rey levantó su lanza, y de repente se elevaron veinte mil pies, como si pertenecieran a un solo hombre, y cayeron sobre el suelo de golpe. Esta acción se repitió tres veces, con lo que la tierra tembló y se agitó. A continuación, desde un punto lejano del círculo, se elevó una voz en un canto que parecía un lamento, cuyo estribillo era algo parecido a lo siguiente:

«*¿Cuál es la suerte del hombre nacido de mujer?*»

La respuesta surgió al unísono de todas las gargantas de la enorme asamblea:

«*¡La muerte!*»

Poco a poco, compañía tras compañía, los guerreros se unieron al canto, hasta que toda la multitud armada lo entonó, y ya no pude comprender la letra, aunque parecía tratarse de una representación de las diversas fases de las pasiones, temores y alegrías humanas. A veces parecía una canción de amor, otras, un himno de guerra bárbaro y majestuoso, y finalmente, un canto fúnebre rematado de pronto por un lamento sobrecogedor, que se extendió por toda la asamblea con resonancias que helaban la sangre.

El silencio volvió a ser absoluto, y de nuevo quedó roto al levantar el rey una mano. Al instante, miles de pies hicieron temblar el suelo, y de entre las masas de guerreros se destacaron unas siluetas extrañas y espantosas que corrieron hacia nosotros. Al acercarse, vimos que eran mujeres, la mayoría ancianas, porque por la espalda les caían en cascada cabelleras blancas adornadas con pequeñas espinas de peces. Llevaban la cara pintada con franjas blancas y amarillas; por la espalda les colgaban pieles de serpiente, y en torno a la cintura tableteaban anillos de huesos humanos, en tanto que con sus manos marchitas sujetaban pequeñas varas en forma de horquilla. Había diez en total. Se detuvieron al llegar ante nosotros, y una de ellas señaló con su vara hacia la figura agazapada de Gagool y chilló:

Tabletear: Producir ruido igual o semejante al choque de tablas o tabletas.

—¡Madre, vieja madre, estamos aquí!

—*¡Bien, bien, bien!* —clamó aquel viejo monstruo—. ¿Son vuestros ojos penetrantes, *isanusis* (hechiceras), veis bien en la oscuridad?

—Sí, madre, son penetrantes.

—*¡Bien, bien, bien!* ¿Tenéis los oídos bien abiertos, *isanusis,* vosotras que oís palabras no pronunciadas por la boca?

—Sí, madre, están bien abiertos.

—*¡Bien, bien, bien!* ¿Están vuestros sentidos despiertos, *isanusis,* podéis oler la sangre, podéis limpiar la tierra de los malvados que traman perfidias contra el rey y contra sus prójimos? ¿Estáis preparadas para llevar a cabo la justicia de los «cielos», vosotras a quienes yo he enseñado, que habéis comido el pan de mi sabiduría y bebido el agua de mi magia?

Perfidia: Traición.

—Sí, madre, podemos.

—¡Entonces, adelante! No os entretengáis, buitres; ved a los verdugos —dijo señalando al ominoso grupo de hombres que había detrás—; afilad las lanzas; los hombres blancos llegados de muy lejos desean verlo. *¡Adelante!*

Ominoso: Azaroso, de mal agüero, abominable, funesto.

El extraño grupo se dispersó en todas direcciones con un alarido salvaje, como fragmentos de metralla, haciendo tabletear los huesos secos que les rodeaban la cintura. Se dirigieron a diversos puntos del denso círculo humano. No podíamos ver a todas, de manera que clavamos nuestros ojos en la *isanusi* más cercana a nosotros. Al llegar a unos pasos de distancia de los guerreros, se detuvo y se puso a bailar ferozmente, dando vueltas con una rapidez casi increíble, y profiriendo exclamaciones como: «¡Puedo oler al malvado!». «¡Está cerca el que envenenó a su madre!». «¡Oigo los pensamientos del que pensó mal del rey!».

Metralla: Conjunto de pedazos menudos de hierro, cobre, etc., en especial aquellos con que se cargaban antes las piezas de artillería y se cargan ahora ciertos artefactos explosivos.

Bailaba cada vez más aprisa, hasta que llegó a tal frenesí de excitación que empezó a brotar espuma de sus mandíbulas rechinantes, los ojos parecieron salírsele de las órbitas y su cuerpo se estremeció visiblemente. De pronto se detuvo en seco y se quedó completamente rígida, como un perro perdiguero cuando olfatea la presa, y a continuación, con la vara extendida, empezó a caminar sigilosamente hacia los soldados que había ante ella. Nos pareció que, a medida que se acercaba, cedía el estoicismo de los guerreros y se acobardaban. Seguimos sus movimientos presos de una terrible fascinación. Al poco rato, siempre arrastrándose y agazapada como un perro, se situó frente a ellos. Se detuvo y señaló a alguien, y siguió avanzando a rastras uno o dos pasos.

Frenesí: Delirio furioso.

Perdiguero: Perro que olfatea y sigue muy bien las pistas para la caza, en especial las perdices.

Estoicismo: Indiferencia, imperturbabilidad, insensibilidad, ante el placer y el dolor.

El final llegó repentinamente. Con un grito, extendió la vara y tocó a un alto guerrero. Al instante, dos de sus camaradas, que estaban a su lado, agarraron al hombre condenado, cada uno por un brazo, y avanzaron con él hacia el rey.

El guerrero no se resistió, pero vimos que arrastraba sus miembros como si estuvieran paralizados, y sus dedos, que habían dejado escapar la lanza, estaban agarrotados como los de un hombre que acabase de morir.

Al acercarse, le salieron al encuentro dos de aquellos infames verdugos. Después se volvieron hacia el rey, como si esperasen órdenes.

—¡*Matad!* —dijo el rey.

—¡*Matad!* —chilló Gagool.

—¡*Matad!* —coreó Scragga, con una sonrisa irónica.

Casi antes de que se hubieran pronunciado las palabras fue ejecutada la terrible sentencia. Un hombre atravesó el corazón de la víctima con su lanza y, para asegurarse por partida doble, el otro le aplastó los sesos con su enorme maza.

—*Uno* —contó el rey Twala, al igual que una Madame Defarge[1] negra, como apuntó Good, y arrastraron el cuerpo a unos cuantos pasos y lo extendieron.

Apenas se había llevado esto a cabo, cuando trajeron a otro pobre diablo como si fuese un buey al matadero. En esta ocasión comprobamos, por la capa de piel de leopardo que llevaba, que se trataba de una persona de alto rango. De nuevo fueron pronunciadas aquellas espantosas palabras, y la víctima cayó muerta.

—*Dos* —contó el rey.

Y así continuó aquel juego mortal, hasta que ante nosotros tuvimos varios cientos de cadáveres en hilera. He oído hablar de los espectáculos de gladiadores del tiempo de los césares y de las corridas de toros españolas, pero dudo que ninguno sea la mitad de horrible que la caza de brujos de los kukuanas. Además, los espectáculos de gladiadores y las corridas de toros contribuyen a la diversión del público, lo que no era precisamente el caso en esta ocasión. El más experto buscador de emociones rechazaría esta si supiera que en el juego entraba la posibilidad de ser él mismo objeto del siguiente «acontecimiento».

[1] Personaje de la novela del escritor británico Charles Dickens (1812-1870), *Historia de dos ciudades* (1859), que durante la Revolución Francesa contabilizaba también los caídos bajo la guillotina.

En una ocasión nos levantamos y tratamos de protestar, pero Twala nos atajó enérgicamente.

—Dejad que la ley siga su curso, hombres blancos. Esos perros son magos y malvados; conviene que mueran —se dignó decirnos por toda respuesta.

Alrededor de las diez y media se hizo un descanso. Las buscadoras de brujos se reunieron, al parecer agotadas por su sangriento trabajo, y pensamos que el espectáculo había tocado a su fin. Pero no fue así, porque al poco rato, y para nuestra sorpresa, la anciana Gagool se enderezó y, apoyándose en un bastón, se dirigió tambaleante hacia la explanada. Era extraordinario ver a aquel ser espantoso y viejo con cabeza de buitre, encorvada por la edad, reunir fuerzas poco a poco hasta mostrarse casi tan activa como sus execrables discípulas. Corría de un lado a otro, cantando para sus adentros, hasta que al llegar junto a un hombre alto que había frente a uno de los regimientos, se precipitó hacia él y lo tocó. Al hacerlo, el regimiento dejó escapar una especie de gemido, puesto que, evidentemente, él era su comandante. No obstante, dos de sus miembros lo cogieron y lo llevaron a la ejecución. Después nos enteramos de que era un hombre de gran riqueza y alto rango, primo del rey. Lo mataron y el rey contó ciento tres. Entonces Gagool empezó a moverse de un lado a otro, acercándose cada vez más hacia nosotros.

Execrable: Abominable.

Rango: Jerarquía, clase, categoría, calidad.

—Que me cuelguen si no va a intentar sus argucias contra nosotros —exclamó Good, aterrorizado.

Argucia: Sutileza, ingenio.

—¡Tonterías! —replicó sir Henry.

Al ver que aquella bestia se acercaba cada vez más hacia nosotros, se me encogió el corazón. Eché una ojeada a la larga hilera de cadáveres que había detrás de nosotros y me estremecí.

Gagool se nos acercaba cada vez más en su danza, parecida, como una gota de agua a otra, a un palo retorcido y animado; sus terribles ojos centelleaban con un brillo atroz.

Se acercó más, y aún más; todos los ojos de la asamblea estaban fijos en sus movimientos con intensa ansiedad. Finalmente, se quedó inmóvil y señaló.

—¿Quién será? —dijo sir Henry para sus adentros.

Al cabo de un momento se disiparon las dudas, porque la anciana se precipitó hacia Umbopa, alias Ignosi, y lo tocó en el hombro.

—Lo huelo —chilló—. Matadlo, matadlo, matadlo, está lleno de maldad; mata al extranjero antes de que se derrame sangre por su culpa. Haz que lo maten, oh rey.

Se hizo silencio ,del que inmediatamente me aproveché.

—Oh rey —dije en voz alta, levantándome de mi asiento—, este hombre es el sirviente de tus huéspedes, es su perro. Quienquiera que derrame la sangre de nuestro perro estará derramando nuestra propia sangre. Por la sagrada ley de la hospitalidad, exijo que lo protejas.

—Gagool, madre de las hechiceras, lo ha olido. Debe morir, hombres blancos —respondió el rey, taciturno.

—No, no va a morir —repliqué—; por el contrario, quien morirá será el que lo intente.

—¡Prendedlo! —rugió Twala a los verdugos, que lo rodeaban manchados de rojo hasta los ojos con la sangre de sus víctimas.

Los verdugos avanzaron hacia nosotros y se detuvieron vacilantes. Ignosi alzó su lanza, como si estuviera dispuesto a vender cara su vida.

—¡Atrás, perros —grité—, si es que queréis volver a ver la luz del día! Tocadle un solo pelo y vuestro rey morirá —y al mismo tiempo apunté a Twala con mi revólver.

También sir Henry y Good desenfundaron las pistolas. Sir Henry apuntó al verdugo principal, que avanzaba hacia nosotros para llevar a cabo la sentencia, y Good tomó como blanco a Gagool.

Ostensiblemente: Visible y manifiestamente.

Twala se estremeció ostensiblemente al ver que el cañón de mi pistola estaba a la altura de su pecho.

—Bien —dije—, ¿qué has decidido, Twala?

Invocar: Rogar, implorar.

—Apartad vuestros tubos mágicos —dijo—. Has invocado mi hospitalidad, y por esa razón y no por temor a lo que podáis hacernos, voy a perdonarlo. Id en paz.

—Muy bien —repliqué, displicente—. Estamos cansados de tanta matanza y queremos dormir. ¿Ha terminado la danza?

—Sí, ha terminado —contestó Twala de mal humor. Señaló la larga hilera de cadáveres y añadió:

—Que arrojen a esos perros a las hienas y a los buitres —y levantó su lanza.

Al momento empezaron a desfilar los regimientos en total silencio por la puerta del *kraal*; tan solo quedó en el interior un grupo fatigado para retirar los cadáveres de aquellos que habían sido sacrificados.

También nosotros nos levantamos, y tras hacer el saludo de ritual a su majestad, al que apenas se dignó corresponder, nos dirigimos a nuestro *kraal*.

—Bueno —dijo sir Henry al sentarnos, tras haber encendido una lámpara del tipo que utilizan los kukuanas, cuya mecha está hecha con la fibra de una especie de hoja de palmera y el aceite de grasa de hipopótamo aclarada—, me siento como si fuera a marearme, lo que es muy raro en mí.

—Si me quedaba alguna duda acerca de ayudar a Umbopa a rebelarse contra ese negro infernal —intervino Good—, se ha disipado por completo. No sé cómo pude soportar quedarme sentado mientras se llevaba a cabo esa matanza. Traté de cerrar los ojos, pero siempre los abría en el peor momento. Me pregunto dónde estará Infadoos. Umbopa, amigo mío, puedes estarnos agradecido; has estado a punto de que te agujereasen la piel.

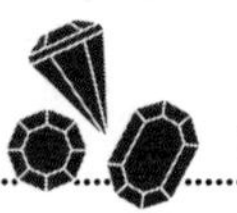

—Estoy agradecido, Bougwan —contestó Umbopa después de que hube traducido las palabras de Good—, y no lo olvidaré. Con respecto a Infadoos, estará aquí dentro de poco. Debemos esperar.

Encendimos las pipas y esperamos.

Capítulo 11

Hacemos una señal

Durante un buen rato —yo diría que unas dos horas—, nos quedamos sentados y en silencio, porque nos sentíamos demasiado abrumados por los horrores que habíamos presenciado para poder hablar. Finalmente, cuando estábamos a punto de acostarnos —porque ya la noche se acercaba al alba—, oímos ruidos de pasos. Luego se oyó la consigna del centinela, que estaba apostado a la puerta del *kraal*, a la que por lo visto respondieron, aunque no en un tono de voz audible, ya que los pasos se aproximaron. A los pocos segundos entró Infadoos en la cabaña seguido de una media docena de jefes de aspecto muy digno.

Apostar: Poner una o más personas en determinado paraje para algún fin.

—Señores —dijo—, he venido, cumpliendo mi palabra. Mis señores e Ignosi, legítimo rey de los kukuanas, he traído conmigo a estos hombres —y señaló a los jefes, que estaban en fila—, grandes hombres entre nosotros, pues cada uno tiene a su mando tres mil soldados, que solo viven para cumplir con su deber hacia el rey. Les he contado lo que he visto y lo que he oído. Ahora, permitid que ellos también vean la serpiente sagrada que te rodea la cintura, y que oigan tu historia, Ignosi, para que decidan si deben hacer causa común contigo contra el rey Twala.

Por toda respuesta, Ignosi volvió a despojarse de su taparrabos y exhibió la serpiente que llevaba tatuada. Los jefes se acercaron a él por turno y la examinaron a la débil luz de la lámpara, y sin decir palabra se colocaron al otro lado.

Entonces Ignosi volvió a ponerse la *moocha* y, dirigiéndose a ellos, repitió la historia que nos había contado por la mañana.

—Ahora que lo habéis oído, jefes —dijo Infadoos cuando Umbopa terminó el relato—, ¿qué decís? ¿Os quedaréis al lado de este hombre y lo ayudaréis a recuperar el trono de su padre, o no? La tierra clama contra Twala, y la sangre del pueblo corre como las aguas en primavera. Lo habéis visto esta noche. Tenía en mente hablar con otros dos jefes: ¿dónde están ahora? Las hienas aúllan alrededor de sus cadáveres. Pronto estaréis como ellos si no lucháis. Decidíos, hermanos míos.

El mayor de los seis hombres, un guerrero bajo y de fuerte complexión, con el pelo blanco, se adelantó unos pasos y dijo:

—Tus palabras son ciertas, Infadoos. La tierra clama. Mi propio hermano es uno de los que han muerto esta noche, pero hay algo de gran importancia y que cuesta trabajo creer. ¿Cómo sabemos que no alzaremos nuestras lanzas en favor de un impostor? Como he dicho, es un asunto de gran importancia, y nadie conoce el final. Porque es seguro que correrán ríos de sangre antes de llevarlo a cabo. Habrá muchos que permanezcan fieles al rey, porque los hombres adoran el sol que aún calienta con sus rayos en el cielo, y no el que todavía no ha salido. Grande es la magia de los hombres blancos que vienen de las estrellas, e Ignosi está protegido por sus alas. Si él es en verdad el rey legítimo, que nos den una señal, que el pueblo tenga una señal para que todos la podamos ver. Así los hombres se unirán a nosotros al saber que la magia de los hombres blancos está de su parte.

—Tenéis la señal de la serpiente —repliqué.

—Mi señor, eso no es suficiente. Pueden haber colocado ahí la serpiente cuando nació este hombre. Mostradnos una señal. No nos moveremos sin una señal.

Los demás asintieron con decisión, y yo me volví, perplejo, hacia sir Henry y Good, y les expliqué la situación.

—Creo que tengo una idea —dijo Good, exultante—. Dígales que nos concedan unos minutos para pensar.

Así lo hice, y los jefes se retiraron. En cuanto se hubieron marchado, Good se dirigió hacia donde estaba la cajita que contenía las medicinas, la abrió y sacó un cuaderno, en cuya cubierta había un calendario.

—Miren esto, amigos. ¿No es mañana cuatro de junio?

Habíamos ido tomando nota del paso de los días con sumo cuidado, por lo que pudimos confirmarlo.

—Muy bien. En ese caso, ya tenemos la señal. «Cuatro de junio, eclipse total de luna. Comienza a las 8,15, hora de Greenwich[1]. Visible en Tenerife, Sudáfrica, etc.» Dígales que vamos a oscurecer la luna mañana por la noche.

Eclipse de luna: El que ocurre por interposición de la tierra entre la luna y el sol.

Era una idea estupenda. En realidad, lo único que podíamos temer era que el calendario de Good estuviese equivocado. Si realizábamos una profecía falsa sobre un tema semejante, nuestro prestigio se desvanecería para siempre, y lo mismo ocurriría con la oportunidad de Ignosi de acceder al trono.

Profecía: Predicción, augurio, vaticinio, presagio.

—Supongamos que el calendario esté equivocado —sugirió sir Henry a Good, que estaba muy ocupado en hacer unos cálculos en una página del cuaderno.

—No veo ninguna razón para suponer tal cosa —replicó—. Los eclipses siempre llegan a su tiempo. Al menos, esa es mi experiencia con ellos, y el calendario dice explícitamente que será visible en África.

Explícitamente: Expresa y claramente.

[1] Ciudad de Inglaterra, en el Gran Londres. En 1675, el rey Carlos II fundó un observatorio astronómico, que en 1958 fue trasladado a Herstmonceaux, en el condado de Sussex. Desde 1883 el meridiano de Greenwich fue adoptado como meridiano inicial para la medicón de longitudes terrestres.

He hecho unos cálculos lo mejor que he podido, sin conocer nuestra posición exacta, y supongo que el eclipse empezará aquí alrededor de las diez mañana por la noche, y durará hasta las doce y media. Durante una hora y media, o quizá más, la oscuridad será absoluta.

—Bien —dijo sir Henry—, creo que hay que correr el riesgo.

Yo asentí, si bien tenía mis dudas, porque los eclipses no son ninguna tontería, y envié a Umbopa a llamar de nuevo a los jefes. Llegaron al poco rato y me dirigí a ellos en estos términos:

—Grandes hombres del pueblo kukuana, y tú, Infadoos, escuchadme. No nos gusta mostrar nuestros poderes, porque eso significa interrumpir el curso de la naturaleza, y sumir al mundo en el temor y la confusión; pero este asunto es de gran importancia y, como estamos enfadados con el rey por la matanza que hemos presenciado y por las acciones de Gagool, la *isanusi*, que quería enviar a la muerte a nuestro amigo Ignosi, hemos decidido romper la norma y dar una señal que puedan ver todos los hombres. Venid aquí —y, conduciéndolos a la puerta de la cabaña, señalé el globo rojo de la luna—. ¿Qué veis allí?

—Vemos la luna, que se oculta —contestó el portavoz del grupo.

—Eso es. Ahora, decidme: ¿Es posible que un hombre mortal haga desaparecer la luna antes de su hora habitual, y que cubra la tierra con las cortinas de la negra noche?

El jefe rió un poco.

—No, mi señor, eso no lo puede hacer ningún hombre. La luna es más fuerte que el hombre que la contempla, y tampoco ella puede alterar su curso.

—Eso es lo que vosotros creéis. Pero yo os digo que mañana, dos horas antes de la media noche, haremos que la luna desaparezca durante hora y media, y una profunda oscuridad cubrirá la tierra, y esa será la señal de que Ignosi es el verdadero rey de los kukuanas. Si hacemos esto, ¿quedaréis satisfechos?

—Sí, mis señores —contestó el viejo jefe con una sonrisa, la misma que se reflejaba en los rostros de sus compañeros—; *si* lo hacéis, quedaremos suficientemente satisfechos.

—Se hará. Nosotros tres, *Incubu*, Bougwan y Macumazahn lo hemos dicho, y se hará. ¿Has oído, Infadoos?

—Lo he oído, mi señor, pero lo que prometes es increíble: hacer desaparecer la luna, madre del mundo, cuando está llena.

—Sin embargo, así lo haremos, Infadoos.

—Está bien, señores. Hoy, dos horas después del crepúsculo, Twala enviará a buscar a mis señores para presenciar la danza de las muchachas y, una hora después de que empiece la danza, la muchacha a quien Twala considere la más bella morirá a manos de Scragga, el hijo del rey, como sacrificio a los Silenciosos de piedra que vigilan junto a las montañas de allá lejos —dijo, señalando a los extraños picos donde supuestamente acababa la carretera de Salomón—. Después que mis señores oscurezcan la luna y salven la vida de la doncella, el pueblo creerá.

—Sí —dijo el anciano jefe, aún con una ligera sonrisa—, entonces el pueblo creerá de verdad.

—A dos millas de Loo —prosiguió Infadoos— hay una colina, curva como la luna llena, una fortaleza en la que están acuartelados mi regimiento y otros tres regimientos al mando de estos hombres. Esta mañana haremos planes para que se trasladen allí otros dos o tres regimientos. Si mis señores pueden realmente oscurecer la luna, los tomaré de la mano y los conduciré en la oscuridad a las afueras de Loo hasta llegar a ese lugar, donde estarán a salvo, y podremos declarar la guerra a Twala.

—Está bien —dije—. Ahora, dejadnos dormir un rato y preparar nuestra magia.

Infadoos se puso de pie y, después de saludarnos, partió con los demás jefes.

—Amigos míos —dijo Ignosi en cuanto se hubieron marchado—, ¿podéis hacer realmente esa maravilla o habéis dicho palabras vacías a esos hombres?

—Creemos poder hacerlo, Umbopa, quiero decir, Ignosi.

—Es extraño —replicó—. De no ser vosotros ingleses, no lo habría creído, pero los «caballeros» ingleses no mienten. Si sobrevivimos, tened la seguridad de que os recompensaré.

—Ignosi —dijo sir Henry—, prométeme una cosa.

—Te lo prometo, *Incubu*, amigo mío, antes de oír de qué se trata —replicó aquel enorme hombre con una sonrisa—. ¿Qué es?

—Que, si llegas a ser rey de este pueblo, acabarás con la caza de brujos como la que hemos presenciado esta noche, y que en esta tierra no se matará a ningún hombre sin haberlo juzgado.

Ignosi quedó pensativo durante unos momentos, después de que yo hube traducido estas palabras, y contestó:

—Las costumbres de los hombres negros no son las mismas de los hombres blancos, *Incubu*, ni damos el mismo valor a la vida que vosotros. Pero te lo prometo. Si está en mi poder, acabaré con ello: las cazadoras de brujos no trabajarán más ni ningún hombre irá a la muerte sin juicio previo.

—Entonces, trato hecho —dijo sir Henry—, y ahora, descansemos un poco.

Como estábamos completamente agotados, pronto nos quedamos profundamente dormidos, y así seguimos hasta que Ignosi nos despertó, a eso de las once. Entonces nos levantamos, nos lavamos y tomamos un sustancioso desayuno. A continuación salimos de la cabaña y dimos un paseo; nos entretuvimos en examinar la estructura de las cabañas kukuanas y en observar las costumbres de las mujeres.

—Espero que se produzca el eclipse —dijo sir Henry.

—Si no es así, pronto acabará todo para nosotros —repliqué lúgubremente—, porque, tan cierto como que ahora estamos vivos, algunos jefes le irán con el cuento al rey, y entonces se producirá otro tipo de eclipse que no nos va a gustar nada.

Regresamos a la cabaña y comimos un poco, y pasamos el resto del día ocupados en recibir visitas de cortesía y curiosidad. Finalmente se puso el sol y disfrutamos de un par de horas de tranquilidad, tanta como nos permitían nuestros melancólicos presagios. Alrededor de las ocho y media llegó un mensajero de Twala para invitarnos a la gran «danza anual de las muchachas» que estaba a punto de celebrarse.

Nos pusimos apresuradamente las cotas de malla que nos había regalado el rey, cogimos los rifles y la munición para tenerlos a mano en caso de que tuviésemos que huir, como nos había sugerido Infadoos, y partimos con valentía, aunque por dentro temblábamos de miedo.

La gran explanada que se extendía ante el *kraal* del rey presentaba un aspecto muy diferente del que tenía la noche anterior. En lugar de las apretadas filas de guerreros ceñudos, se veían innumerables grupos de muchachas kukuanas, no precisamente muy tapadas, coronadas cada una de ellas con una guirnalda de flores y con una hoja de palma en una mano y en la otra un largo lirio. En el centro de la explanada iluminada por la luna estaba sentado Twala, el rey, con la vieja Gagool a sus pies, escoltados por Infadoos, su hijo Scragga y doce guardias. También estaban presentes una serie de jefes, entre los que reconocí a la mayoría de nuestros amigos de la noche anterior.

Ceñudo: Serio, severo, adusto, hosco.

Lirio: Planta iridácea de flores terminales, grandes, de seis pétalos, azules, moradas o blancas.

Twala nos recibió con aparente cordialidad, aunque observé que clavaba malignamente su único ojo en Umbopa.

—Bienvenidos, hombres blancos de las estrellas —dijo—. Este es un espectáculo distinto del que contemplaron vuestros ojos anoche a la luz de la luna, aunque no tan bonito. Las muchachas son hermosas, y de no ser por ellas —señaló a su alrededor—, ninguno de nosotros estaría aquí esta noche. Pero los hombres son mejores. Los besos y las tiernas palabras de las mujeres son dulces; ¡pero el sonido del entrechocar de las lanzas de los hombres es más dulce, y aún más el olor de la sangre de los hombres! ¿Queréis esposas de nuestro pueblo, hombres blancos? Si es así, elegid a las más bellas y serán vuestras, tantas como deseéis —dijo, y se detuvo, esperando nuestra respuesta.

Como aquella perspectiva no parecía desprovista de atractivos para Good, que, como la mayoría de los marinos, es enamoradizo, yo, por ser el mayor y el más prudente, preví las infinitas complicaciones que podría acarrearnos semejante cosa (porque las mujeres traen problemas; eso es tan seguro como que la noche sigue al día), y me apresuré a contestar:

—Gracias, oh rey; pero nosotros, los hombres blancos, solo nos unimos con mujeres blancas como nosotros. ¡Vuestras doncellas son hermosas, pero no son para nosotros!

El rey se echó a reír.

—Muy bien. Existe un proverbio en nuestra tierra que dice: «Los ojos de las mujeres siempre brillan, sea cual sea su color», y otro que dice: «Ama a la que está presente, porque sin duda la que está ausente te es infiel». Pero quizá no ocurre lo mismo en las estrellas. En una tierra en que todos los hombres son blancos, cualquier cosa es posible. Sea como deseáis, hombres blancos, ¡las muchachas no van a suplicaros! De nuevo os doy la bienvenida; y sé bienvenido tú también, hombre negro. Si Gagool se hubiera salido con la suya, ahora estarías rígido y frío. ¡Tienes suerte de venir tú también de las estrellas! ¡Ja, ja!

—Puedo matarte a ti antes de que tú me mates, oh rey —contestó Ignosi tranquilamente—, y dejarte rígido antes de que mis miembros dejen de moverse.

Twala dio un respingo y replicó airadamente:

—Hablas con mucho descaro, muchacho; no presumas tanto.

—El que tiene la verdad en sus labios puede ser descarado. La verdad es una lanza afilada que acierta en el blanco. ¡Es un mensaje de «las estrellas», oh rey!

Twala frunció el ceño y su único ojo refulgió ferozmente, pero no dijo nada más.

—¡Que empiece la danza! —gritó, y al instante se adelantaron las muchachas coronadas de flores, en grupos, cantando una dulce canción y girando las delicadas palmas y las flores blancas. Bailaban y bailaban, y la luz triste de la luna les confería un aire extraño y espiritual; ora giraban una y otra vez, ora se unían en mímica lucha, cimbrándose, arremolinándose acá y allá; avanzaban, retrocedían en una ordenada confusión deliciosa de presenciar. Por fin se detuvieron, y una joven bellísima se separó de las filas y empezó a hacer piruetas que hubieran avergonzado a la mayoría de las bailarinas de ballet clásico. Finalmente se retiró, agotada, y otra muchacha ocupó su lugar, y luego otra y otra, pero ninguna de ellas podía compararse con la primera, ni en gracia ni en destreza ni en atractivos personales.

Ora: Aféresis de *ahora*.

Mímica: Que imita, representa o se expresa por medio de gestos, ademanes y actitudes.

Cimbrarse: Doblarse. Moverse con garbo al andar.

Arremolinarse: Amontonarse, apiñarse.

Cuando hubieron bailado todas las muchachas elegidas, el rey levantó la mano.

—¿Cuál os parece la más bella, hombres blancos? —preguntó.

—La primera —respondí sin pensar.

Al instante me arrepentí, al recordar que Infadoos había dicho que la mujer más bella era ofrecida en sacrificio.

—Mi opinión coincide con la vuestra, y mis ojos con los vuestros. Es la más bella, y malo para ella, porque debe morir.

—*¡Sí, debe morir!* —dijo Gagool, lanzando una mirada con sus rápidos ojos a la pobre muchacha, quien, como aún ignoraba el espantoso destino que le esperaba, permanecía a unas diez yardas de un grupo de muchachas, ocupada en deshacer nerviosamente en trocitos una flor de su guirnalda, pétalo a pétalo.

—¿Por qué, oh rey? —pregunté, refrenando a duras penas mi indignación—. La muchacha ha bailado bien y nos ha gustado; además, es hermosa. Sería una crueldad recompensarla con la muerte.

Twala se echó a reír y replicó:

—Es nuestra costumbre, y las estatuas de piedra que están allí sentadas —y señaló hacia las tres cumbres distantes— deben tener lo que les corresponde. Si no envío a la muerte esta noche a la muchacha más bella, la desgracia caerá sobre mí y sobre mi casa. La profecía de mi pueblo dice: «Si el rey no ofrece en sacrificio a una bella muchacha el día de la danza de las doncellas a los viejos que vigilan en las montañas, caerán él y su casa». Escuchad, hombres blancos: mi hermano reinó antes que yo, pero no ofreció el sacrificio por el llanto de la mujer, y cayó, y también su casa, y yo reino en su lugar. Se acabó. ¡Debe morir!

A continuación, volviéndose hacia los guardias, dijo:

—Traedla aquí. Scragga, afila tu lanza.

Dos hombres dieron un paso al frente, y al mismo tiempo la muchacha, al comprender su destino inminente, lanzó un grito y se dispuso a huir. Pero unas manos fuertes la sujetaron y la trajeron ante nosotros, mientras luchaba por escapar y lloraba.

—¿Cómo te llamas, muchacha? —dijo Gagool—. ¡Vaya! ¿No contestas? ¿Quieres que el hijo del rey cumpla su misión inmediatamente?

Ante esta insinuación, Scragga, que parecía más malvado que nunca, avanzó unos pasos y levantó su gran lanza; y, al hacerlo, vi que la mano de Good se deslizaba hacia su revólver. La pobre muchacha vis-

Vislumbrar: Ver un objeto confusamente por la distancia o falta de luz.

lumbró el débil destello del acero a través de sus lágrimas, y ello aquietó su angustia. Dejó de forcejear, entrelazó las manos convulsivamente y se puso a temblar de pies a cabeza.

—¡Mirad! —gritó Scragga, lleno de júbilo—. Tiembla ante la vista de mi pequeño juguete antes de haber probado su sabor —y dio unos golpecitos en la ancha hoja de la lanza.

—¡Si tengo ocasión, pagarás por esto, perro! —oí murmurar a Good para sí.

—Ahora que te has calmado, dinos tu nombre, querida. Vamos, habla, y no temas nada —dijo Gagool, burlona.

—¡Oh, madre! —replicó la muchacha con voz trémula—. Me llamo Foulata, y soy de la casa de Suko. ¡Oh, madre!, ¿por qué tengo que morir? ¡No he hecho nada malo!

—Consuélate —prosiguió la anciana con su odioso tono de burla—. Debes morir como sacrificio a los viejos que están sentados allá lejos —y señaló hacia las cumbres—; pero es mejor dormir por la noche que trajinar por el día; es mejor morir que vivir, y tú morirás por la mano regia del mismísimo hijo del rey.

La muchacha llamada Foulata se retorció las manos, angustiada, y gritó:

—¡Oh cruel, soy tan joven! ¿Qué he hecho para no volver a ver nacer el sol después de la noche, o las estrellas siguiendo sus huellas en la tarde; para no recoger más flores cuando pese en ellas el rocío, ni escuchar la risa de las aguas? ¡Desgraciada de mí, que nunca volveré a ver la cabaña de mi padre, ni a sentir el beso de mi madre, ni a cuidar al niño enfermo! ¡Desgraciada de mí, a la que ningún amante rodeará con sus brazos ni mirará a los ojos, ni ningún hijo varón nacerá de mí! ¡Oh cruel, cruel!

De nuevo se retorció las manos y volvió su rostro bañado en lágrimas y coronado de flores hacia el cielo, tan hermosa en su desesperación —porque era realmente bella—, que sin duda habría ablandado el corazón de cualquiera que fuera menos cruel que los tres demonios que teníamos enfrente. Las súplicas del príncipe Arturo a los rufianes que iban a dejarle ciego no fueron más conmovedoras que las de aquella muchacha salvaje.

Pero no conmovieron a Gagool ni al amo de Gagool, aunque sí vi signos de piedad en los guardias situados a su espalda y en los rostros de los jefes. Con respecto a Good, emitió una especie de resoplido de indignación, e hizo un movimiento como para acercarse a ella. Con toda la rapidez propia de una mujer, la muchacha condenada interpretó lo que pasaba por la mente de Good, y con un movimiento súbito saltó hacia él y se abrazó a sus «hermosas piernas blancas».

—¡Oh padre blanco de las estrellas! —gritó—. Cúbreme con el manto de tu protección; déjame deslizarme hasta la sombra de tu fuerza para salvarme. ¡Oh, protégeme de estos hombres crueles y de los designios de Gagool!

—Está bien, bonita, yo cuidaré de ti —bramó nerviosamente Good en sajón—. Vamos, levántate; sé buena chica.

Se agachó y la tomó de la mano. Twala se volvió e hizo un gesto a su hijo, que avanzó con la lanza en alto.

—Ahora le toca a usted —me susurró sir Henry—. ¿A qué espera?

—Estoy esperando a que se produzca el eclipse —contesté—. He tenido los ojos clavados en la luna desde hace media hora y nunca la he visto más saludable.

—Bueno, tiene que arriesgarse ahora mismo, o matarán a la muchacha. Twala empieza a perder la paciencia.

Reconociendo la fuerza del argumento, y tras lanzar una mirada desesperada a la brillante cara de la luna, ya que ni el más ferviente astrónomo para demostrar una teoría pudo esperar con tal ansiedad un acontecimiento celeste, me coloqué con toda la dignidad de que fui capaz entre la muchacha postrada y la lanza de Scragga, que avanzaba hacia ella.

Postrada: Hincada de rodillas; que se humilla a los pies de otro en señal de respeto o de ruego.

—Rey —dije—, esto no debe hacerse. No vamos a tolerar tal cosa. Deja marchar a la muchacha.

Twala se levantó de su asiento, airado y atónito, y brotó un murmullo de sorpresa entre los jefes y las cerradas filas de muchachas, que se habían acercado a nosotros en anticipación de la tragedia.

—¡*Que no debe hacerse!* Tú, perro blanco, que ladras al león en su cueva. ¡*Que no debe hacerse!* ¿Es que estás loco? Anda con cautela, no vaya a ser que acabes como este polluelo, tú y los que contigo están. ¿Cómo puedes impedirlo? ¿Quién eres tú para interponerte entre mi voluntad y yo? Retírate, te digo. Scragga, mátala. ¡Eh, guardias! Prended a esos hombres.

A estas órdenes acudieron velozmente varios hombres armados que se encontraban detrás de la cabaña, donde se habían apostado, evidentemente, de antemano.

Sir Henry, Good y Umbopa se agruparon junto a mí y levantaron los rifles.

—¡Deteneos! —grité con decisión, aunque en ese momento tenía el alma en vilo—. ¡Deteneos! Nosotros, los hombres blancos de las estrellas, decimos que no debe hacerse. Acercaos un paso más y apagaremos la luna y sumiremos la tierra en la oscuridad. Probaréis el sabor de nuestra magia.

En vilo: Con indecisión, inquietud y zozobra.

Mi amenaza surtió efecto. Los hombres se detuvieron, y Scragga se quedó inmóvil frente a nosotros, con la lanza en alto.

Surtir: Proveer, suministrar.

—¡Oídle, oídle! —dijo Gagool—. Escuchad al embustero que dice que va a apagar la luna como si fuese una lámpara. Que lo haga y la chica será perdonada. Sí, que lo haga, o si no, que muera con la muchacha, él y los que con él están.

Levanté la vista hacia la luna, y vi, con júbilo y alivio intensos, que no nos habíamos equivocado. En el filo de la gran esfera había un reborde oscuro, en tanto que sobre la brillante superficie se esparcía una ligera bruma.

Alcé la mano solemnemente hacia el cielo, ejemplo que siguieron sir Henry y Good, y cité uno o dos versos de las *Ingoldsby Legends* en el tono de voz más impresionante que pude adoptar. Sir Henry tomó el relevo con un versículo del Antiguo Testamento, en tanto que Good se dirigió a la reina de la noche con una sarta de palabrotas del corte más clásico que se le ocurrieron.

Sarta: Serie de cosas metidas por orden en un hilo, cuerda, etc. Figuradamente, porción de gentes o de cosas que van unas tras otras.

La penumbra, la sombra de una sombra se deslizó lentamente por la brillante superficie, y al mismo tiempo oí un profundo gemido de terror que ascendía de la multitud que nos rodeaba.

—¡Mira, oh rey! —grité—. ¡Mira, Gagool! ¡Mirad, jefes y pueblo y mujeres! ¡Comprobad si los hombres blancos de las estrellas cumplen su palabra o si son tan solo unos embusteros! La luna se oscurece ante vuestros ojos; pronto todo estará sumido en la oscuridad; sí, oscuridad en la hora de la luna llena. Habéis pedido una señal: aquí la tenéis. ¡Oscurécete, oh luna! Retira tu luz, tú que eres pura y santa. Aplasta contra el polvo a los de corazón orgulloso y cubre el mundo de tinieblas.

Los espectadores dejaron escapar un alarido de terror. Algunos estaban petrificados por el miedo; otros caían de rodillas y gritaban. En cuanto al rey, permanecía inmóvil en su asiento, pálido bajo su oscura piel. Solo Gagool conservaba el valor.

—¡Pasará! —gritó—. He visto algo parecido antes. Ningún hombre puede apagar la luna. No os asustéis. Quedaos quietos. La sombra pasará.

—¡Esperad y lo veréis! —repliqué, vociferando con excitación—. Siga usted, Good. No recuerdo más versos. Jure, sea buen chico.

Good respondió noblemente al reto que se le imponía a su capacidad inventiva. Hasta aquel momento no tenía la menor idea de las dimensiones que pueden alcanzar los poderes imprecatorios de un oficial de la Marina. Estuvo hablando durante diez minutos sin parar, sin apenas repetirse.

Imprecatorio: Maldiciente.

Entre tanto, el anillo oscuro seguía ensanchándose, mientras toda la asamblea fijaba la mirada en el cielo y lo contemplaba en un silencio fascinado. Sombras extrañas y malignas invadían la luna, una quietud ominosa llenó el lugar; todos quedaron inmóviles como la muerte. Pasaron varios minutos con lentitud en medio de un solemne silencio y, mientras discurrían, la luna llena fue entrando cada vez más en la sombra de la tierra, a medida que se deslizaba el segmento de tinta de su círculo con terrible majestad por los cráteres lunares. La gran esfera pálida parecía acercarse y aumentar de tamaño. Adquirió un tinte cobrizo; después, el trozo de superficie que no se había oscurecido aún se tornó gris y ceniciento, y finalmente, a medida que se acercaba el eclipse total, se veían refulgir fantasmagóricamente las montañas y las mesetas a través de las tinieblas escarlata.

Ceniciento: De color de ceniza.

Escarlata: Color carmesí fino, menos subido que el de la grana.

El anillo de oscuridad siguió creciendo; ya cubría más de la mitad de la esfera rojo sangre. El aire se hizo denso y adquirió un tinte escarlata oscuro aún más intenso. Y así siguió, hasta que apenas podíamos ver los feroces rostros que teníamos delante de nosotros. No se oía ningún ruido entre los espectadores.

—La luna se muere..., los hechiceros han matado la luna —aulló Scragga—. ¡Todos moriremos en las tinieblas!

Movido por el miedo o la ira, o por ambas cosas a la vez, levantó su lanza y la arrojó con todas sus fuerzas contra el ancho pecho de sir Henry. Pero había olvidado las cotas de malla que nos había regalado el rey, que llevábamos debajo de las ropas. El acero rebotó sin herirlo, y antes de que pudiera repetir el golpe, sir Henry le arrebató la lanza y lo atravesó. Cayó muerto.

Ante aquello, enloquecidos por el terror de las tinieblas crecientes de la maligna sombra que, según creían, estaba devorando la luna, los grupos de muchachas se dispersaron en terrible confusión y corrieron hacia las puertas chillando. Pero el pánico no quedó ahí. El propio rey, seguido por los guardias, algunos jefes y Gagool, que renqueaba tras ellos con increíble celeridad, huyeron a las cabañas, de forma que al cabo de unos minutos, la rescatada víctima, Foulata, Infadoos y la mayoría de los jefes con quienes nos habíamos entrevistado la noche anterior, y nosotros, quedamos solos en el escenario, junto al cuerpo de Scragga.

Renquear: Cojear por lesión de las caderas, meneándose a un lado y a otro.

—Y ahora, jefes —dije—, os hemos dado la señal. Si estáis satisfechos, corramos al lugar del que nos hablasteis. No se puede deshacer el hechizo ahora. Durará una hora y la mitad de una hora. Aprovechemos la oscuridad.

—Vamos —dijo Infadoos, disponiéndose a partir, ejemplo que siguieron los atemorizados jefes, Foulata, a quien Good había tomado de la mano, y nosotros.

Antes de que hubiésemos llegado a la puerta del *kraal,* la luna desapareció del todo, y desde todos los puntos del firmamento las estrellas se precipitaron en el cielo de negrura de tinta.

Cogidos de la mano, avanzamos a tropezones en la oscuridad.

CAPÍTULO 12

Antes de la batalla

Por suerte para nosotros, Infadoos y los jefes conocían perfectamente todos los senderos de la gran ciudad, de modo que, a pesar de la oscuridad, avanzamos con rapidez.

Seguimos caminando durante una hora o más, hasta que empezó a desaparecer el eclipse, y el borde de la luna que se había esfumado en primer lugar volvió a hacerse visible. Mientras la contemplábamos, surgió un rayo de luz plateada, acompañado por un increíble resplandor rojizo, que quedó colgado de la negrura del cielo como una lámpara celestial. Era un espectáculo salvaje y maravilloso. Al cabo de cinco minutos, las estrellas empezaron a palidecer y hubo suficiente luz para ver dónde nos encontrábamos. Descubrimos que estábamos lejos de Loo y nos acercábamos a una colina grande y aplanada de unas dos millas de circunferencia. La colina, una formación muy corriente en Sudáfrica, no era muy alta; en realidad, su mayor elevación apenas llegaba a los doscientos pies, pero tenía forma de herradura, y las laderas eran muy escarpadas y salpicadas de peñascos. Sobre la meseta, cubierta de hierba, había una amplia explanada apropiada para acampar, que había sido utilizada como acantonamiento militar de potencial nada despreciable. Su guarnición habitual estaba constituida por un regimiento de tres mil hombres, pero mientras subíamos penosamente la empinada ladera de la colina observamos, a la luz de la luna que había vuelto a salir, que había muchos más guerreros de lo corriente.

Potencial: Fuerza o poder disponibles de determinado orden.

Al llegar por fin a la meseta, nos encontramos con una multitud de hombres que habían despertado de su sueño, apiñados unos contra otros, temblando de miedo y sumidos en la consternación más extremada por el fenómeno natural que presenciaban. Pasamos entre ellos sin decir palabra, y llegamos a una cabaña situada en el centro de la explanada. Nos quedamos atónitos al ver a dos hombres que nos esperaban, cargados con nuestras escasas pertenencias que, como es natural, nos habíamos visto obligados a abandonar en nuestra precipitada huida.

Consternación: Inquietud, turbación.

—Envié a buscarlo —nos explicó Infadoos—, y esto también —y levantó los pantalones de Good, perdidos tiempo atrás.

Con una exclamación de extasiado deleite, Good se precipitó hacia ellos y procedió a ponérselos.

—¡No irá a ocultar mi señor sus hermosas piernas blancas! —exclamó Infadoos con pena.

Pero Good persistió en su propósito y solo una vez más tuvo ocasión el pueblo kukuana de volver a ver sus hermosas piernas. Good es un hombre muy tímido. Desde entonces, tuvieron que satisfacer sus anhelos estéticos con la cara a medio afeitar, el ojo transparente y la dentadura móvil.

Sin dejar de mirar con cariñoso recuerdo los pantalones de Good, Ignosi pasó a poner en nuestro conocimiento que había ordenado a los regimientos que formasen al despuntar el alba, para explicarles con detalle las circunstancias de la rebelión que había sido decidida por los jefes, y para presentarles al legítimo heredero al trono, Ignosi.

Despuntar: Empezar a aparecer.

Así pues, en cuanto salió el sol, las tropas —en total casi veinte mil hombres, que constituían la flor y nata del ejército kukuana— formaron en una amplia explanada, hacia la que nos dirigimos. Los guerreros estaban dispuestos en tres lados de un compacto cuadrado y ofrecían un magnífico espectáculo. Ocupamos nuestros puestos en el lado abierto del cuadra-

Flor y nata: Lo más escogido de una cosa.

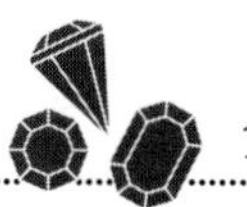

do y pronto estuvimos rodeados por los principales jefes y oficiales.

Después de haber ordenado el silencio, Infadoos se dirigió a todos ellos. Les narró, en lenguaje vivo y vigoroso —porque, como la mayoría de los kukuanas de alto rango, era un orador nato—, la historia del padre de Ignosi, su vil asesinato a manos de Twala, y cómo su mujer y su hijo fueron arrojados del poblado para que muriesen de hambre. Señaló que la tierra sufría y gemía bajo el cruel reinado de Twala; puso como ejemplo las acciones de la noche anterior, en que, so pretexto de ser malvados, había conducido a la muerte más terrible a muchos de los hombres más nobles del país. Prosiguió diciendo que los señores blancos de las estrellas, al contemplar su país, habían comprendido sus problemas y decidido aliviar su suerte, a costa de innumerables molestias; que por ello habían tomado de la mano al verdadero rey del país, Ignosi, que languidecía en el exilio, y lo habían conducido a través de las montañas; que habían visto la maldad de las acciones de Twala, y que, como señal para los indecisos y para salvar la vida de Foulata, habían apagado la luna mediante el ejercicio de su magia, y habían matado al joven demonio Scragga, y que estaban dispuestos a combatir con ellos, a ayudarlos a derrotar a Twala y a llevar al trono al rey legítimo, Ignosi.

Nato: Innato, que se posee de nacimiento.

So: Bajo.

Languidecer: Abatirse, debilitarse.

Terminó su discurso entre un murmullo de aprobación, y entonces Ignosi dio un paso al frente y empezó a hablar. Tras reiterar todo lo que había dicho Infadoos, su tío, concluyó la convincente arenga con estas palabras:

Arenga: Discurso solemne y enardecedor.

—¡Oh jefes, capitanes, soldados y pueblo! Habéis oído mis palabras. Ahora debéis elegir entre mi persona y el que ocupa el trono, mi tío, que mató a su hermano y quiso que el hijo de su hermano muriese en medio del frío y de la noche. Que yo soy el verdadero rey, estos —y señaló a los jefes— os lo pueden confirmar, porque ellos han visto la serpiente tatuada en mi cintura. Si yo no fuese el rey, ¿acaso estarían de mi parte estos hombres blancos con toda su magia? ¡Temblad, jefes, capitanes, soldados y pueblo! ¿No está aún ante vuestros ojos la oscuridad con que han cubierto la tierra para confundir a Twala y ocultar nuestra huida, una oscuridad que ha caído en la hora de la luna llena?

—Así es —replicaron los soldados.

—Yo soy el rey, os digo; yo soy el rey —prosiguió Ignosi, alzándose en toda su estatura y levantando el hacha de combate de ancha hoja por encima de la cabeza—. Si hay alguien entre vosotros que diga lo contrario, que dé un paso al frente, y lucharé con él ahora mismo, y su sangre será la prueba roja de que os digo la verdad. Que dé un paso al frente.

Reverberar: Hacer reflexión la luz en un cuerpo bruñido.

Agitó la gran hacha, haciéndola reverberar a la luz del sol.

Como nadie parecía estar dispuesto a responder a este desafío, nuestro antiguo sirviente continuó su arenga:

—Yo soy el verdadero rey, y, si estáis a mi lado en la batalla, si venzo en este día, vosotros participaréis conmigo de la victoria y los honores. Os daré bueyes y mujeres, y tendréis cargos de alto rango en todos los regimientos; y si caéis, yo caeré con vosotros.

»Escuchad; os hago esta promesa: cuando ocupe el trono de mis mayores, cesará el derramamiento de sangre en esta tierra. Ya no encontraréis la muerte cuando claméis por justicia, ya no os perseguirán las cazadoras de brujos ni moriréis sin que os juzguen. Ningún hombre morirá, salvo el que quebrante las leyes. Cesará el desmantelamiento de vuestros *kraals;* todos dormirán a salvo en su cabaña y nada temerán, y la justicia caminará, ciega, por la tierra. ¿Habéis elegido, jefes, capitanes, soldados, pueblo?

Desmantelamiento: Demolición, destrucción.

—¡Hemos elegido, oh rey! —fue la respuesta.

—Está bien; volved la cabeza y mirad cómo salen de la gran ciudad los mensajeros de Twala, hacia el Este y el Oeste, hacia el Norte y el Sur, para reunir un poderoso ejército y mataros a vosotros y a mí, y a estos, mis protectores y amigos. Mañana, o pasado mañana, vendrá con todos los que le son leales. Entonces veré qué hombre está de verdad a mi lado, qué hombre no teme morir por mi causa; y os digo que no lo olvidaré cuando haya que repartir el botín. He hablado, oh jefes, capitanes, soldados, pueblo. Ahora id a vuestras cabañas y preparaos para la guerra.

Se hizo el silencio. Un jefe levantó la mano, y retumbó el saludo real, *kum*. Era la señal de que los regimientos habían aceptado a Ignosi como rey. A continuación desfilaron en batallones.

Media hora más tarde celebramos un consejo de guerra, al que acudieron todos los comandantes de regimiento. Era evidente que no tardaríamos en ser atacados por fuerzas aplastantes. Desde nuestra posición en la colina podíamos ver cómo se concentraban las tropas, y los mensajeros que partían de Loo en todas las direcciones, sin duda para reunir soldados que ayudasen al rey. Teníamos de nuestro lado unos veinte mil hombres, que formaban siete regimientos, de los mejores del país. Twala, según calcularon Infadoos y los jefes, tenía al menos treinta o treinta y cinco mil hombres en los que podía confiar, reunidos en Loo, y pensaban que al mediodía del día siguiente podría reunir otros cinco mil o más. Por supuesto, cabía la posibilidad de que desertaran algunas tropas y se uniesen a las nuestras, pero en principio no podíamos contar con tal eventualidad.

Entre tanto, estaba claro que empezaban a hacer preparativos para someternos. Ya había fuertes columnas de hombres armados que patrullaban por el pie de la colina, así como otros indicios de un ataque inminente.

Botín: Conjunto de las armas, provisiones y demás efectos de una plaza o de un ejército vencido y de los cuales se apodera el vencedor.

Eventualidad: Posibilidad.

Columna: Unidad de tropas independiente y constituida provisionalmente, sin sujeción a normas reglamentarias.

Inminente: Que amenaza o está para suceder prontamente.

No obstante, Infadoos y los demás jefes opinaban que no tendría lugar un ataque aquel día, pues lo emplearían en prepararse y en disipar por todos los medios posibles el efecto moral que había ejercido sobre la mente de los soldados el oscurecimiento, supuestamente mágico, de la luna. Atacarían por la mañana, dijeron, y pudimos comprobar que tenían razón.

Disipar: Desvanecer, dispersar.

Empezamos a fortificar nuestras posiciones en la medida de lo posible. Se pusieron en movimiento casi todos los guerreros, y en el transcurso del día, que nos pareció demasiado corto, hicimos muchas cosas. Bloqueamos con montones de piedras los senderos que subían hacia la colina, que era más un sanatorio que una fortaleza, y se utilizaba generalmente como campamento para los regimientos que hubiesen estado de servicio reciente en zonas insalubres del país, y el resto de las vías de aproximación se hicieron tan inexpugnables como nos permitió el tiempo. Amontonamos pilas de rocas en diversos puntos para hacerlas rodar sobre el enemigo, se asignaron las posiciones de los regimientos y tomamos todas las medidas que nos sugirió nuestro ingenio.

Insalubre: Malsano.

Inexpugnable: Que no se puede conquistar.

Pila: Montón.

Justo antes de la puesta del sol, mientras descansábamos de tantos trajines, observamos que un pequeño grupo de hombres avanzaba hacia nosotros desde Loo. Uno de ellos llevaba una hoja de palma en la mano en señal de que acudía como emisario.

Trajín: Actividad, movimiento.

Cuando estuvieron cerca, Ignosi, Infadoos, uno o dos jefes y nosotros descendimos hasta el pie de la colina para recibirlo. Era un tipo de magnífica presencia, y llevaba la habitual capa de piel de leopardo.

—¡Saludos! —gritó, mientras se acercaba—. El rey saluda a los que hacen una guerra impía contra el rey; el león saluda a los chacales que gruñen a sus pies.

—Habla —dije.

—Estas son las palabras del rey. Someteos a la misericordia del rey ahora mismo u os acontecerá algo peor. Ya ha sido desgarrado el lomo del toro negro y el rey lo conduce sangrando por el campamento.*

—¿Cuáles son las condiciones de Twala? —pregunté por curiosidad.

—Sus condiciones son misericordiosas, dignas de un gran rey. ¡Estas son las palabras de Twala, el del ojo único, el poderoso, marido de mil mujeres, señor de los kukuanas, guardián de la gran carretera (la carretera de Salomón), amado por los extraños que están sentados en silencio en las montañas (las tres Brujas), ternero de la vaca negra, elefante cuyas pisadas hacen retumbar la tierra, terror de los malvados, avestruz cuyas patas devoran el desierto, enorme, negro, sabio, rey de generación tras generación! Estas son las palabras de Twala: «Seré misericordioso y quedaré satisfecho con poca sangre. Morirá uno de cada diez; el resto quedará en libertad, pero el hombre blanco *Incubu*, que asesinó a Scragga, mi hijo, y el hombre negro, su sirviente, que pretende acceder a mi trono, e Infadoos, mi hermano, que trama la rebelión contra mí, morirán torturados como ofrenda a los Silenciosos». Estas son las misericordiosas palabras de Twala.

Tras consultar con los demás, le contesté en voz alta, para que pudieran oírlo los soldados, y dije:

—Regresa, perro, con Twala, que te ha enviado, y dile que nosotros, Ignosi, verdadero rey de los kukuanas; *Incubu*, Bougwan y Macumazahn, los hombres sabios de las estrellas, que oscurecieron la luna, Infadoos, de la casa real, y los jefes, capitanes y el pueblo aquí reunido contestamos: «Que no nos rendiremos; que antes de que el sol se haya puesto dos veces, el cadáver de Twala estará rígido a la puerta de Twala, y que Ignosi, a cuyo padre asesinó Twala, reinará en su lugar». Ahora, márchate, antes de que te echemos a

* Esta cruel costumbre no se limita a los kukuanas; por el contrario, no es infrecuente entre las tribus africanas, con ocasión de una declaración de guerra o de otros acontecimientos de importancia *(A. Q.)*.

latigazos, y guárdate de levantar una mano contra nosotros.

El heraldo soltó una sonora carcajada.

—No atemorizaréis a los hombres con palabras tan altisonantes —gritó—. Mostraos mañana así de valientes, oh vosotros que oscurecéis la luna. Sed valientes, luchad y estad alegres antes de que los cuervos picoteen vuestros huesos y los dejen más blancos que vuestros rostros. Adiós. Quizá nos encontremos en la batalla. Esperadme, hombres blancos.

Sarcástica: Burlona, irónica, mordaz.

Y tras pronunciar estas sarcásticas palabras, se retiró, y casi inmediatamente se ocultó el sol.

Fue aquella una noche atareada, ya que, a pesar de nuestra fatiga, continuamos los preparativos para el combate del día siguiente en la medida en que nos lo permitió la luz de la luna. Constantemente partían mensajeros hacia el lugar en que celebrábamos consejo y volvían a sus puestos con igual frecuencia. Finalmente, hacia la una de la madrugada, habíamos hecho todo lo que podía hacerse, y el campamento, salvo por el alto ocasional dado por algún centinela, se sumió en el sueño. Sir Henry y yo, acompañados por Ignosi y un jefe, descendimos colina abajo e hicimos la ronda por los puestos de guardia. Mientras caminábamos, de forma repentina, surgían las lanzas, que centelleaban a la luz de la luna en los lugares más inesperados, para desaparecer en cuanto pronunciábamos la contraseña. Era evidente que ningún centinela dormía. Regresamos, pisando con cuidado por entre los miles de guerreros dormidos, muchos de los cuales disfrutaban por última vez del descanso terrenal.

Hacer la ronda: Visitar los diferentes puestos de una plaza fuerte o campamento para vigilar el servicio.

Contraseña: Palabra o señal que se da para conocerse unos a otros y no tenerse por enemigos o extraños en la confusión del combate o en la oscuridad.

La luz de la luna se reflejaba en sus lanzas y jugueteaba sobre sus rostros, dándoles un aspecto cadavérico; el helado viento nocturno agitaba sus altos y lúgubres penachos de plumas. Allí yacían, tendidos en terrible confusión, con los brazos extendidos y los miembros retorcidos; sus cuerpos fornidos y membrudos parecían fantasmagóricos e inhumanos a la luz de la luna.

Membrudo: Robusto de cuerpo y miembros.

—¿Cuántos supone que estarán vivos mañana a esta misma hora? —preguntó sir Henry.

Meneé la cabeza y volví a mirar a los hombres dormidos, y en mi mente cansada, aunque excitada, se me aparecieron como si la muerte ya los hubiera tocado. Mi imaginación separó a los destinados al sacrificio, y en mi corazón se precipitó la intensa sensación del misterio de la vida humana, y de una pena abrumadora por su inutilidad y su tristeza. Aquella noche, miles de soldados dormían plácidamente; al día siguiente, ellos y muchos otros, quizá nosotros mismos, estaríamos rígidos, fríos. Sus mujeres serían viudas; sus hijos huérfanos y su pueblo no volvería a verlos jamás. Solo la luna seguiría brillando, serena, el viento nocturno agitaría la hierba, y la ancha tierra descansaría, feliz, al igual que en la eternidad que precedió a aquellos guerreros, y en la eternidad que seguiría cuando quedaran olvidados.

Por mi mente pasaron todas estas reflexiones, porque a medida que me hago viejo, lamento decir que parece apoderarse de mí la detestable costumbre de pensar, mientras contemplaba aquellas hileras de soldados, lúgubres y fantasmagóricas, dormidas, como dice el refrán kukuana, «sobre sus lanzas».

—Curtis —le dije a sir Henry—, estoy muerto de miedo.

Sir Henry se acarició la rubia barba, se echó a reír y contestó:

—Ya le he oído antes decir eso, Quatermain.

—Pero ahora es verdad. Verá, dudo mucho que ninguno de nosotros esté vivo mañana por la noche. Nos atacarán con fuerzas aplastantes, y es más que dudoso que podamos defender este lugar.

—Daremos buena cuenta de ellos, en todo caso. Mire, Quatermain, es un asunto muy desagradable, en el que, para ser francos, no deberíamos habernos

Dar cuenta de una cosa: Figuradamente, dar fin de ella, destruyéndola o malgastándola.

mezclado, pero lo estamos, y debemos cumplir nuestra misión lo mejor posible. Personalmente, prefiero morir luchando que de otra forma y, ahora que parecen quedar pocas posibilidades de encontrar a mi pobre hermano, la idea me resulta más aceptable. Pero la suerte favorece a los valientes, y quizá tengamos éxito. De todos modos, la matanza será espantosa, y como tenemos que mantener nuestra reputación, no nos queda más remedio que meternos de lleno en ello.

Sir Henry hizo esta última observación en tono lúgubre, pero en sus ojos había un brillo que lo desmentía. Tengo la ligera sospecha de que a sir Henry Curtis realmente le gusta combatir.

A continuación nos marchamos y dormimos un par de horas

Al alba nos despertó Infadoos, que vino a decirnos que se observaba una actividad febril en Loo, y que en nuestros puestos el rey estaba lanzando las primeras escaramuzas.

Febril: Ardorosa, desasosegada, agitada.

Escaramuza: Riña, refriega de poca importancia, en especial la sostenida por las avanzadas de los ejércitos.

Refriega: Reencuentro o combate de menos importancia que la batalla.

Nos levantamos y nos vestimos para la refriega; nos colocamos las cotas de malla, que en tales circunstancias eran muy de agradecer. Sir Henry llevó el asunto hasta los últimos extremos y se vistió como un guerrero nativo. «Cuando estés en Kukuanalandia, haz lo que los kukuanas», sentenció mientras se ponía el brillante acero sobre sus anchos hombros; le sentaba como un guante. Pero no se conformó con eso. A petición suya, Infadoos le había proporcionado un uniforme de guerra completo. Se ajustó al cuello la capa de piel de leopardo de los oficiales; se ciñó en la frente el penacho de plumas negras de avestruz, que solo utilizaban los generales de alto rango, y se sujetó a la cintura una espléndida *moocha* de colas de buey blanco. Completaban su atuendo unas sandalias, grebas de piel de cabra, una pesada hacha de guerra, con mango de cuerno de rinoceronte, un escudo redondo de hierro y el número reglamentario de *tollas*, o cuchillos arrojadizos, a los que, no obstan-

Greba: Pieza de la armadura que cubre y defiende la pierna.

te, añadió su revólver. Los ropajes eran, sin duda, salvajes, pero debo añadir que nunca he visto nada tan extraordinario como el aspecto que presentaba sir Henry Curtis ataviado de esa forma. Resaltaba su magnífico cuerpo, y cuando por fin llegó Ignosi vestido con ropajes muy similares, pensé que nunca había visto hombres tan espléndidos.

En cuanto a Good y a mí, la cota de malla no nos sentaba tan bien. Good insistió en llevar sus pantalones, y un caballero corpulento y de corta estatura, con monóculo y la mitad de la cara afeitada, ataviado con una cota de malla, cuidadosamente embutido en unos pantalones de pana verdaderamente andrajosos, resulta más sorprendente que impresionante. En lo que respecta a mí, como la cota de malla era demasiado grande, me la coloqué encima de la ropa, con lo que abultaba de un modo no demasiado favorecedor. Deseché los pantalones, decidido a entrar en batalla con las piernas desnudas para estar más ligero en caso de que fuese necesario hacer una retirada precipitada, y solo me quedé con los *veldtschoons*. Con esto, una lanza, un escudo, que no sabía manejar, un par de *tollas*, un revólver y un enorme penacho de plumas que me encasqueté en el sombrero de caza, para dar un toque sanguinario a mi atuendo, completé mis modestos atavíos. Como complemento, llevamos los rifles, por supuesto, pero como la munición era escasa y serían inútiles en caso de que cargasen contra nosotros, habíamos acordado que los llevasen detrás de nosotros unos porteadores.

En cuanto nos hubimos preparado, engullimos a toda prisa un poco de comida y nos pusimos en marcha para ver cómo iban las cosas.

En un punto de la meseta había un pequeño *koppie* de roca gris que servía para el doble objetivo de cuartel general y torre de vigilancia. Allí nos encontramos con Infadoos, rodeado por su regimiento de «Grises», que era, sin duda, el mejor del ejército kukuana, y el que habíamos visto en el primer *kraal*. Aquel regimiento, formado por tres mil quinientos hombres, se mantenía en reserva, y los guerreros estaban tumbados en la hierba, reunidos en grupos, observando el reptar de las tropas del rey al salir de Loo como hileras de hormigas. Aquellas columnas parecían interminables; había tres en total, y cada una contaba al menos con doce mil hombres.

En cuanto se hubieron alejado de la ciudad, los guerreros formaron. Entonces, una de las columnas se dirigió hacia la derecha, otra hacia la izquierda, y la tercera se acercó lentamente hacia nosotros.

—Vaya —dijo Infadoos—, nos van a atacar por tres flancos a la vez.

Flanco: Costado, parte lateral de un cuerpo.

La noticia era muy grave, ya que nuestra posición en la cima de la montaña, que tenía al menos milla y media de circunferencia, era muy extensa, por lo que era muy importante concentrar lo más posible nuestras fuerzas defensivas, que eran relativamente reducidas. Pero como no podíamos adivinar por qué flanco seríamos atacados, tuvimos que arreglárnoslas lo mejor que pudimos y enviamos órdenes a los diversos regimientos para que se dispusieran a recibir las acometidas por separado.

Acometida: Embestida.

Capítulo 13

El ataque

Las tres columnas avanzaron lentamente y sin la menor señal de prisa o excitación. Cuando estaban a unas quinientas yardas de nosotros, la columna principal o central se detuvo al pie de una explanada que subía hacia la colina, al objeto de dar tiempo a las otras dos para rodear nuestra posición, que tenía, más o menos, la forma de una herradura, con los dos extremos apuntando hacia la ciudad de Loo. Sin duda, su objetivo consistía en lanzar el ataque simultáneamente por tres flancos.

—¡Ay! ¡Daría cualquier cosa por una ametralladora! —gruñó Good al contemplar las apretadas falanges que se extendían a nuestros pies—. Limpiaría la llanura en veinte minutos.

Apretada: Compacta, apiñada.
Falange: Cuerpo de tropas numeroso.

—No la tenemos, así que de nada sirve lamentarse. Pero ¿por qué no dispara, Quatermain? A ver si es capaz de alcanzar a ese tipo alto que parece estar al mando. Dos contra uno a que falla. Incluso le apuesto un soberano, que le pagaré religiosamente si salimos de esta, a que la bala no le cae a menos de cinco yardas.

Soberano: Moneda de oro inglesa.
Religiosamente: Con puntualidad y exactitud.

Me piqué, así que cargué el *express*, esperé hasta que mi amigo se hubo adelantado unas diez yardas a sus tropas para ver mejor nuestra posición, acompañado tan solo por un ayudante, y entonces me tumbé, apoyé el *express* en una roca y apunté. El rifle, como todos los *express*, tenía la mira graduada para una distancia de solo trescientas cincuenta yardas, de modo que, para dar margen al descenso de la bala en

Mira: Pieza para dirigir una visual.

su trayectoria, le apunté al centro del cuello, con lo que, según mis cálculos, le alcanzaría en el pecho. Aquel hombre estaba inmóvil y me ofrecía todo tipo de facilidades, pero ya fuera por el nerviosismo, o por el viento, o porque se trataba de un disparo a mucha distancia, el caso es que ocurrió lo siguiente: pensando que había apuntado bien, apreté el gatillo y, cuando se hubo disipado la nubecilla de humo, descubrí con gran disgusto que mi hombre seguía en pie sin daño alguno, en tanto que su ayudante, que se encontraba al menos a tres pasos a la izquierda, estaba tendido en el suelo, al parecer muerto. El oficial al que había apuntado dio media vuelta rápidamente y corrió hacia sus tropas con signos evidentes de alarma.

—¡Bravo, Quatermain! —bramó Good—. Lo ha asustado.

Aquello me encolerizó, porque, si puedo evitarlo, no me gusta fallar un tiro en público. Cuando solo se sabe hacer bien una cosa, nos gusta mantener nuestra reputación intacta. Completamente fuera de mí por haber fracasado, actué irreflexivamente. Apunté rápidamente al general en su carrera y disparé el segundo proyectil. El pobre hombre alzó los brazos y cayó de bruces. Esta vez no fallé el disparo, y —lo digo como prueba de lo poco que pensamos en los otros cuando está en juego nuestro orgullo o nuestra reputación— fui lo suficientemente bruto como para sentirme encantado por ello.

Los guerreros que vieron la proeza dieron vítores ante aquella exhibición de la magia del hombre blanco, que ellos tomaron como presagio de victoria, en tanto que las tropas del general —que, como supimos más tarde, era en efecto su comandante— empezaron a retroceder en desordenada confusión.

Sir Henry y Good cogieron sus rifles y empezaron a disparar; este último disparó a bulto contra la densa masa que tenía ante él con un *Winchester* de repetición, y yo también hice un par de disparos con el re-

sultado de que, por lo que pudimos juzgar, dejamos a ocho o diez hombres *hors de combat*[1].

En el momento en que dejamos de hacer fuego, se oyó un bramido amenazador que provenía de nuestra derecha, y a continuación un bramido semejante a la izquierda. Las otras dos divisiones habían entrado en combate con nosotros.

Al oír el ruido, la masa de hombres que teníamos frente a nosotros se abrió un poco y comenzó a avanzar hacia la colina por la lengua de tierra herbosa a paso lento, cantando una canción con voz ronca. Mantuvimos un fuego continuo con nuestros rifles mientras se acercaban; Ignosi se sumaba a él de cuando en cuando, y acabamos con varios hombres, aunque, por supuesto, no produjimos mayor efecto sobre aquella potente acometida de hombres armados que el que producen los guijarros sobre la ola rompiente.

Guijarro: Canto rodado.

Siguieron avanzando con gritos y entrechocar de lanzas; hacían retroceder los destacamentos que habíamos situado entre las rocas al pie de la colina. Después, su avance fue un poco más lento, ya que, si hasta entonces no habíamos ofrecido una resistencia seria, las fuerzas atacantes tenían que ascender la colina, y aminoraron el paso para no perder el resuello. Nuestra primera línea de defensa se hallaba aproximadamente en mitad de la ladera de la colina, la segunda, unas cincuenta yardas más atrás, y la tercera ocupaba el borde de la explanada.

Resuello: Respiración, especialmente la violenta.

Continuaron su avance lanzando su grito de guerra, «*¡Twala!¡Twala!¡Chielé!¡Chielé!*» (¡Twala! ¡Twala! ¡Mata! ¡Mata!). «*¡Ignosi! ¡Ignosi! ¡Chielé! ¡Chielé!*», gritaban nuestros hombres. Ya estaban muy cerca y las *tollas*, o cuchillos arrojadizos, empezaron a centellear en ambos sentidos, y con un espantoso alarido comenzó el combate.

[1] «Fuera de combate». (En francés en el original).

La masa de guerreros ondulaba de un lado a otro; los hombres caían en profusión como las hojas con el viento otoñal; pero no tardó en dejarse sentir la fuerza superior de las tropas atacantes, y nuestra primera línea de defensa retrocedió lentamente, hasta mezclarse con la segunda. Allí, la lucha era feroz, pero los nuestros tuvieron que retroceder colina arriba, hasta que finalmente, al cabo de veinte minutos de haber comenzado la batalla, la tercera línea de defensa entró en acción.

Profusión: Abundancia.

Pero ya entonces los atacantes estaban agotados, además de haber sufrido muchas bajas entre heridos y muertos, y no tuvieron fuerzas para romper la tercera muralla impenetrable de lanzas. Durante un rato la densa masa de guerreros retrocedió y avanzó como una marea en los feroces flujos y reflujos de la batalla, con resultados dudosos. Sir Henry observaba la desesperada lucha con mirada enardecida; sin decir palabra, y seguido por Good, se abalanzó hacia lo más duro de la refriega. Yo me quedé donde estaba. Los soldados vieron su alta figura al sumergirse en la batalla y gritaron:

Flujo: Movimiento de ascenso de la marea.
Reflujo: Movimiento de descenso de la marea.
Enardecida: Inflamada, excitada.

—*¡Nanzia Incubu!¡Nanzia Unkungunklovo!* (¡Ahí va el Elefante!) *¡Chielé! ¡Chielé!*

Desde ese momento, los resultados de la batalla no fueron dudosos. Pulgada a pulgada, luchando con desesperada valentía, los atacantes retrocedieron colina abajo, hasta que se retiraron a sus reservas con cierto desorden. En ese mismo instante llegó un mensajero a decir que habían repelido el ataque por la izquierda. Empezaba a felicitarme porque el asunto parecía haber terminado de momento, cuando observamos con horror que los hombres que habían defendido el flanco derecho retrocedían hacia nosotros por la explanada, seguidos por el enemigo, que atacaba en bandadas y que había vencido en aquel punto.

Bandada: Grupo numeroso.

Ignosi, que se encontraba junto a mí, abarcó con una mirada la situación y dio órdenes rápidamente.

Al instante se desplegó el regimiento de reserva que nos rodeaba (los Grises).

Ignosi volvió a dar órdenes, que recibieron y repitieron los capitanes y, al cabo de unos segundos, para mi profundo desagrado, me vi envuelto en una furiosa carga contra el enemigo. Protegiéndome lo más posible tras el enorme corpachón de Ignosi, hice de tripas corazón y me precipité hacia la muerte, como si aquello me gustase. Al cabo de uno o dos minutos —el tiempo parecía pasar con mucha rapidez—, nos zambullimos entre los grupos de hombres que huían, que en seguida empezaron a reorganizarse detrás de nosotros, y puedo asegurar que no sé lo que ocurrió después. Todo lo que puedo recordar es un tremendo ruido de escudos entrechocados y la súbita aparición de un rufián enorme, cuyos ojos parecían literalmente salírsele de las órbitas, que se dirigía hacia mí con una lanza ensangrentada. Pero —y lo digo con orgullo— estuve a la altura de las circunstancias, y las circunstancias eran tales que la mayoría de las personas se habría derrumbado de una vez por todas. Al ver que si me quedaba donde estaba iba a palmarla, en el momento en que aquella aparición horripilante se me acercó, me arrojé al suelo frente a él, con tal astucia que, incapaz de detenerse, tropezó con mi cuerpo postrado. Antes de que pudiera levantarse, yo ya lo había hecho y zanjé la cuestión con mi revólver.

Hacer uno de tripas corazón: Figuradamente, disimular el miedo, sobreponerse a las adversidades.

Zambullirse: Figuradamente, introducirse de súbito en alguna actividad o asunto.

Palmar: Familiarmente, morir.

Zanjar: Resolver de modo expeditivo un asunto.

Al poco rato, alguien me derrumbó de un golpe y ya no recuerdo nada más del combate.

Cuando recobré el sentido, me encontré de nuevo en el *koppie,* con Good inclinado sobre mí con una calabaza de agua.

—¿Cómo se siente, amigo mío? —preguntó, angustiado.

Me levanté y me sacudí las ropas antes de contestar.

—Muy bien, gracias —repliqué.

—¡Gracias a Dios! Cuando vi que le llevaban en brazos, casi me mareé; creí que la había palmado.

—Todavía no, hijo. Supongo que solo me dieron un golpe en la cabeza que me dejó fuera de combate. ¿En qué ha acabado?

—De momento, los hemos rechazado por todos los flancos. Las pérdidas son terribles; hay unas dos mil bajas entre muertos y heridos, y ellos deben de haber perdido unos tres mil. ¡Fíjese, es todo un espectáculo! —añadió, señalando hacia las largas hileras de hombres que avanzaban de cuatro en cuatro.

En el centro de cada grupo, sostenida por cuatro hombres, había una especie de bandeja de cuero con un asa en cada extremo, objeto que las tropas kukuanas llevaban siempre en grandes cantidades. En esas bandejas, cuyo número parecía infinito, llevaban a los heridos, a quienes examinaban rápidamente los curanderos al llegar al campamento: había diez por regimiento. Si la herida no era mortal, se llevaban al guerrero y lo atendían con todo el cuidado que permitían las circunstancias. Pero si el herido estaba desahuciado, lo que ocurría a continuación era espantoso, aunque sin duda era un acto de auténtica piedad. Un curandero, con la excusa de realizar una exploración, abría rápidamente una arteria con un cuchillo afilado, y uno o dos minutos después el paciente expiraba sin dolor. Aquel día se aplicó a muchos casos. En la mayoría de las ocasiones se hacía cuando la herida se había recibido en el tronco, porque el boquete abierto por las lanzas, enormemente anchas, que utilizaban los kukuanas rara vez hacía posible la recuperación. Por lo general, los pobres heridos ya estaban inconscientes, y en otros, el corte fatal de la arteria era tan rápido e indoloro que no parecían notarlo. No obstante, era un espectáculo espantoso y nos alegramos de poder huir de él.

En verdad, no recuerdo que nada me haya afectado más que ver a aquellos valientes guerreros libera-

Desahuciado: Sin esperanza de salvación.

Curandero: Persona que hace de médico sin serlo.

Exploración: Investigación sobre un órgano interno, para adquirir datos de su estado.

Arteria: Vaso que conduce la sangre desde el corazón a las diversas partes del cuerpo.

Expirar: Morir.

Tronco: Cuerpo humano o de cualquier animal, prescindiendo de la cabeza y las extremidades.

dos del dolor por los curanderos de manos enrojecidas, excepto en la ocasión en que, tras una batalla, vi a los soldados swazis enterrar *vivos* a los heridos sin posibilidad de recuperarse.

Huimos de aquella escena macabra hacia el otro lado del *koppie,* y nos encontramos a sir Henry (que aún sujetaba un hacha de combate ensangrentada), a Ignosi, Infadoos y a uno o dos de los jefes, entregados a una profunda consulta.

—¡Gracias a Dios que está usted aquí, Quatermain! No sé muy bien lo que quiere decir Ignosi. Al parecer, a pesar de que hemos vencido a los atacantes, Twala está recibiendo gran cantidad de refuerzos, y se prepara para sitiarnos con la intención de vencernos por hambre.

Sitiar: Cercar un lugar enemigo para impedir que salgan los que están en él o que reciban socorro.

—Eso es horrible.

—Sí; especialmente porque Infadoos dice que se han agotado las reservas de agua.

—Sí, mi señor, así es —dijo Infadoos—. El torrente no puede cubrir las necesidades de tan gran multitud, y empieza a faltar. Antes de que caiga la noche, todos tendremos sed. Escucha, Macumazahn. Eres sabio, y sin duda has visto muchas guerras en las tierras de donde vienes, si es que hay guerras en las estrellas. Dinos, ¿qué debemos hacer? Twala ha traído muchos hombres nuevos para reemplazar a los que han caído. Pero ha aprendido una lección. El halcón no pensaba encontrar preparada a la garza; pero nuestro pico le ha desgarrado el pecho; no volverá a golpearnos. Nosotros también estamos heridos, y él esperará a que muramos; se enroscará alrededor de nosotros como la serpiente alrededor del gamo, y hará la guerra de «esperar sentado».

Halcón: Ave rapaz falconiforme diurna, de color ceniciento manchado de negro, con el pecho y vientre blanquecinos y rayados de gris. Fue ave de cetrería.

Garza: Ave ciconiforme de cabeza pequeña con moño largo y gris.

—Te escucho —dije.

—Así pues, Macumazahn, que no tenemos agua, solo nos queda un poco de comida, y debemos elegir entre estas tres cosas: languidecer como un león hambriento en su guarida; tratar de romper el cerco diri-

Languidecer: Enflaquecer, debilitar.

giéndonos al Norte; o... —y al llegar aquí se levantó y señaló hacia la densa masa que formaban nuestros enemigos— lanzarnos a la garganta de Twala. *Incubu*, el gran guerrero, que hoy ha luchado como el búfalo capturado en una red, y los soldados de Twala cayeron bajo su hacha como el maíz bajo la guadaña (yo lo he visto con mis propios ojos), *Incubu* dice: «A la carga». Pero el elefante siempre está dispuesto a la carga. Ahora, ¿qué dice Macumazahn, el astuto zorro viejo, que ha visto mucho y a quien le gusta atacar al enemigo por detrás? La última palabra depende de Ignosi, el rey, porque es derecho del rey decidir en la guerra; pero oigamos tu voz, ¡oh Macumazahn!, que vigilas en la noche, y también la tuya, tú, el del ojo transparente.

Guadaña: Instrumento para segar la hierba, formado por una cuchilla larga y curva, unida en ángulo recto a un mango que se sujeta por dos manillas. Símbolo de la muerte.

—¿Qué dices tú, Ignosi? —pregunté.

—No, padre mío —contestó nuestro antiguo sirviente, que en ese momento, vestido con el armamento de la guerra, parecía un guerrero de pies a cabeza—; habla tú, y deja que yo, que no soy más que un niño al lado de tu sabiduría, oiga tus palabras.

Tras esta renuncia, y tras consultar rápidamente con Good y sir Henry, expuse brevemente mi opinión, a saber: al estar atrapados, nuestra única oportunidad, especialmente teniendo en cuenta la falta de agua, consistía en lanzar un ataque contra las tropas de Twala, y recomendé que se llevara a cabo el ataque de inmediato, «antes de que nuestras heridas se enfriasen», y también antes de que, a la vista de las fuerzas abrumadoramente superiores de Twala, el corazón de nuestros soldados se derritiera como la grasa junto al fuego. Si no, añadí, algún capitán podría cambiar de opinión, hacer las paces con Twala y desertar a sus filas, o incluso traicionarnos y ponernos en sus manos.

Esta opinión pareció encontrar una acogida favorable, en líneas generales; a decir verdad, entre los kukuanas, mis palabras eran recibidas con un respeto que nunca se les ha concedido ni antes ni después. Pero la decisión final sobre la línea que seguir dependía de Ignosi, quien, al haber sido reconocido como rey legítimo, podía ejercer los derechos casi ilimitados de soberanía, incluyendo, claro está, la decisión final en materia de estrategia militar, y hacia él se dirigieron todas las miradas.

Por fin, y tras una pausa, durante la que pareció sumirse en profunda meditación, dijo:

—*Incubu,* Macumazahn y Bougwan, valientes hombres blancos y amigos míos; Infadoos, mi tío, y jefes: he tomado una decisión. Atacaré a Twala hoy, y confiaré al golpe mi suerte, y mi vida, y también las vuestras . Escuchad: el ataque será así. ¿Veis cómo se curva la colina, al igual que la media luna, y cómo se extiende la llanura como una lengua verde hacia nosotros?

—Sí —contesté.

—Pues bien; ahora es mediodía, y los hombres están comiendo y descansando tras las fatigas de la batalla. Cuando el sol se haya inclinado y avanzado un poco hacia la oscuridad, que el regimiento, tío, avance con otro hacia la lengua verde. Cuando Twala lo vea, lanzará sus fuerzas contra vosotros para aplastaros. Pero el lugar es estrecho, y los regimientos solo podrán atacarte de uno en uno; así que podrán ser destruidos de uno en uno, y los ojos del ejército de Twala estarán clavados en una lucha como ningún hombre vivo ha presenciado jamás. Contigo, tío, irá *Incubu,* mi amigo, para que, cuando Twala vea su hacha de guerra brillando en la primera fila de los Grises, su ánimo desfallezca. Yo iré con el segundo regimiento, que te seguirá, para que si te destruyen, como pudiera ocurrir, quede aún un rey por el que luchar, y conmigo vendrá Macumazahn, el sabio.

—Está bien, oh rey —dijo Infadoos.

Al parecer, consideraba la certeza de la aniquilación total de su regimiento con absoluta calma. En verdad que estos kukuanas son un pueblo maravilloso.

La idea de la muerte no parece importarles en absoluto cuando es en cumplimiento de su deber.

—Y mientras los ojos de la multitud de los regimientos de Twala estén fijos en la lucha —prosiguió Ignosi—, un tercio de los hombres que nos queden vivos (es decir, unos seis mil) avanzará por el lado derecho de la colina y caerá sobre el flanco izquierdo de las tropas de Twala, y otro tercio avanzará por el lado izquierdo y caerá sobre el flanco derecho de Twala. Y cuando yo vea que ambos están a punto de arrojarse sobre Twala, entonces, yo, con los hombres que me queden, atacaré de frente a Twala y, si la fortuna nos sonríe, la victoria será nuestra, y antes de que la noche conduzca sus caballos de unas montañas a otras, estaremos tranquilos en Loo. Y ahora, comamos y preparémonos. Infadoos, haz los preparativos para que se lleve a cabo el plan, y espera que mi padre blanco Bougwan vaya al lado derecho para que infunda valor a los hombres con su ojo brillante.

Concisamente: Brevemente.

Engullir: Tragar atropelladamente.

Se iniciaron los preparativos para el ataque, tan concisamente planeado y con tanta rapidez que dice mucho en favor de la perfección del sistema militar de los kukuanas. Al cabo de poco más de una hora se habían servido las raciones, que se engulleron con prontitud; formaron las tres divisiones, se explicó el plan de ataque a los jefes y, excepto la guardia que quedaba a cargo de los heridos, todas las fuerzas, que ascendían a dieciocho mil en total, estaban listas para entrar en acción.

Al cabo de un rato, se acercó Good y nos estrechó la mano a sir Henry y a mí.

—Adiós, amigos —dijo—; me voy con el ala derecha, cumpliendo órdenes. Por eso he venido a estrecharles las manos, por si no volvemos a vernos —añadió significativamente.

Nos estrechamos las manos en silencio, no sin exteriorizar todo el entusiasmo que son capaces de mostrar los ingleses.

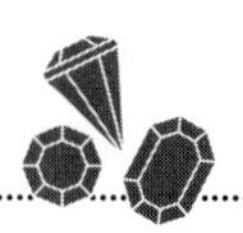

—Curiosa historia —dijo sir Henry; le temblaba un poco la profunda voz—. Confieso que no tengo esperanzas de ver el sol mañana. Por lo que puedo prever, los Grises, con quienes tengo que ir, habrán de luchar hasta que sean barridos, con objeto de permitir a las otras alas deslizarse sin ser vistas y rodear a Twala. Bueno, que sea lo que Dios quiera. ¡En cualquier caso, moriremos como hombres! Adiós, viejo amigo. Que Dios le bendiga. Espero que sobreviva para recoger los diamantes; si es así, hágame caso: ¡no vuelva a mezclarse con pretendientes al trono!

Good nos apretó la mano con fuerza y se marchó; Infadoos se acercó a nosotros y llevó a sir Henry a ocupar su puesto al frente de los Grises, mientras que, lleno de malos presagios, yo fui con Ignosi hacia mi puesto en el segundo regimiento de ataque.

Capítulo 14

La última carga de los Grises

Transcurrieron unos minutos, y los regimientos destinados a llevar a cabo el ataque por los flancos se pusieron en marcha, silenciosos, manteniéndose cautelosamente al amparo de la elevación de terreno con objeto de ocultar su avance a la aguda mirada de los exploradores de Twala.

Dejamos pasar media hora más desde la partida de las alas del ejército antes de que los Grises y el regimiento de apoyo conocido como los Búfalos, que estaba destinado a soportar el peso de la batalla, hicieran el menor movimiento.

Casi todos los hombres que formaban ambos regimientos eran tropas de refresco, y conservaban toda su fuerza, pues los Grises habían estado en reserva durante la mañana y habían perdido pocos hombres al rechazar el ataque que logró romper la línea de defensa, cuando yo me uní a la carga y me golpearon, quedando aturdido. Con respecto a los Búfalos, habían formado la tercera línea de defensa en el flanco izquierdo y, como la fuerza atacante no había conseguido romper la segunda línea en aquel punto, apenas habían llegado a entrar en acción.

Curtido: Acostumbrado, experimentado, con experiencia.

Infadoos, que era un general curtido y conocía la vital importancia de mantener alta la moral de sus hombres en la víspera de un combate tan desesperado, aprovechó la pausa para arengar a su regimiento, los Grises, en lenguaje poético. Les explicó el honor que recibirían al ser colocados al frente de la batalla y al tener al gran guerrero blanco de las estrellas luchando en sus filas, y prometió grandes recompensas de ganado y ascensos a todos aquellos que sobrevivieran, en el caso de que las armas de Ignosi resultaran victoriosas.

Observé las largas hileras de negros penachos ondulantes y los severos rostros que coronaban, y suspiré al pensar que al cabo de una hora, la mayoría, o acaso la totalidad, de aquellos magníficos guerreros veteranos, entre los que no había ninguno con menos de cuarenta años de edad, yacerían muertos o moribundos sobre el polvo. No podía ser de otro modo; estaban condenados a la matanza por la sabia indiferencia hacia la vida humana que caracteriza al gran general, que a menudo salva sus tropas y alcanza sus fines, para dar al resto del ejército la oportunidad del éxito. Estaban predestinados a la muerte, y lo sabían. Su deber consistía en enfrentarse, regimiento tras regimiento, a todo el ejército de Twala en la estrecha franja verde que se extendía a nuestros pies hasta exterminarlo, o hasta que las alas de nuestro ejército encontrasen la oportunidad favorable para lanzarse a la carga. Y, a pesar de ello, no vacilaban, ni pude detectar el menor signo de temor en el rostro de ninguno de ellos. Allí estaban, erguidos, dirigiéndose a una muerte segura, a punto de abandonar la bendita luz del día para siempre, y sin embargo, capaces de pensar en su destino sin un estremecimiento. No pude evitar contrastar en esos momentos su estado de ánimo con el mío, que distaba mucho de estar tranquilo, y de proferir un suspiro de admiración y envidia. Hasta entonces nunca había visto una dedicación tan absoluta al concepto del deber, y una indiferencia tan completa hacia sus amargos frutos.

Erguido: De pie, derecho.

—¡Mirad a vuestro rey! —concluyó el anciano Infadoos, señalando a Ignosi—. Id a luchar y a morir por él, como es el deber de los hombres valientes, y caiga la maldición y la vergüenza eternas sobre el nombre de aquel que retroceda ante la muerte por su rey o que vuelva la espalda al enemigo. ¡Mirad a vuestro rey, jefes, capitanes y soldados! Y ahora, rendid homenaje a la serpiente sagrada, y después, seguidnos, que *Incubu* y yo os mostraremos el camino que lleva al corazón de las tropas de Twala.

Hubo una pausa, y después, repentinamente, un murmullo surgió de entre las apretadas falanges, como el lejano susurro del mar, producido por el suave golpear de los mangos de seis mil lanzas contra los escudos. Fue creciendo lentamente, hasta alcanzar las dimensiones de un rugido que resonó como el trueno sobre las montañas y llenó el aire de pesadas oleadas ruidosas. Después decreció y se desvaneció lentamente, y estalló el saludo real.

Pensé para mis adentros que Ignosi podía sentirse orgulloso de sí mismo aquel día, porque ningún emperador romano recibió jamás semejante salutación de los gladiadores a punto de morir.

Salutación: Saludo.

Ignosi correspondió a aquel magnífico acto de homenaje levantando su hacha de guerra, y a continuación los Grises desfilaron en formación de triple columna, compuesta cada una de ellas por unos mil guerreros, exclusivamente oficiales. Cuando la última columna hubo avanzado unas quinientas yardas, Ignosi se colocó a la cabeza de los Búfalos, regimiento que estaba formado de modo similar en triple columna, dio la orden de iniciar la marcha y partimos. Yo, no es necesario decirlo, elevaba las más sentidas plegarias por poder salir de aquel entuerto con el pellejo completo. Me he encontrado en muchas situaciones extrañas, pero nunca en una tan desagradable como aquella, ni que presentara tan pocas posibilidades de salir sano y salvo.

Entuerto: Perjuicio. agravio.

Al llegar al borde de la meseta, los Grises ya se encontraban a medio camino de la pendiente que acababa en la lengua de tierra herbosa que ascendía hasta la vertiente de la montaña, algo así como cuando la ranilla de la pata de un caballo entra en la herradura.

Ranilla: Parte del casco de las caballerías, de forma piramidal, más blanda y flexible que el resto, situada entre los dos pulpejos o talones.

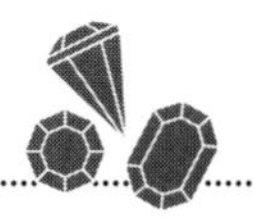

Grande era la excitación en el campamento de Twala, que estaba situado en la llanura, y, un regimiento tras otro, el ejército iniciaba la marcha a paso ligero para llegar al borde de la lengua de tierra antes de que las fuerzas atacantes desembocaran en la llanura de Loo.

Esta lengua de tierra, con una profundidad de unas trescientas yardas, medía en el arranque o parte más ancha no más de cuatrocientos cincuenta pasos de anchura, en tanto que en el extremo apenas alcanzaba los noventa.

Los Grises, quienes al descender la ladera y subir al extremo de la lengua de tierra marchaban en columnas, al llegar al lugar en que volvía a ensancharse, recobraron la formación en triple columna y se detuvieron en seco.

Entonces, nosotros, es decir, los Búfalos, nos trasladamos al extremo de la lengua y ocupamos nuestras posiciones de reserva, a unas cien yardas detrás de la última columna de los Grises, sobre un terreno ligeramente más elevado.

Entre tanto, nos dio tiempo a observar las tropas de Twala, que evidentemente se habían reforzado desde el ataque de la mañana, y cuyo número, a pesar de las bajas, no era menor de cuarenta mil soldados, que avanzaban rápidamente hacia nosotros. Pero, a medida que se acercaban al arranque de la lengua, titubeaban al descubrir que tan solo podía avanzar un regimiento por la garganta y que a unas setenta yardas de la boca, sin que se le pudiera atacar más que de frente, se encontraba el célebre regimiento de los Grises, orgullo y gloria del ejército kukuana, dispuesto a defender el camino contra sus tropas como los tres romanos que defendieron el puente contra millares.[1]

Titubear: Vacilar, dudar.

[1] Se refiere a Horacio Cocles, que, con ocasión del ataque de Porsena a Roma (508 a. C.), bloqueó todo el ejército etrusco en la entrada del puente Sublicio sobre el Tíber, mientras sus dos compañeros iban destruyéndolo a sus espaldas. Al final, Horacio Cocles se salvó arrojándose al Tíber y cruzándolo a nado hasta la otra orilla.

Hosco: Moreno muy oscuro.

Se quedaron titubeantes y finalmente se detuvieron; no estaban muy impacientes por cruzar sus lanzas con las de aquellas tres columnas de hoscos guerreros firmes y dispuestos al ataque. No obstante, al poco rato llegó corriendo un general de elevada estatura, revestido con el acostumbrado penacho de ondulantes plumas de avestruz y escoltado por un grupo de jefes y ayudantes; era, en mi opinión, ni más ni menos que el propio Twala. Dio unas órdenes, y el primer regimiento lanzó un grito, y cargó contra los Grises, que permanecieron completamente inmóviles y silenciosos hasta que las tropas atacantes se encontraron a cuarenta yardas de distancia, y una andanada de *tollas,* o cuchillos arrojadizos, tableteó entre las filas.

A continuación, con un salto y un rugido, se precipitaron hacia adelante, lanzas en alto, y los dos regimientos chocaron en terrible contienda. A los pocos segundos llegó hasta nuestros oídos el entrechocar de los escudos como el rugido del trueno, y toda la llanura pareció cobrar vida con los destellos de luz que se reflejaban en las lanzas mortíferas. La masa de hombres que luchaban oscilaba de un lado a otro, pero aquello no duró mucho tiempo. De repente, las columnas atacantes parecieron menguar y, con un lento y largo empuje, los Grises pasaron por encima de ellas, al igual que una gran ola crece y pasa sobre una cresta hundida. Lo habíamos logrado. Aquel regimiento estaba completamente destruido, pero a los Grises solo les quedaban dos columnas; una tercera parte de sus hombres había muerto.

Hombro contra hombro, se detuvieron en silencio y esperaron el ataque; y me regocijó ver la barba rubia de sir Henry al moverse de un lado a otro ordenando las filas. ¡Estaba vivo!

Entre tanto, nosotros avanzamos hacia el campo de batalla, que estaba cubierto por unos cuatro mil seres humanos postrados, muertos, moribundos y heridos y literalmente teñido de rojo por la sangre.

Ignosi dio una orden que rápidamente recorrió las filas, al efecto de que no se matara a ninguno de los enemigos heridos y, por lo que pudimos juzgar, la orden fue cumplida escrupulosamente. Habría sido un espectáculo terrible si hubiésemos tenido tiempo de pensar en ello.

Pero avanzaba un segundo regimiento, con el distintivo de penachos de plumas, faldillas y escudos blancos, dispuesto a atacar a los dos mil Grises que quedaban, y que esperaban en el mismo silencio amenazador de antes, hasta que el enemigo estuvo a unas cuarenta yardas de distancia, momento en que se abalanzaron contra ellos con irresistible fuerza. Una vez más se produjo el espantoso retumbar del choque de los escudos, y ante nuestros ojos volvió a repetirse la inexorable tragedia. Pero en esta ocasión quedó en suspenso durante más tiempo; en realidad, durante un rato pareció imposible que volvieran a vencer los Grises. El regimiento atacante, que estaba compuesto por hombres jóvenes, combatió con furia extraordinaria, y al principio pareció que la fuerza de su número hacía retroceder a los veteranos. La matanza fue espantosa; a cada minuto caían cientos de hombres; y entre los gritos de los guerreros y los gemidos de los moribundos, combinados con la música del entrechocar de las lanzas, se oía un continuo sonido silbante, *«s'gee, s'gee»*, la señal de triunfo del soldado victorioso al traspasar con su lanza el cuerpo del enemigo caído.

Pero la perfecta disciplina y el valor decidido e inmutable pueden hacer maravillas, y un soldado veterano vale por dos jóvenes, como pronto se hizo evidente en el caso que nos ocupa. Porque, cuando empezábamos a pensar que todo había acabado para los Grises y nos disponíamos a ocupar su puesto en cuanto dejaran sitio tras su total destrucción, oí la profunda voz de sir Henry que sobresalía por encima del estruendo y vi su hacha de combate que se agitaba sobre su penacho de plumas. Entonces se produjo un cambio: los Grises dejaron de combatir, se quedaron inmóviles como rocas contra las que rompían una y otra vez las furiosas oleadas de los lanceros, que volvían a retroceder. Al poco rato empezaron a moverse (en esta ocasión hacia adelante). Como no tenían armas de fuego no había humo, por lo que pudimos verlo todo. Al minuto siguiente el ataque aminoró.

—¡Ah, son verdaderos hombres! Volverán a vencer —dijo en voz alta Ignosi, que rechinaba los dientes con excitación a mi lado—. ¡Mira lo que han hecho!

Voluta: Espiral.

Tocado: Prenda con que se cubre la cabeza.

De pronto, como volutas de humo que salen de la boca de un cañón, el regimiento atacante se dispersó en grupos, con sus blancos tocados agitándose al viento, y dejó a sus oponentes victoriosos, pero, ¡ay!, no era más que un regimiento. De la valiente columna triple que cuarenta minutos antes había entrado en acción con una fuerza de tres mil hombres quedaban, como mucho, seiscientos guerreros cubiertos de sangre; el resto había caído. Y, no obstante, vitoreaban y agitaban sus lanzas en señal de triunfo, y después, en lugar de reunirse con nosotros, tal y como esperábamos, echaron a correr en persecución de los grupos de enemigos que huían. Tomaron posesión de un pequeño altozano; adoptaron de nuevo la triple formación, y se agruparon en círculo. Y entonces, gracias a Dios, vi a sir Henry en la cima de la loma, al parecer sano y salvo, y a su lado nuestro viejo amigo Infadoos.

Los regimientos de Twala se abalanzaron sobre la fatal franja de tierra y, una vez más, se inició la batalla.

Como pueden haber conjeturado hace tiempo quienes leen esta historia, yo soy francamente un poco cobarde y sin duda nada aficionado a la lucha, aunque, por alguna razón, mi destino haya sido con frecuencia encontrarme en situaciones desagradables y verme obligado a derramar sangre humana. Pero siempre lo he detestado, y he evitado, en lo posible,

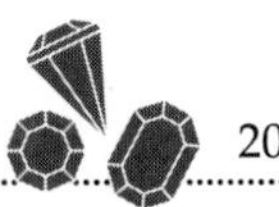

que mi sangre disminuyera mediante el uso juicioso de mis piernas. No obstante, en esos momentos y por primera vez en mi vida, sentí bullir en mi pecho el ardor marcial. En mi cerebro brotaron fragmentos bélicos de las *Ingoldsby Legends,* junto a ciertos versos sanguinarios del Antiguo Testamento, como setas en la oscuridad; mi sangre, que hasta entonces estaba casi helada de horror, empezó a golpear en mis venas y me invadió un deseo salvaje de matar sin piedad. Recorrí con la mirada las apretadas filas de guerreros situados detrás de nosotros y, por alguna razón, en ese mismo instante, se me ocurrió pensar si mi rostro tendría el mismo aspecto que el de ellos. Allí estaban con las cabezas asomando por encima de los escudos, las manos inquietas, los labios entreabiertos, sus fieros rasgos encendidos por el ardiente deseo de luchar y en sus ojos una mirada como la del sabueso que avista a su presa.

Tan solo el corazón de Ignosi, a juzgar por su relativo autodominio, parecía latir con la calma habitual bajo su capa de piel de leopardo, aunque incluso él seguía rechinando los dientes. No pude soportarlo por más tiempo.

—¿Vamos a quedarnos aquí hasta que echemos raíces, Umbopa, quiero decir, Ignosi, mientras Twala devora a nuestros hermanos allá? —pregunté.

—No, Macumazahn —contestó—. Ahora es el momento oportuno; aprovechémoslo.

Mientras hablaba, un regimiento de tropas de refresco se abalanzó sobre el círculo de guerreros que había en la loma y, rodeándolo, lo atacó por el lado opuesto.

En ese momento, levantando su hacha de combate, Ignosi dio la señal de avanzar y, emitiendo el grito de guerra kukuana, los «Búfalos» cargaron con un empuje como el embate del mar.

No soy capaz de contar lo que siguió inmediatamente. Todo lo que recuerdo es una acometida furiosa, aunque ordenada, que pareció sacudir la tierra; un súbito cambio de frente y de posiciones del regimiento contra el que iba dirigida la carga; después un choque espantoso, un sordo rugido de voces y un continuo relumbrar de lanzas, visto a través de una neblina roja de sangre.

Cuando mi mente se despejó, me encontré junto a los restos de los Grises cerca de la cumbre de la loma, y justo detrás de mí, ni más ni menos que al propio sir Henry. En ese momento no tenía ni idea de cómo había llegado hasta allí, pero sir Henry me contó después que fui arrastrado por la furiosa carga de los Búfalos casi hasta sus pies y que allí me quedé cuando ellos, a su vez, fueron rechazados. Entonces él salió del círculo y me empujó hasta el interior.

Con respecto al combate que siguió, ¿quién podría describirlo? Una y otra vez las multitudes embestían contra nuestro círculo momentáneamente reducido, y una y otra vez los hacíamos retroceder. Como dice el poeta en alguna parte:

> «Los tenaces lanceros aún competían
> con el bosque impenetrable y oscuro;
> ocupaban el lugar que dejaban
> sus camaradas cuando ellos caían».

Era un espectáculo espléndido ver aquellos valientes batallones saltar reiteradamente las barreras de sus muertos, protegiéndose a veces con los cadáveres de nuestros lanzazos, para que luego sus propios cadáveres se amontonaran en rápida sucesión. Era hermoso contemplar a aquel obstinado y viejo guerrero, Infadoos, tan sereno como si estuviera en un desfile, dar órdenes, vituperar, e incluso bromear, para mantener alta la moral de los pocos hombres que le quedaban y con cada embate dirigirse a donde la lucha era más reñida para ayudar a rechazarla. Y aún más hermoso era ver a sir Henry, cuyo penacho de plu-

Vituperar: Censurar, desaprobar, reprobar.

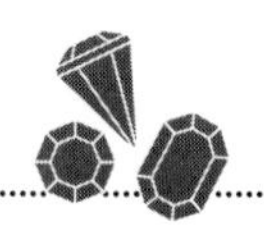

mas de avestruz había quedado tronchado por un lanzazo, de modo que su largo pelo rubio ondulaba al viento. Allí se erguía el gran danés, porque no era otra cosa con las manos, el hacha y la armadura rojos de sangre, y nadie sobrevivía a su arremetida. Una y otra vez lo vi abatir a los guerreros que se aventuraban a presentarle batalla, y a cada golpe gritaba: «*¡O-hoy! ¡O-hoy!*», como sus antepasados bersekires, y el golpe rompía con un crujido escudo y lanza, destrozaba el tocado de plumas, el pelo y el cráneo, de forma que ya nadie se acercaba de propio intento al gran *tatagi* (hechicero) blanco, que mataba sin errar.

Pero, de repente, se oyó «*Twala y Twala*», y de la masa de guerreros salió nada menos que el gigantesco rey tuerto en persona, también armado con hacha y escudo, y revestido de cota de malla.

—¿Dónde estás, *Incubu*, hombre blanco que asesinó a mi hijo Scragga? ¡A ver si puedes matarme a mí! —gritó, y al mismo tiempo lanzo una *tolla* a sir Henry, quien, por fortuna, la vio venir y la evitó con el escudo, que quedó atravesado; se hincó en la plancha de hierro de la parte posterior.

Entonces, con un alarido, Twala se abalanzó sobre él, y le asestó con el hacha un golpe en el escudo con tal ímpetu que, a pesar de ser un hombre fuerte, sir Henry cayó de rodillas.

Asestar: Descargar.

Pero de momento la cosa no fue más lejos, porque en ese instante surgió de los regimientos atacantes algo así como un gemido de desaliento, y al levantar la vista comprendí el motivo.

A derecha e izquierda, la llanura estaba animada por los penachos de plumas de los guerreros atacantes. Habían llegado los escuadrones que cubrían los flancos, para nuestro alivio. No podían haber elegido mejor momento. Como había predicho Ignosi, todo el ejército de Twala había fijado su atención en la sangrienta lucha que se desarrollaba en torno a los restos de los Grises y los Búfalos, que estaban librando una batalla por su cuenta a cierta distancia, regimientos que habían formado el centro de nuestro ejército. Hasta que las alas estuvieron a punto de cerrarse sobre ellos, no se apercibieron de su proximidad. Y entonces, antes de que pudieran adoptar una formación adecuada para la defensa, los «Impis» saltaron sobre sus flancos como perros de presa.

A los cinco minutos estaba decidida la suerte de la batalla. Atacados por ambos flancos y desmoralizados por la espantosa matanza que habían sufrido a manos de los Grises y los Búfalos, los regimientos de Twala se batieron en retirada, y muy pronto la llanura que se extendía entre la ciudad de Loo y nosotros quedó sembrada de grupos de soldados que huían. En cuanto a las fuerzas que nos habían rodeado a nosotros y a los «Búfalos» hacía escaso tiempo, se desvanecieron rápidamente como por arte de magia, y al poco nos quedamos solos, como una roca de la que se ha retirado el agua del mar. ¡Pero qué panorama! Todo alrededor los muertos y los moribundos yacían en montón, y de los valientes Grises solo quedaban vivos noventa y cinco hombres. De este regimiento habían caído más de dos mil novecientos, en su mayoría para no volver a levantarse.

—Hombres —dijo Infadoos con tranquilidad, mientras en los intervalos que dejaba para vendarse una herida del brazo supervisaba lo que quedaba de su regimiento—; habéis mantenido la reputación de nuestro regimiento, y los hijos de vuestros hijos hablarán de esta jornada de lucha —a continuación dio media vuelta y estrechó la mano de sir Henry—. Eres un gran hombre, *Incubu* —dijo sencillamente—; he vivido una larga vida entre guerreros, y he conocido a muchos hombres valientes, pero nunca he visto a ninguno como tú.

En ese momento, los Búfalos empezaron a desfilar junto a nosotros para dirigirse a Loo, y al tiempo nos llegó un mensaje de Ignosi en el que se nos pedía a

Infadoos, a sir Henry y a mí que nos reuniéramos con él. Así que, tras dar las órdenes necesarias para que los noventa Grises que quedaban recogieran a los heridos, nos reunimos con Ignosi, quien nos informó que iba a marchar sobre Loo para completar la victoria capturando a Twala si era posible. Antes de comenzar nuestra marcha, vimos a Good, que estaba sentado sobre un hormiguero a unos cien pasos de nosotros. A su lado se encontraba el cuerpo de un kukuana.

—Debe de estar herido —dijo sir Henry, inquieto.

Mientras hacía esta observación, ocurrió algo terrible. El cadáver del soldado kukuana, o lo que parecía ser su cadáver, se puso de pie repentinamente, derribó a Good del hormiguero y comenzó a asestarle lanzazos. Nos precipitamos hacia él aterrorizados, y al acercarnos vimos que el membrudo guerrero asestaba golpe tras golpe sobre el postrado Good, que ante cada aguijonazo agitaba los miembros en el aire. Al vernos venir, el kukuana dio un último golpe con toda su maldad al grito de: «¡Toma, hechicero!» y echó a correr. Good no se movió y llegamos a la conclusión de que nuestro pobre camarada había muerto. Nos acercamos a él tristemente y nos quedamos verdaderamente estupefactos al encontrarlo pálido y débil, pero con una serena sonrisa en los labios y el monóculo aún sujeto al ojo.

—Excelente armadura —murmuró al ver nuestras caras que se inclinaban sobre él—. Ese tipo debe de haber quedado agotado —dijo, y a continuación se desmayó.

Al examinarlo, observamos que tenía una herida grave en la pierna, producida por una *tolla,* pero que la cota de malla había impedido que la lanza del último atacante le hiciera poco más que unos rasguños. Había escapado de la muerte por los pelos. Como no podía hacerse nada por él de momento, lo colocamos en uno de los escudos que se utilizaban para transportar a los heridos y lo llevamos con nosotros.

Al llegar a la primera puerta de Loo, encontramos a uno de nuestros regimientos de guardia que obedecía las órdenes que habían recibido de Ignosi. Los demás regimientos también montaban guardia en las otras puertas de la ciudad. El oficial al mando del regimiento se acercó a nosotros, saludó a Ignosi como rey y le informó que el ejército de Twala se había refugiado en la ciudad, en tanto que el propio Twala había escapado, pero él pensaba que estaban completamente desmoralizados y se rendirían.

Ignosi, tras consultar con nosotros, envió emisarios a cada puerta, con la orden de que las abrieran los defensores, y prometió bajo palabra real conceder la vida y el perdón a todos los soldados que depusieran las armas. El mensaje no dejó de producir su efecto. Al poco rato, y entre los gritos y vítores de los Búfalos, el puente quedó tendido sobre el foso y las puertas del otro lado de la ciudad se abrieron de par en par.

Tras tomar las precauciones debidas en previsión de una posible traición, entramos en la ciudad. A lo largo de las calles había millares de guerreros desalentados, cabizbajos, con los escudos y las lanzas a sus pies, quienes, al pasar Ignosi, lo saludaron como rey. Seguimos caminando hacia el *kraal* de Twala. Al llegar a la explanada, en la que uno o dos días antes habíamos presenciado la revista de tropas y la caza de brujos, la encontramos desierta. Pero no completamente desierta, porque en el otro extremo, delante de su cabaña, estaba Twala sentado, con un único ayudante: Gagool.

Era un espectáculo triste verle allí sentado, con su hacha y su escudo a un lado, la barbilla sobre el pecho cubierto por la cota de malla, con una vieja apergaminada por única compañía, y, a pesar de sus crueldades y maldades, se apoderó de mí la compasión, al verle así «caído de su alto estado». No quedaba ni un solo soldado de sus ejércitos, ni un solo cortesano de los cientos que le habían adulado, ni una sola de sus

Adular: Halagar a uno servilmente para ganar su voluntad.

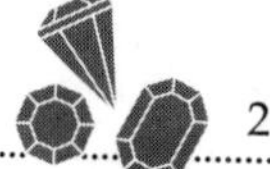

mujeres para compartir su suerte o para endulzar la amargura de su caída. ¡Pobre salvaje! Estaba aprendiendo la lección que el destino enseña a la mayoría de aquellos que viven lo suficiente: que los ojos de los humanos son ciegos para los vencidos, y que quien está indefenso y caído encuentra escasos amigos y poca piedad. En este caso, no merecía ninguna.

Entramos en fila por la puerta del *kraal* y atravesamos la explanada en la que estaba sentado el antiguo rey. Cuando se dio la orden de alto, el regimiento se paró a unas cincuenta yardas y, acompañados solo por una pequeña guardia, avanzamos hacia él, mientras Gagool nos increpaba amargamente. Al acercarnos, Twala levantó por primera vez su cabeza coronada de plumas, y clavó su único ojo, que parecía refulgir de furia contenida, casi con tanto brillo como el diamante que llevaba en la frente, sobre su rival, Ignosi.

Increpar: Reprender con dureza y severidad.

—¡Saludos, oh rey! —dijo con amarga burla—. Tú que has comido de mi pan, y que con la ayuda de la magia del hombre blanco has engañado a mis regimientos y vencido a mi ejército, ¡saludos! ¿Qué suerte me reservas, oh rey?

—¡La suerte que por ti corrió mi padre, cuyo trono has usurpado durante todos estos años! —contestó inexorable.

—Está bien. Te mostraré cómo se muere, para que lo recuerdes cuando llegue tu hora. Mira, el sol se esconde, ensangrentado —y señaló con su roja hacha de guerra hacia el globo que se ocultaba—; es bueno que mi sol se ponga con él. Y ahora, ¡oh rey!, estoy dispuesto a morir, pero invoco el privilegio de la casa real kukuana* de morir en combate. No puedes negármelo, o incluso esos cobardes que hoy han huido se avergonzarán.

* Entre los kukuanas existe una ley según la cual ningún hombre de sangre real puede ser enviado a la muerte a menos que dé su consentimiento que, por otra parte, nunca es negado. Se le permite elegir a varios antagonistas que ha de aprobar el rey, con los que lucha hasta que uno de ellos lo mata *(A. Q.)*.

—Otorgado. Elige. ¿Contra quién quieres luchar? Yo no puedo luchar contigo, porque el rey solo combate en la guerra.

El siniestro ojo de Twala recorrió nuestras filas y, cuando se posó en mí, sentí que la situación había adquirido nuevos tintes muy negros. ¿Y si me elegía *a mí* como adversario? ¿Qué oportunidades tendría yo contra un salvaje desesperado de seis pies y cinco pulgadas de altura, con una anchura proporcionada? Sería mejor suicidarme directamente. Decidí rápidamente negarme a combatir, incluso si ello implicaba que me expulsaran de Kukuanalandia. Creo que es mejor ser expulsado que hecho pedazos con un hacha de guerra.

Al cabo de unos instantes, Twala habló.

—*Incubu*, ¿que dices tú? ¿Quieres que terminemos lo que empezamos hoy o tendré que llamarte cobarde, hombre blanco, cobarde hasta los hígados?

—No —intervino Ignosi apresuradamente—; no vas a luchar con *Incubu*.

—No, si es que tiene miedo —dijo Twala.

Por desgracia, sir Henry comprendió sus palabras y la sangre afluyó a sus mejillas.

—Lucharé con él —dijo—; ya verá si le tengo o no miedo.

—Por el amor de Dios —atajé—; no arriesgue su vida contra la de un hombre desesperado. Cualquiera que le haya visto a usted hoy sabe que no es un cobarde.

—Lucharé con él —respondió, hosco—. Ningún hombre sobre la faz de la tierra puede llamarme cobarde. ¡Estoy dispuesto!

Hosco: Ceñudo, áspero e intratable.

Dio unos pasos al frente y levantó su hacha.

Me retorcí las manos ante aquel absurdo acto de quijotismo. Pero, si estaba decidido a luchar, yo no podía impedírselo.

Quijotismo: Condición de quijote, hombre que pugna con los usos corrientes, que quiere ser juez o defensor de cosas que no le atañen, por excesivo amor a lo ideal.

—No luches, hermano blanco —dijo Ignosi, posando su mano con cariño en el brazo de sir Henry—; ya

has peleado bastante y, si te viera morir por su mano, mi corazón se partiría en dos pedazos.

—Voy a luchar, Ignosi —replicó sir Henry.

—Está bien, *Incubu*. Eres un hombre valiente. Será un buen combate. Mira: Twala, el elefante, está dispuesto.

El rey depuesto soltó una estruendosa carcajada, dio unos pasos al frente y se encaró con Curtis. Se quedaron en esa posición durante unos momentos y el sol poniente inundó de luz sus fornidos cuerpos y los revistió de fuego. Formaban una buena pareja.

Empezaron a caminar en círculo uno frente a otro, con las hachas levantadas.

De repente, sir Henry se abalanzó hacia adelante y descargó un golpe terrible sobre Twala, que se hizo a un lado. El golpe fue tan fuerte que sir Henry casi perdió el equilibrio, circunstancia que aprovechó su adversario inmediatamente. Hizo girar la pesada hacha sobre su cabeza y la descargó con tremenda fuerza. El corazón me dio un salto en el pecho; pensé que todo había terminado. Pero no; con un rápido movimiento ascendente del brazo izquierdo, sir Henry interpuso el escudo entre su cuerpo y el hacha, con el resultado de que un trozo del escudo quedó cortado limpiamente y el hacha cayó sobre su hombro izquierdo, pero no con la suficiente fuerza como para producirle una herida grave. A los pocos segundos, sir Henry descargó otro golpe, que Twala también esquivó con el escudo. A continuación se produjo un golpe tras otro, que eran recibidos por los escudos o esquivados. La excitación se hizo muy intensa; el regimiento, que contemplaba el combate, olvidó la disciplina y, acercándose, empezó a gritar y a gemir a cada embestida. Justo en ese momento, Good, que hasta entonces había estado tendido junto a mí, recobró el sentido, se incorporó, me agarró por el brazo y empezó a caminar a la pata coja, arrastrándome tras él, lanzando gritos de ánimo a sir Henry.

—¡Dele, muchacho! —vociferó—. ¡Buen golpe! ¡Dele fuerte! —y cosas por el estilo.

Sir Henry, tras parar un nuevo golpe con el escudo, se abalanzó con todas sus fuerzas. La arremetida atravesó el escudo de Twala y la cota de malla, y lo hirió en el hombro. Con un alarido de dolor y furia Twala devolvió el golpe, con tal fuerza que partió el mango de cuerno de rinoceronte del hacha de su adversario, a pesar de estar guarnecido con bandas de acero, e hirió a Curtis en la cara.

Guarnecer: Dotar, proveer, equipar.

Un grito de desaliento brotó de las gargantas de los «Búfalos» al caer al suelo la ancha hoja del hacha de nuestro héroe; y Twala, alzando de nuevo su arma, se lanzó sobre él con un grito. Cerré los ojos. Cuando volví a abrirlos, fue para ver el escudo de sir Henry en el suelo y al propio sir Henry con los brazos entrelazados en torno a la cintura de Twala. Oscilaban de uno a otro lado, arremetían uno contra otro como osos, tensaban sus poderosos músculos para salvar la amada vida y el aún más amado honor. Con un supremo esfuerzo, Twala hizo perder pie al inglés y cayeron los dos juntos, rodando de un lado a otro sobre el pavimento de tierra apisonada. Twala asestaba golpes con su hacha a la cabeza de Curtis, y sir Henry trataba de atravesar la armadura de Twala con la *tolla* que había sacado de su cinturón.

Era un combate terrible, un espectáculo espantoso.

—¡Quítele el hacha! —bramó Good, y quizá nuestro héroe le oyó.

Sea como fuere, dejó caer la *tolla* e intentó agarrar el hacha, que estaba sujeta a la muñeca de Twala por una banda de cuero de búfalo y, aún rodando de un lado a otro, lucharon por ella como gatos salvajes, con jadeos entrecortados. De pronto se rompió la cinta de cuero y, con un esfuerzo sobrehumano, sir Henry se liberó con el arma en su poder. Unos segundos después se encontraba de pie, chorreándole roja sangre de la herida de la cara, y lo mismo Twala. Este sacó la pesada *tolla* del cinturón y asestó un golpe a Curtis que le alcanzó en el pecho. El golpe dio en el blanco, con gran fuerza, pero quienquiera que hubiese hecho la cota de malla conocía su oficio, porque el acero la rechazó. Twala volvió a acometerlo con un salvaje alarido y el pesado cuchillo volvió a rebotar, y sir Henry retrocedió trastabillando. Una vez más arremetió Twala contra él, y al mismo tiempo el enorme inglés hizo acopio de energías, giró el hacha sobre su cabeza y le acometió con todas sus fuerzas.

Un grito de expectación surgió de mil gargantas, y ¡he aquí el resultado!: la cabeza de Twala cayó, salió rodando y rebotando por el suelo hacia donde se encontraba Ignosi y se detuvo a sus pies. Durante unos momentos, el cadáver se mantuvo de pie, con la sangre saliendo a borbotones de las arterias cercenadas; después, con un crujido sordo cayó al suelo, y la gargantilla de oro que rodeaba el cuello cayó rodando por el pavimento. Al mismo tiempo, agotado por la debilidad y la pérdida de sangre, sir Henry se desmayó y cayó pesadamente.

Cercenada: Cortada.

Lo levantaron inmediatamente y muchas manos solícitas le mojaron el rostro con agua. Sus grandes ojos grises se abrieron de par en par.

No estaba muerto.

Entonces, mientras se ponía el sol, me acerqué a donde yacía la cabeza de Twala, desaté el diamante de la frente del muerto y se lo tendí a Ignosi.

—Tómalo —dije—, legítimo rey de los kukuanas.

Ignosi se colocó la diadema en la frente, después puso un pie sobre el ancho pecho de su enemigo decapitado e inició un cántico, o más bien un himno triunfal, tan hermoso, y sin embargo tan salvaje, que no tengo esperanzas de poder dar una idea de lo que decía. En una ocasión oí a un erudito que poseía una bonita voz leer en voz alta unos pasajes del poeta griego Homero[2], y recuerdo que el sonido de los versos parecieron inmovilizar mi sangre. El cántico de Ignosi, pronunciado en un idioma tan bello y sonoro como el griego, provocó el mismo efecto en mí, aunque me encontraba agotado de tantos trajines y tantas emociones.

—*Ahora* —empezó a decir— *nuestra rebelión ha sido coronada por la victoria, y nuestras maldades quedan justificadas por la fuerza.*

Por la mañana, los opresores se levantaron y se desplegaron, se endosaron sus penachos y se prepararon para el combate.

Se levantaron y cogieron sus lanzas; los soldados dijeron a sus capitanes: «Vamos, guiadnos»... y los capitanes gritaron al rey: «Dirige tú la batalla».

Se levantaron llenos de orgullo; veinte mil hombres y aún veinte mil más.

Sus penachos de plumas cubrieron la tierra como las plumas de un pájaro cubren su nido; agitaron sus lanzas y gritaron; blandieron sus lanzas al sol; anhelaban la batalla y estaban contentos.

Blandir: Mover un arma u otra cosa con aire amenazador.

Se alzaron contra mí; los más fuertes avanzaron rápidamente para aplastarme. Gritaron: «¡Ja, ja, ja! Puedes darte por muerto».

Entonces yo lancé mi aliento sobre ellos; y mi aliento fue como el aliento de una tormenta, y ¡hete aquí que dejaron de existir!

Mis rayos lo atravesaron. Destruí su fuerza con los rayos de mis lanzas; los hice caer a tierra con el trueno de mi voz.

Huyeron, se dispersaron, desaparecieron como la neblina de la mañana.

[2] Homero, poeta griego, considerado por la tradición como autor de la *Ilíada* y la *Odisea*. Muchas ciudades griegas (Esmirna, Argos, Atenas, Salamina, Quíos, Rodas, etc.) se disputaron el honor de haber sido su cuna. Ciego y mendigo, habría peregrinado de ciudad en ciudad recitando y cantando sus versos. No se puede establecer con certeza cuándo vivió, aunque se conjetura que fue en entre el año 1000 y el 6000 antes de Cristo.

Son pasto de los cuervos y los zorros, y el campo de batalla ha engordado con su sangre.

¿Dónde están los poderosos que se levantaron esta mañana?

Reclinan la cabeza, pero no están dormidos; yacen, pero no duermen.

Han sido olvidados; han entrado en las tinieblas y de allí no regresarán. Sí, otros se llevarán a sus mujeres, y sus hijos no volverán a recordarlos.

Y yo, ¡el rey!, he hallado mi nido como el águila.

¡Escuchad! He vagado durante mucho tiempo en la noche, pero he regresado con mis pequeños al despuntar el alba.

Cobíjate a la sombra de mis alas, oh pueblo, y yo te protegeré y no serás débil.

Es esta una buena hora; la hora del botín.

Míos son los ganados que pacen en los valles; las vírgenes de los kraals *también son mías.*

Ya ha pasado el invierno y el verano está próximo.

Ahora el Mal ocultará su rostro y la Prosperidad florecerá en la tierra como un lirio.

¡Regocíjate, regocíjate, pueblo mío! Que toda la tierra se regocije porque el tirano ha caído y yo soy ahora el rey.

Se detuvo, y la muchedumbre allí congregada estalló en un profundo grito:

—*¡Tú eres el rey!*

Y así fue como la profecía que le hice al emisario se convirtió en realidad, y al cabo de cuarenta y ocho horas el cadáver decapitado de Twala se ponía rígido a la puerta de su cabaña.

CAPÍTULO 15

Good cae enfermo

Cuando hubo acabado la pelea, llevaron a sir Henry y a Good a la cabaña de Twala, donde me reuní con ellos. Ambos estaban completamente agotados por el esfuerzo y la pérdida de sangre, y, francamente, mi estado no era mucho mejor. Soy muy resistente y puedo soportar más fatigas que la mayoría de los hombres, quizá debido a mi escaso peso y al largo entrenamiento, pero aquella noche me encontraba absolutamente rendido y, como me ocurre siempre que estoy agotado, empezó a dolerme la vieja herida que me infligió el león. Asimismo, me dolía terriblemente la cabeza, debido al golpe que había recibido por la mañana, cuando me dejaron sin sentido. Además, habría sido difícil encontrar a un trío más desdichado que el que formábamos aquella noche; nuestro único consuelo consistía en la idea de que teníamos mucha suerte por encontrarnos allí para poder sentirnos desdichados, en lugar de yacer muertos en la llanura, como lo estaban aquella noche tantos miles de hombres valientes que se habían levantado por la mañana sanos y fuertes.

De una u otra forma, y con la ayuda de la hermosa Foulata, que, desde que le salvamos la vida, se había convertido por propia voluntad en nuestra sirvienta, sobre todo de Good, nos las arreglamos para quitarnos las cotas de malla, que, sin duda, habían salvado la vida de dos de nosotros aquel día. Descubrimos que teníamos el cuerpo terriblemente magullado, porque, a pesar de que las anillas de acero habían evitado que traspasaran las armas, no habían evitado las magulladuras. Tanto sir Henry como Good estaban cubiertos de moratones de pies a cabeza, y no se puede decir que yo hubiese salido bien parado. Para curarnos, Foulata trajo unas hojas verdes machacadas, que despedían un fuerte aroma y que, aplicadas como cataplasma, nos proporcionaron un alivio considerable. Pero aunque las magulladuras eran dolorosas, no eran tan angustiosas como las heridas de sir Henry y Good. Este último tenía un agujero en la parte más carnosa de una de sus «hermosas piernas blancas», por la que había perdido gran cantidad de sangre, y sir Henry tenía una profunda hendidura en la mandíbula, producida por el hacha de Twala. Por suerte, Good era un cirujano bastante aceptable, y en cuanto le llevaron su pequeño botiquín, tras limpiar perfectamente las heridas, se las ingenió para coser primero las de sir Henry y después las suyas de forma bastante satisfactoria, teniendo en cuenta la escasa luz que proporcionaba la primitiva lámpara kukuana que había en la choza. Luego cubrió las heridas con un ungüento antiséptico que contenía un bote del botiquín y las vendamos con los restos de un pañuelo que teníamos.

Cataplasma: Composición de consistencia blanda, que se aplica a una parte del cuerpo como emoliente o calmante.

Antiséptico: Desinfectante.

Entre tanto, Foulata nos había preparado un sustancioso caldo, porque estábamos demasiado cansados para comer. Lo tomamos y después nos tumbamos sobre los montones de magníficos *kaross*, o tapices de piel, que estaban sembrados por el suelo de la gran cabaña del rey muerto. Por una extraña ironía del destino, fue en un colchón de Twala, y arropado con el propio *kaross* de Twala, donde durmió aquella noche sir Henry, el hombre que lo había matado.

He dicho dormir, pero después de aquella jornada de fatigas, dormir resultaba realmente difícil. En primer lugar, el aire estaba lleno, a decir verdad,

de adioses a los moribundos
y lamentos por los muertos.

Desde todas partes llegaba el sonido de los gemidos de las mujeres cuyos maridos, hijos y hermanos habían perecido en la lucha. No es de extrañar que gimiesen, porque en aquella espantosa batalla habían sido aniquilados más de veinte mil hombres, casi la tercera parte del ejército kukuana. Desgarraba el corazón oír el llanto por aquellos que no regresarían jamás, y hacía comprender todo el horror de la tarea realizada aquella noche por las ambiciones humanas. No obstante, hacia la medianoche, el incesante llanto de las mujeres se hizo menos frecuente, hasta que, finalmente, el silencio solo quedó roto a intervalos de unos cuantos minutos por un aullido largo y agudo que provenía de una cabaña cercana; más tarde descubrí que era Gagool, que se lamentaba por Twala, el rey muerto.

Después me sumí en un sueño inquieto, del que me despertaba de vez en cuando sobresaltado, creyendo que una vez más tomaba parte en los terribles acontecimientos de las últimas veinticuatro horas. Unas veces veía al guerrero del que había dado cuenta con mis propias manos, que cargaba contra mí en la cumbre de la colina; otras veces me encontraba en el glorioso círculo de Grises, que llevaron a cabo su inmortal carga contra todos los regimientos de Twala, sobre la pequeña elevación de tierra, y otras veces veía la empenachada y ensangrentada cabeza de Twala rodar a mis pies con los dientes apretados y el ojo centelleante. Por fin acabó la noche, pero cuando despuntó el alba descubrí que mis compañeros no habían dormido mucho mejor que yo. De hecho, Good tenía una fiebre muy alta, y al poco tiempo empezó a delirar, y también a escupir sangre, como resultado, sin duda, de alguna herida interna provocada por los esfuerzos desesperados del guerrero kukuana por atravesar con la lanza su cota de malla el día anterior. Sir Henry, no obstante, parecía estar en buen estado, a pesar de la herida de la cara, que le dificultaba comer y le impedía reír; pero estaba tan dolorido y rígido que apenas podía moverse.

Alrededor de las ocho recibimos la visita de Infadoos, que no parecía encontrarse demasiado mal, a pesar de ser guerrero viejo, por los esfuerzos realizados el día anterior, y nos dijo que había estado despierto toda la noche. Quedó encantado de vernos, pero se afligió mucho al ver el estado en que se encontraba Good, y nos estrechó la mano cordialmente. Observé que se dirigía a sir Henry con una especie de reverencia, como si pensara que era algo más que un hombre, y en efecto, como averiguamos más adelante, en toda Kukuanalandia se consideraba al gran caballero inglés como un ser sobrenatural. Los soldados decían que un hombre no podía luchar como él lo había hecho ni, tras tanta fatiga y pérdida de sangre, matar en combate singular a Twala —que, además de ser el rey, era supuestamente el guerrero más fuerte de Kukuanalandia—, ni cortarle su cuello de toro de un solo hachazo. En realidad, aquel hachazo se hizo proverbial en Kukuanalandia, y desde entonces se dio el nombre de «golpe de *Incubu*» a cualquier golpe o hazaña extraordinarios.

Infadoos también nos dijo que todos los regimientos de Twala se habían sometido a Ignosi, y que empezaban a someterse todos los jefes del país. La muerte de Twala a mano de sir Henry había acabado con cualquier posibilidad de rebelión, porque Scragga era hijo único y no quedaba vivo ningún aspirante al trono.

Observé que Ignosi había accedido al trono con derramamiento de sangre. El anciano jefe se encogió de hombros.

—Sí —replicó—; pero el pueblo kukuana solo está tranquilo si corre la sangre de cuando en cuando. En verdad han muerto muchos, pero quedan las mujeres, y pronto crecerán más hombres que ocuparán el lugar de los que han caído. Después de esto, el país estará en calma durante un tiempo.

En el transcurso de la mañana, recibimos una corta visita de Ignosi, cuya frente estaba ceñida por la diadema real. Mientras observaba cómo avanzaba hacia nosotros con regia dignidad, con un guardia que seguía sus pasos, no pude evitar recordar al zulú de alta estatura que se presentara ante nosotros en Durban unos meses atrás, pidiendo que le tomásemos a nuestro servicio, y me puse a reflexionar sobre las extrañas vueltas que da la rueda de la fortuna.

—Salve, ¡oh rey! —dije, poniéndome de pie.

—Sí, Macumazahn. Al fin soy rey, gracias a vuestros esfuerzos —contestó rápidamente.

Según dijo, todo marchaba bien y esperaba preparar una gran fiesta dentro de dos semanas para presentarse ante el pueblo.

Le pregunté qué había decidido hacer con Gagool.

—Es el genio maléfico de esta tierra —contestó—. ¡Voy a matarla, y con ella a todos los hechiceros! Ha vivido tanto que nadie la recuerda cuando era joven, y siempre ha sido ella quien ha enseñado a las cazadoras de brujos, y la que ha hecho que el mal asolase nuestra tierra bajo la mirada de los cielos.

—Pero sabe mucho —repliqué—. Es más fácil destruir la sabiduría que obtenerla, Ignosi.

—Así es —dijo, pensativo—. Ella y solo ella conoce el secreto de las Tres Brujas de allá lejos, por donde discurre la gran carretera, donde están enterrados los reyes, y donde vigilan los Silenciosos.

—Sí, y donde están los diamantes. No olvides tu promesa, Ignosi; tienes que llevarnos hasta las minas, aunque te veas obligado a perdonar la vida a Gagool para que nos indique el camino.

—No la olvidaré, Macumazahn. Pensaré en lo que has dicho.

Tras la visita de Ignosi fui a ver a Good, y lo encontré delirando. La fiebre provocada por su herida parecía haberse apoderado de su organismo y haberse complicado con una lesión interna. Durante cuatro o cinco días su estado fue crítico. En verdad creo firmemente que, de no haber sido por los cuidados infatigables de Foulata, habría muerto.

Las mujeres son siempre mujeres, en cualquier parte del mundo, cualquiera que sea su color. Pero resultaba curioso ver a aquella belleza negra inclinada noche y día sobre el colchón del hombre febril y dedicándole todos los cuidados con tanta rapidez, dulzura y fino instinto como una enfermera diplomada. Las dos primeras noches intenté ayudarla, y lo mismo hizo sir Henry en cuanto pudo moverse, pero ella soportaba nuestras intromisiones con impaciencia, y finalmente insistió en que lo dejásemos en sus manos, diciendo que nuestros movimientos le impedían descansar, lo que yo creo que era cierto. Día y noche vigilaba y lo atendía, le suministraba una sola medicina, una bebida nativa refrescante, hecha con leche mezclada con una infusión de bulbo de una especie de tulipán, y evitaba que las moscas se posaran sobre él. Aún puedo ver la escena tal y como la presencié noche tras noche a la luz de nuestra primitiva lámpara: Good se agitaba inquieto, el rostro demacrado y los ojos brillantes, enormes y luminosos, balbuciendo disparates, y a su lado, sentada en el suelo, con la espalda apoyada contra la pared de la cabaña, la belleza kukuana de ojos dulces y cuerpo bien formado, con el rostro preocupado, iluminado por una infinita compasión, ¿o acaso era algo más que compasión?

Balbucir: Hablar articulando las palabras de una manera vacilante y confusa, como los niños, por defecto natural o a causa de alguna emoción.

Durante dos días pensamos que Good moriría y nos arrastrábamos de un lado a otro con el corazón acongojado. Solo Foulata no lo creía.

—Vivirá —decía.

A trescientas yardas a la redonda, o quizá más, de la cabaña de Twala, en la que yacía el enfermo, el silencio era absoluto, ya que, por orden del rey, todos los que vivían en los aposentos que había detrás, excepto sir Henry y yo, se habían trasladado a otro lugar, para que ningún ruido llegara a oídos del herido. Una noche, la quinta desde que Good estaba enfermo, fui a la cabaña, según mi costumbre, a ver cómo seguía, antes de acostarme.

Entré con precaución. La lámpara situada en el suelo me dejó ver a Good, que ya no se agitaba, sino que yacía inmóvil.

¡Así que había llegado el desenlace! Con el corazón lleno de amargura emití algo parecido a un sollozo.

—Shhh, shh —se oyó el susurro que procedía de la mancha de oscuridad detrás de la cabeza de Good.

Entonces me acerqué un poco más, cauteloso, y vi que no estaba muerto, sino profundamente dormido; los finos dedos de Foulata sujetaban firmemente su pobre mano blanca. La crisis había pasado y viviría. Siguió durmiendo así durante dieciocho horas; y no me gusta decirlo, porque quizá no me crean, pero durante todo ese tiempo, la muchacha estuvo sentada junto a él, por temor a que, si se movía y retiraba la mano, se despertaría. Nadie puede saber lo mucho que debió de sufrir la pobre a causa de los calambres y el cansancio, por no hablar de la falta de alimento; pero el hecho es que, cuando él despertó al fin, tuvieron que llevársela: sus miembros estaban tan rígidos que no podía moverse.

Una vez iniciado el cambio favorable, la recuperación de Good fue rápida y completa. Hasta que no se encontró casi perfectamente, sir Henry no le contó todo lo que le debía a Foulata; y cuando le relató cómo había estado sentada a su lado durante dieciocho horas, temiendo despertarlo si se movía, los ojos del honrado marino se llenaron de lágrimas. Dio media vuelta y se dirigió a la cabaña en que Foulata preparaba la comida de mediodía (ya habíamos vuelto a nuestro cuartel general). Me llevó con él para que hiciese de intérprete en caso de que no pudiera explicarse con claridad; aunque debo decir que, en líneas generales, la muchacha lo entendió estupendamente, teniendo en cuenta la extraordinaria limitación del vocabulario kukuana de Good.

—Dígale —me indicó Good— que le debo la vida, y que nunca olvidaré su dulzura.

Traduje y bajo su oscura piel me pareció que se ruborizaba.

Volviéndose hacia él con uno de sus movimientos rápidos y graciosos que en ella siempre me recordaban el vuelo de un pájaro silvestre, contestó dulcemente, mirándole con sus grandes ojos oscuros:

—No, mi señor. ¡Mi señor lo olvidará! ¿No salvó él *mi* vida, y acaso no soy yo la sirvienta de mi señor?

Habrán observado que la joven parecía haber olvidado por completo que sir Henry y yo habíamos tomado parte en salvarla de las garras de Twala. ¡Pero así son las mujeres! Recuerdo que mi querida esposa era exactamente igual. Me retiré con el corazón entristecido. No me gustaban las dulces miradas de la señorita Foulata, porque conozco la inclinación enamoradiza, que resulta funesta, de los marinos en general y de Good en particular.

He descubierto que hay dos cosas en el mundo que no pueden evitarse: no se puede impedir a un zulú que luche ni que un marino se enamore ante la mínima incitación.

Pocos días después de este suceso, Ignosi celebró su gran *indaba* (consejo) y fue reconocido oficialmente como rey por los *indunas* (hombres principales) de Kukuanalandia. El espectáculo era sumamente impresionante, y en él se incluía una gran revista de tropas. Aquel día desfilaron los restos del regimiento de Grises, y ante todo el ejército se les agradeció su espléndida conducta durante la gran batalla. El rey regaló a cada guerrero ganado en abundancia, y los ascendió a todos al rango de oficiales del nuevo regimiento de Grises, que estaba en proceso de formación. También se promulgó un edicto a lo largo y ancho de Kukuanalandia, por el que, mientras honrásemos al país con

Edicto: Mandato, decreto publicado por la autoridad competente.

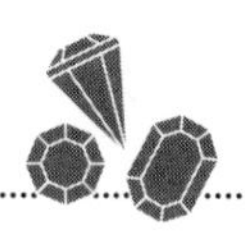

nuestra presencia, debían saludarnos a nosotros tres con el saludo real, tratarnos con la misma ceremonia y el mismo respeto debidos al rey, y se nos confería públicamente el poder de la vida y la muerte. Además, Ignosi, ante todo el pueblo, reafirmó las promesas que nos había hecho respecto a que no se derramaría la sangre de ningún hombre sin haberlo juzgado y respecto al cese de la caza de brujos en el país.

Cuando hubo acabado la ceremonia, esperamos a Ignosi, y le informamos de que deseábamos investigar el misterio de las minas por las que discurría la carretera de Salomón, y le preguntamos si había descubierto algo en ellas.

—Amigos míos —contestó—, he descubierto lo siguiente. Allí es donde se encuentran las tres grandes estatuas, llamados los Silenciosos, a quien Twala quiso ofrecer a Foulata en sacrificio. También es allí donde se encuentran enterrados los reyes de este país, en una cueva excavada a gran profundidad. Allí encontraréis el cadáver de Twala, con aquellos que dejaron de existir antes que él. También allí hay un gran foso, abierto por unos hombres de época remota, que quizá fueron en busca de las piedras de las que habláis, como he oído decir en Natal a varios hombres. También allí, en el Lugar de la Muerte, se encuentra una cámara secreta, que nadie conoce, excepto el rey y Gagool. Pero Twala, que la conocía, ha muerto, y yo no la conozco, ni sé lo que en ella hay. Pero existe una leyenda en esta tierra según la cual muchas generaciones atrás, un hombre blanco atravesó las montañas, y una mujer lo llevó hasta la cámara secreta y le mostró las riquezas que contenía, pero antes de que pudiera cogerlas, la mujer lo traicionó y el rey que por entonces reinaba lo obligó a regresar, y desde entonces ningún hombre ha entrado en la cámara.

—Seguramente esa historia es cierta, Ignosi, porque encontramos al hombre blanco en las montañas —dije.

—Sí, así es. Y ahora os prometo que, si encontráis la cámara y las piedras están allí...

—La piedra que llevas en la frente demuestra que están allí —apunté, señalando el gran diamante que había recogido de la frente del rey muerto.

—Puede ser. Si están allí —prosiguió—, tendréis todas las que podáis llevaros, si es que realmente me dejáis, hermanos míos.

—Primero tenemos que encontrar la cámara —dije.

—Solo hay una persona que puede llevaros hasta allí: Gagool.

—¿Y si no quiere hacerlo?

—Entonces, morirá —dijo Ignosi, severo—. Solo la he dejado vivir por este motivo. Esperad. Que elija.

Llamó a su emisario y ordenó que trajera a Gagool. Llegó al cabo de unos minutos, conducida por dos guardias, a quienes maldecía.

—Dejadla —dijo el rey a los guardias.

En cuanto se retiraron los hombres que la sujetaban y le servían de apoyo, aquel viejo fardo marchito —porque parecía un fardo más que otra cosa— cayó al suelo como un trapo, en el que brillaban sus ojos malvados como los de una serpiente .

Fardo: Bulto, lío, atadijo.

—¿Qué quieres de mí, Ignosi? No te atrevas a tocarme. Si me tocas, os despedazaré a todos. Guárdate de mi magia.

—Tu magia no pudo salvar a Twala, vieja loba, y a mí no me hará ningún daño —contestó—. Escucha: lo que deseo de ti es que reveles dónde está la cámara en que se encuentran las piedras brillantes.

—¡Ja, ja! —pió—. Solo yo lo sé y no te lo diré jamás. Los diablos blancos se irán de aquí con las manos vacías.

—Me lo dirás. Te obligaré a decírmelo.

—¿Cómo, oh rey? Eres grande, ¿pero puede arrancar tu poder la verdad a una mujer?

—Es difícil, pero lo haré.

—¿Cómo, oh rey?

—Así: si no lo dices, morirás lentamente.

—¡Morir! —chilló, aterrorizada y furiosa—. No te atrevas a tocarme; tú no sabes quién soy. ¿Cuántos años crees que tengo? Yo conocí a tus padres y a los padres de los padres de tus padres. Cuando el país era joven, estaba yo aquí; y cuando el país sea viejo, aquí estaré todavía. No puedo morir, a no ser que me maten por casualidad, porque no hay nadie que se atreva a asesinarme.

—Pues yo te asesinaré. Mira, Gagool, madre del mal, eres tan vieja que ya no puedes amar la vida. ¿Qué significa la vida para una bruja como tú, que no tiene forma, ni pelo, ni dientes; que no tiene nada, excepto maldad y ojos malignos? Será un acto de piedad matarte, Gagool.

—¡Loco! —chilló aquel viejo demonio—. ¡Loco maldito! ¿Acaso piensas que la vida es dulce solo para los jóvenes? No es así y, si eso piensas, es que nada sabes del corazón humano. Los jóvenes a veces acogen de buen grado la muerte, porque los jóvenes tienen sentimientos. Aman y sufren, y esto los apremia a desear la entrada en la tierra de las sombras. Pero los viejos no sienten, no aman, y, *¡ja, ja!*, ríen al ver el mal que se hace bajo el sol. Todo lo que aman es la vida, el sol cálido y el aire dulce. Temen el frío, temen el frío y la oscuridad; *¡ja, ja, ja!*

Y la vieja bruja se convulsionó en el suelo, llena de espeluznante júbilo.

Espeluznante: Que hace erizarse el cabello, generalmente por horror o miedo. Pavoroso, terrorífico.

—Deja de proferir palabras malvadas y contesta a mi pregunta —dijo Ignosi, encolerizado—. ¿Mostrarás el lugar en que se encuentran las piedras o no? Si no lo haces, morirás ahora mismo.

Ignosi cogió una lanza y la blandió sobre la cabeza de Gagool.

—No lo haré; no te atrevas a matarme; no te atrevas. El que me mate será maldito para siempre.

Ignosi hizo descender la lanza lentamente hasta pinchar el postrado montón de harapos.

Con un salvaje alarido, Gagool se puso de pie; volvió a caer y rodó por el suelo.

—¡Sí, te la mostraré! Pero déjame vivir, déjame sentarme al sol y comer un poco de carne y te la enseñaré.

—Está bien. Ya sabía yo que encontraría la forma de hacerte razonar. Mañana irás con Infadoos y con mis hermanos blancos a aquel lugar y procura no equivocarte, porque, si no se lo enseñas, entonces morirás lentamente. He dicho.

—No me equivocaré, Ignosi. Siempre cumplo mi palabra. *¡Ja, ja, ja!* Una vez, hace tiempo, una mujer mostró la cámara a un hombre blanco y la desgracia cayó sobre él —en ese momento sus malignos ojos centellearon—. Aquella mujer también se llamaba Gagool. Quizá era yo.

—Mientes —dije—; eso ocurrió hace diez generaciones.

—Quizá, quizá. Cuando se vive mucho tiempo, las cosas se olvidan. Quizá me lo dijo la madre de mi madre; sin duda también se llamaba Gagool. Pero reparad en que encontraréis en el lugar en que se hallan los juguetes brillantes una bolsa de cuero llena de piedras. Aquel hombre llenó la bolsa, pero no se la llevó. La desgracia cayó sobre él. ¡Os digo que la desgracia cayó sobre él! Quizá me lo dijo la madre de mi madre. Será un viaje alegre. Veremos los cuerpos de los que murieron en la batalla Las cuencas de sus ojos estarán vacías y sus costillas desnudas. *¡Ja, ja, ja!*

Cuenca: Cavidad en que está cada uno de los ojos.

Capítulo 16

El lugar de la Muerte

Al anochecer del tercer día, después de la escena descrita en el capítulo anterior, acampamos en unas cabañas al pie de las Tres Brujas, como llamaban el triángulo de montañas en que acababa la gran carretera de Salomón. El grupo estaba compuesto por nosotros tres y Foulata, que cuidaba de nosotros, especialmente de Good; por Infadoos y por Gagool, a quien llevaban en una litera, en cuyo interior la oía murmurar y blasfemar durante todo el día, y por un grupo de guardias y sirvientes.

Litera: Vehículo antiguo, a manera de caja de coche, para ser llevado por hombres o caballerías.

Las montañas, o más bien los tres picos de las montañas, porque la mole era a todas luces producto de un solo movimiento de tierras, tenían, como ya he dicho, forma de triángulo; la base miraba hacia nosotros, había un pico a nuestra derecha, otro, a la izquierda, y el tercero, frente a nosotros. Nunca olvidaré el espectáculo que ofrecían aquellos tres picos imponentes a la luz del sol naciente del siguiente día.

En lo alto, muy por encima de nuestras cabezas, recortados contra el azul del cielo, se elevaban sus sinuosas guirnaldas de nieve. Por debajo de la nieve, los picos adquirían un color púrpura, debido a los matorrales, al igual que los páramos que ascendían en pendiente hacia las laderas. Justo delante de nosotros se extendía la cinta blanca de la gran carretera de Salomón, que llegaba hasta el pie del pico central, a unas cinco millas, y allí se detenía. Aquel era su punto final.

Páramo: Terreno yermo, raso y desabrigado.

Será mejor que deje que el propio lector imagine los sentimientos de intensa excitación que nos embargaban mientras caminábamos aquella mañana. Por fin nos acercábamos a las prodigiosas minas que habían sido la causa de la miserable muerte del viejo portugués, tres siglos atrás; de mi pobre amigo, su desgraciado descendiente, y también, según temíamos, de George Curtis, hermano de sir Henry. ¿Estaríamos destinados nosotros, después de todo lo que habíamos pasado, a correr la misma suerte? La maldición había caído sobre ellos: ¿caería también sobre nosotros? Por alguna razón, mientras subíamos el último tramo de la hermosa carretera, no pude evitar un cierto sentimiento de superstición sobre el asunto, y creo que lo mismo les ocurrió a Good y a sir Henry.

Ascendimos penosamente la carretera bordeada de matorrales durante una hora y media o más; caminábamos tan deprisa a causa de la excitación, que los portadores de la litera de Gagool apenas podían seguir nuestro paso, y su ocupante gritaba continuamente para que nos detuviésemos.

—Id más despacio, hombres blancos —dijo, asomando su horrible rostro por entre las cortinas y clavando sus ojos centelleantes en nosotros—. ¿Por qué corréis al encuentro de la maldición que ha de caer sobre vosotros, buscadores de tesoros?

Soltó una de esas terribles carcajadas suyas, que indefectiblemente me producían un escalofrío que recorría mi espina dorsal, y que durante un rato consiguió que se enfriara nuestro entusiasmo.

Indefectiblemente: De un modo que no puede faltar o dejar de ser.

Pero seguimos caminando, hasta que ante nosotros vimos un amplio hoyo circular de laderas empinadas que se extendía entre nosotros y el pico, de unos trescientos pies de profundidad y media milla de circunferencia.

—¿No se imaginan lo que es eso? —pregunté a sir Henry y a Good, que contemplaban estupefactos aquel espantoso foso.

Negaron con la cabeza.

—Es evidente que nunca han visto las minas de diamantes de Kimberley[1]. Pueden apostar cualquier cosa a que son las minas de diamantes del rey Salomón. Miren —dije, señalando los estratos de arcilla dura y azul que aún podían verse entre la hierba y los arbustos que cubrían los bordes del foso—, es la misma formación. Estoy seguro de que si bajamos ahí encontraremos «tubos» de roca saponácea. Y miren —concluí, señalando una serie de rocas planas situadas en una suave pendiente, bajo el nivel de un curso de agua excavado en la roca viva en una época lejana—, si eso no son mesas que se emplearon para lavar la ganga, yo soy cura.

Estrato: Masa de rocas sedimentarias extendida en sentido horizontal y separada de otras por superficies paralelas.

Arcilla: Silicato alumínico hidratado natural, puro o impurificado por óxidos de hierro, que empapado con agua se hace muy plástico y que por la calcinación se contrae y endurece.

Saponácea: Jabonosa.

Ganga: Materia inútil que se separa de los minerales.

En el borde de aquel enorme agujero, que era el foso dibujado en el mapa del gentilhombre portugués, la gran carretera se bifurcaba y lo rodeaba. En muchos puntos, aquella carretera de circunvalación estaba totalmente construida a base de grandes bloques de piedra, al parecer con el objeto de servir de apoyo a los bordes del foso e impedir la caída de piedras. Seguimos avanzando por aquella carretera, movidos por la curiosidad de ver qué podían ser tres objetos imponentes que se distinguían desde el otro lado del gran hoyo. Al acercarnos, vimos que se trataba de unos colosos de una extraña especie, y conjeturamos acertadamente que eran los tres Silenciosos que tanto temor inspiraban a los kukuanas. Pero hasta que no estuvimos muy cerca de ellos, no pudimos comprender toda la majestad de los Silenciosos.

Coloso: Estatua que excede mucho del tamaño natural.

Sobre enormes pedestales de roca oscura, con inscripciones en caracteres desconocidos, separados unos de otros por veinte pasos y de cara a la carretera que cruzaba la llanura de unas sesenta millas que desembocaba en la ciudad de Loo, había tres colosales for-

[1] Ciudad de la República de Sudáfrica, en la provincia del Cabo. Fue el principal centro mundial de la producción de diamantes y es actualmente un gran centro comercial. Se creó en 1871, en los comienzos de la producción diamantífera. Las minas alcanzan los 1.200 m bajo tierra.

mas sentadas —dos de hombre y una de mujer— que medían cada una veinte pies desde la cabeza hasta el pedestal.

La escultura femenina, que estaba desnuda, poseía una belleza serena, pero, por desgracia, sus rasgos estaban dañados a causa de los muchos siglos de exposición a la intemperie. A ambos lados de la cabeza sobresalían las puntas de una media luna. Por el contrario, los dos colosos masculinos estaban vestidos y presentaban unos rasgos faciales horripilantes, especialmente el de la derecha, que tenía cara de demonio. El de la izquierda poseía unos rasgos serenos, pero su serenidad resultaba espantosa. Era la calma propia de una crueldad inhumana, la crueldad que, según apuntó sir Henry, atribuían los antiguos a los seres que podían imponerse al bien, que podían contemplar los sufrimientos de la humanidad, si no con regocijo, sí al menos sin sufrir ellos mismos. Formaban una trinidad que inspiraba profundo temor, allí sentados en soledad, mirando eternamente la llanura.

Al contemplar aquellos Silenciosos, como los llaman los kukuanas, volvió a apoderarse de nosotros una intensa curiosidad por saber qué manos los habían esculpido, quién había excavado el foso y construido la carretera. Mientras miraba asombrado, recordé de repente —ya que estoy familiarizado con el Antiguo Testamento— que Salomón vagabundeó durante algún tiempo en busca de extraños dioses; conocía el nombre de tres de ellos: Astoreth, diosa de los sidonios; Chemosh, dios de los moabitas, y Milcom, dios de los hijos de Amón, y sugerí a mis compañeros que las tres estatuas que teníamos ante nosotros podían representar a aquellas falsas divinidades.

Sidonio: De Sidón, antigua ciudad de Fenicia. Fenicio.

Moabita: De Moab, pueblo de esta región, en la actual Jordania, al oriente del mar Muerto.

—Hum —dijo sir Henry, que era un erudito, pues se había graduado brillantemente en lenguas clásicas en la universidad—. Puede que haya algo de eso. La Astoreth de los hebreos era la Astarté de los fenicios, que eran los grandes mercaderes de la época de Salomón. Astarté, que después se convirtió en la Afrodita[2] de los griegos, estaba representada con cuernos, como una media luna, y en la frente de la figura femenina que tenemos ante nosotros se aprecian claramente esos cuernos. Quizá estos colosos fueron concebidos por el funcionario fenicio que dirigía estas explotaciones. ¿Quién sabe?*

Antes de que hubiéramos acabado de examinar aquellas extraordinarias reliquias de la remota antigüedad, Infadoos llegó al lugar en que nos encontrábamos y, tras saludar a los Silenciosos, levantó su lanza y nos preguntó si teníamos intención de entrar en el Lugar de la Muerte inmediatamente, o si queríamos esperar hasta después de la comida del mediodía. Si estábamos listos para entrar de inmediato, Gagool había dicho que deseaba guiarnos. Como no eran más que las once de la mañana, quemados por la curiosidad, anunciamos que queríamos penetrar en el recinto al instante, y sugerimos llevar algo de comida para el caso de que nos retrasáramos en la cueva.

Así pues, trajeron la litera de Gagool y la buena señora bajó de ella por su propio pie. Entre tanto, Foulata, a petición mía, colocó unos trozos de *biltong*, o

[2] *Astarté* es una diosa de las poblaciones semíticas de Siria y Palestina. Personifica la fecundidad de la naturaleza. Es la diosa madre de todos los seres vivientes, esposa de Baal.Su culto fue difundido en Occidente por fenicios y cartagineses. Su advocación más importante fue diosa del amor. *Afrodita* es la diosa griega del amor y la belleza. Según Hesíodo, surgió milagrosamente de la espuma marina y se la identifica con la Venus de los romanos, la Astarté fenicia y la Istar de los asiriobabilonios. Era esposa de Hefestos (Vulcano) y madre de Eros. De Paris recibió la manzana de oro, premio a su belleza.

* Compárese con *El paraíso perdido* de Milton, libro I: «Con ellos en tropel llegó Astoreth, / que los fenicios llaman Astarté, / la reina de los cielos, la de cuernos / como una media luna, a cuya imagen / brillante por las noches, a la luz / de la luna, las vírgenes sidonias / ofrecían sus votos y sus cánticos» *(N. del E.)*. [John Milton (1604-1674), poeta inglés, una de las máximas figuras de la pesía en lengua inglesa. En 1651 quedó ciego; a los sesenta años comenzó su obra maestra, *El paraíso perdido*, epopeya sobre la caída del hombre en doce cantos, en la que adopta un estilo prometeico-heroico en su versión de los primeros capítulos del Génesis. Es autor también de *El paraíso reconquistado*, la tragedia *Sansón*, y las comedias fantásticas *Arcades*, *Comus* y *Lycidas*].

carne seca, junto a dos calabazas de agua en una cesta de juncos.

Junco: Planta juncácea de tallos largos, lisos y cilíndricos, que se cría en parajes húmedos.

Frente a nosotros, a una distancia de unos cincuenta pasos de la parte posterior de los colosos, se alzaba una escarpada muralla de roca, de una altura de unos ochenta pies o más, que subía en pendiente hasta formar la base del elevado pico cubierto de nieve que se cernía en el aire a tres mil pies por encima de nosotros.

En cuanto bajó de la litera, Gagool nos dirigió una malvada sonrisa, y a continuación, apoyándose en un bastón, se dirigió renqueante hacia la escarpada pared de roca. La seguimos hasta llegar a un estrecho portal con sólidas arcadas, que parecía la entrada de la galería de una mina. Allí nos esperaba Gagool, aún con aquella malvada sonrisa en su rostro horripilante.

Arcada: Serie de arcos.

—Y bien, hombres blancos de las estrellas —dijo con voz aflautada—, grandes guerreros, Incubu, Bougwan y Macumazahn, el sabio, ¿estáis dispuestos? Tened en cuenta que yo estoy aquí para cumplir las órdenes de mi señor, el rey, y para mostraros el lugar en que se encuentran las piedras brillantes. *¡Ja, ja, ja!*

—Estamos dispuestos —contesté.

—¡Bien! ¡Bien! Fortaleced vuestros corazones para poder soportar lo que vais a ver. ¿Vienes tú también, Infadoos, que traicionaste a tu señor?

Infadoos frunció el ceño al contestar:

—No, yo no voy. Yo no tengo nada que hacer ahí dentro. Pero tú, Gagool, refrena tu lengua, y mira cómo tratas a mis señores. Tú respondes de ellos y, si les sucede lo más mínimo, morirás, Gagool, tú que eres cincuenta veces bruja. ¿Has oído?

—Te he oído, Infadoos. Te conozco bien. Siempre te han gustado las palabras altisonantes, y cuanto eras un niño recuerdo que amenazaste a tu propia madre. Eso fue ayer mismo. Pero no temas; solo vivo para cumplir las órdenes del rey. He llevado a cabo las órdenes de muchos reyes, Infadoos, hasta que al final ellos llevaron a cabo las mías. *¡Ja, ja!* Voy a mirarles la cara una vez más. ¡También veré la de Twala! Vamos, vamos; aquí está la lámpara —y, sacando una gran calabaza llena de aceite de debajo de su capa de piel, le colocó una mecha de junco.

—¿Vienes tú, Foulata? —preguntó Good en su canallesco kukuana, que había mejorado gracias a las enseñanzas de la joven.

—Tengo miedo, mi señor —contestó, tímida, la muchacha.

—Entonces, dame la cesta.

—No, mi señor; allá donde tú vayas, iré yo también.

«¡Maldición! —pensé—. Raro será que salgamos de esta».

Sin más preámbulos, Gagool se sumergió en el pasadizo, que era suficientemente ancho como para que pudieran caminar dos personas de lado, y muy oscuro. Seguimos el sonido de su voz aflautada que nos animaba a seguir adelante, no sin cierto temor, situación que no alivió el sonido súbito de un batir de alas.

Preámbulo: Rodeo, digresión.

—¡Vaya! ¿Qué es eso? —gritó Good—. Alguien me ha dado un golpe en la cara.

—Son murciélagos —dije—; continúe.

Tras haber caminado unos cincuenta pasos, según nuestros cálculos, observamos que el pasadizo se iluminaba débilmente. Al momento siguiente nos encontramos en el lugar más hermoso en que se hayan posado jamás los ojos de un hombre vivo.

Que el lector imagine la nave de la catedral más grande en que haya puesto el pie, sin ventanas, desde luego, pero ligera mente iluminada desde arriba (presumiblemente mediante respiraderos conectados con el exterior practicados en el techo, que formaban una bóveda a cien pies por encima de nuestras cabezas), y se hará una idea del tamaño de la enorme cueva en la que nos encontrábamos, con la diferencia de que esta catedral, concebida por la naturaleza, era más alta y más ancha que cualquiera construida por

Respiradero: Abertura por donde entra y sale el aire y la luz.

el hombre. Pero su gigantesco tamaño era la menor de las maravillas de aquel lugar, porque, dispuestos en fila en toda su longitud, había descomunales pilares de algo que parecía hielo, pero que en realidad eran estalactitas enormes. Me resulta imposible dar una idea de la belleza y la grandeza sobrecogedoras de aquellos pilares de espato blanco, algunos de los cuales no medían menos de veinte pies de diámetro en la base, y se elevaban con toda su belleza grandiosa pero delicada hasta el lejano techo. Había otros en proceso de formación. En estos casos, en el suelo de roca había unas columnas que, como dijo sir Henry, parecían las columnas quebradas de un templo antiguo griego, en tanto que, en las alturas, pendientes del techo, se podía vislumbrar el extremo de un carámbano enorme. Mientras las contemplábamos, podíamos oír el proceso de formación, porque al poco rato cayó una gota de agua desde el lejano carámbano hasta la columna de abajo, produciendo un diminuto chapoteo. En algunas columnas solo caía una gota cada dos o tres minutos, y en estos casos resultaría interesante calcular cuánto tiempo tardaría en formarse un pilar, digamos de ochenta pies de altura por diez de diámetro, al ritmo con que caía el agua. El siguiente ejemplo demostrará que, en líneas generales, el proceso es incalculablemente lento. Tallada en uno de los pilares, descubrimos una figura con una tosca similitud a una momia, y sobre ella, algo que parecía ser un dios egipcio, sin duda obra de algún trabajador de las minas de la antigüedad. Aquella obra de arte había sido realizada a tamaño natural, método por el que los tipos ociosos, ya sea un obrero fenicio o un peón inglés, tratan de inmortalizarse a expensas de las obras maestras de la naturaleza, es decir, a unos cinco pies del suelo. Sin embargo, en el momento en que lo vimos nosotros, que *debía* de ser casi tres mil años después de su realización, la columna solo tenía ocho pies de altura y aún seguía en proceso de for-

Estalactita: Concreción pendiente del techo de una caverna formada por infiltraciones que contienen sales calcáreas, silíceas, etcétera.

Espato: Carbonato de cal cristalizado.

Carámbano: Pedazo de hielo largo y puntiagudo.

Tosca: Grosera, basta, ordinaria.

Ocioso: Desocupado, exento de obligaciones. Holgazán, gandul.

mación, lo que indica un ritmo de crecimiento de un pie cada mil años, o poco más de una pulgada por siglo. Lo supimos porque, mientras estábamos junto a ella, oímos caer una gota de agua.

Algunas estalactitas adoptaban formas extrañas, debido presumiblemente a que la gota de agua caía en el mismo sitio. Así, una masa enorme, que debía de pesar unas cien toneladas, tenía forma de púlpito, bellamente labrado en toda su superficie, de tal modo que parecía encaje. Otras semejaban extrañas bestias, y en los lados de la cueva había trazos como abanicos de marfil, como los que deja la escarcha en un cristal.

Alrededor de la nave central se abrían cuevas más pequeñas, exactamente igual, como observó sir Henry, que las capillas de las grandes catedrales. Algunas tenían grandes dimensiones, pero otras —y eso constituye un hermoso ejemplo de cómo la naturaleza lleva a cabo su labor de artesanía según leyes invariables, e independientemente del tamaño— eran minúsculas. Una de estas cavernas no era mayor que una casa de muñecas inusualmente grande, pero podría haber servido de modelo para toda la cueva, porque se producía el mismo goteo, los minúsculos carámbanos colgaban del techo igual que en la nave central, y las columnas tenían idénticas formaciones.

Pero no teníamos mucho tiempo para examinar aquel maravilloso lugar con todo el detenimiento que hubiésemos deseado, porque, por desgracia, Gagool parecía ser insensible a las estalactitas, y su única preocupación consistía en acabar aquel asunto rápidamente. Aquel hecho me irritó más por cuanto yo tenía especiales deseos de descubrir, si era posible, el sistema por el que entraba la luz en aquel lugar, y si lo había hecho la mano del hombre o la naturaleza, y también si lo habían utilizado en la antigüedad, cosa que parecía probable. Pero nos consolamos con la idea de examinarlo a fondo cuando regresáramos, y seguimos los pasos de nuestra misteriosa guía.

Púlpito: Plataforma pequeña con antepecho y tornavoz, que hay en las iglesias en lugar adecuado, para desde ella predicar, cantar la epístola y el evangelio, etcétera.

Encaje: Tejido de mallas, lazadas o calados con labores, hecho con bolillos, aguja de coser, ganchillo, o mecánicamente.

Escarcha: Rocío de la noche congelado.

Nos llevó hasta el fondo de la caverna enorme y silenciosa, donde encontramos otra entrada, no abovedada como la primera, sino cuadrada en la parte superior, como en los templos egipcios.

—¿Estáis preparados para entrar en el Lugar de la Muerte? —preguntó Gagool, a todas luces con la intención de hacernos sentir incómodos.

—Continúa, bruja —dijo Good en tono solemne, tratando de aparentar no estar asustado, como en realidad nos ocurría a todos, salvo a Foulata, que se había cogido del brazo de Good en busca de protección.

—Esto tiene un aspecto fantasmagórico —dijo sir Henry asomando la cabeza por la oscura entrada—. Vamos, Quatermain; *seniores priores*[3]. ¡No haga esperar a la vieja dama! —concluyó, y se hizo a un lado cortésmente para que yo me colocara a la cabeza del grupo, cosa que no le agradecí en mi interior.

«Tap, tap, tap», resonaba el bastón de la vieja Gagool por el pasadizo al caminar renqueante, riendo entre dientes de una forma repugnante. Yo la seguía, abrumado por un presentimiento inexpresable de que algo terrible nos iba a suceder.

—Vamos, siga adelante, amigo —dijo Good—, o perderemos de vista a nuestra gentil guía.

Empujado por las palabras de mi compañero, entré en el pasadizo y tras caminar unos veinte pasos me encontré en una lúgubre estancia de unos cuarenta pies de longitud, treinta de anchura y otros treinta de altura, que sin duda había sido excavada por la mano del hombre en una época remota. Aquella estancia no estaba tan bien iluminada como la amplia antecámara de estalactitas, y todo lo que pude vislumbrar a primera vista fue una enorme mesa de piedra que ocupaba todo un lado de la estancia, con una colosal figura blanca en un extremo y varias figuras blancas de tamaño natural alrededor. A continuación

[3] «Los más viejos primero». (En latín en el original).

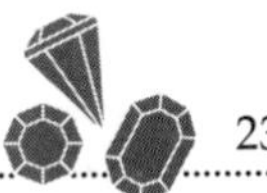

vi un objeto pardo, sentado en el centro de la mesa, y al cabo de unos momentos, cuando mis ojos se acostumbraron a la luz y descubrí lo que eran todas aquellas cosas, emprendí una carrera tan veloz como me lo permitieron mis piernas. Por regla general, no soy un hombre nervioso, ni dado a las supersticiones, ya que he vivido lo suficiente como para saber que son una estupidez. Pero debo admitir que aquella visión me trastornó, y, de no haber sido porque sir Henry me cogió por el cuello de la camisa y me detuvo, creo sinceramente que al cabo de otros cinco minutos habría estado fuera de aquella cueva de estalactitas, y ni por todos los diamantes de Kimberley me habría animado a entrar de nuevo. Pero sir Henry me sujetó con fuerza, y me detuve porque no me quedó más remedio. A los pocos segundos sus ojos también se acostumbraron a la luz; me soltó y se puso a limpiarse las gotas de sudor de la frente. Good profirió un juramento con voz débil, y Foulata le rodeó el cuello con los brazos y chilló.

Solo Gagool seguía riendo entre dientes.

En verdad *era* una visión fantasmagórica. Allí, al extremo de la larga mesa de piedra, sujetando con sus dedos esqueléticos una lanza grande y blanca, estaba sentada la *Muerte* en persona, bajo la forma de un colosal esqueleto humano de una altura de quince pies o más. Mantenía la lanza muy por encima de su cabeza, como si estuviera a punto de descargarla. Una mano huesuda descansaba sobre la mesa de piedra, en la posición que adopta un hombre que va a levantarse de su asiento, en tanto que el cuerpo se inclinaba hacia adelante de tal forma que las vértebras del cuello y la calavera brillante y sonriente se proyectaban hacia nosotros, y las cuencas vacías de sus ojos se clavaban en nuestras personas, las mandíbulas un poco abiertas como si fuese a hablar.

—¡Cielo santo! —exclamé al fin, débilmente—. ¿Qué es eso?

—¿Y qué es *eso?* —dijo Good, señalando al grupo blanco sentado a la mesa.

—¿Y qué demonios es *eso?* —dijo sir Henry, señalando a la parda criatura que estaba sentada a la mesa.

—*¡Ji, ji, ji!* —rió Gagool—. La maldición cae sobre los que penetran en la cámara de los muertos. *¡Ji, ji, ji, ja, ja!* Vamos, Incubu, el valiente en la batalla, entra a ver al que mataste.

Vetusto: De mucha edad.

Y aquel ser vetusto le cogió la chaqueta con sus dedos flacos y lo condujo hacia la mesa. Los demás los seguimos.

A los pocos momentos Gagool se detuvo y señaló el objeto pardo que estaba sentado a la mesa. Sir Henry lo miró y retrocedió con una exclamación. Y no es de extrañar, ya que, completamente desnudo, con la cabeza que el hacha de sir Henry le había separado del cuerpo reposando sobre sus rodillas, estaba sentado a la mesa el cadáver de Twala, último rey de los kukuanas. En efecto, con la cabeza colocada sobre las rodillas estaba sentado en toda su fealdad, con las vértebras sobresaliendo una pulgada de la carne hundida del cuello, exactamente igual que una réplica negra de Hamilton Tighe*. Por la superficie del cadáver se había extendido una delgada película vidriosa, que contribuía a darle un aspecto aún más aterrador. Durante unos momentos no fuimos capaces de explicarnos aquel hecho, hasta que finalmente observamos que del techo de la cámara caía agua ininterrumpidamente sobre el cuello del cadáver, desde donde se extendía por toda la superficie hasta salir por un pequeño orificio que había en la mesa. Entonces comprendí lo que ocurría: *el cuerpo de Twala se estaba convirtiendo en una estalactita.*

Confirmamos esta opinión al mirar las formas blancas que estaban sentadas en el banco de piedra

* «Apresuraos, mis doncellas, apresuraos a verlo, / porque está allí sentado con el ceño fruncido y la cabeza en las rodillas» *(N. del E.).*

que rodeaba la mesa. Eran formas humanas, o más bien lo habían sido; ahora eran estalactitas. Este es el modo que tiene el pueblo kukuana de preservar a sus reyes muertos desde tiempo inmemorial. Los petrifica. No llegué a descubrir en qué consistía la técnica exactamente, si es que existía tal técnica, aparte de mantenerlos durante un largo período bajo las gotas de agua. Pero allí estaban, congelados y preservados para toda la eternidad con aquel fluido silíceo.

Silíceo: De sílice o semejante a ella, combinación de silicio con oxígeno, que entra en la composición de diversos minerales.

Es imposible imaginar algo más terrorífico que aquel espectáculo de reyes difuntos (había veintisiete en total; el padre de Ignosi era el último), con sus sudarios de espato como hielo a través de los que podían vislumbrarse los rasgos, sentados en torno a aquel inhóspito tablero, con la Muerte en persona como invitada. El que la práctica de esta técnica para preservar a sus reyes debe de ser muy antigua resulta evidente por su número, ya que, calculando en quince años la media de duración de un reinado, y suponiendo que se encontraran allí todos los reyes —cosa improbable, ya que algunos debieron de morir en el campo de batalla, lejos de su tierra—, la fecha del comienzo de esta práctica quedaría situada en cuatro siglos y cuarto atrás. Pero la Muerte colosal, que se sienta a la cabecera de la mesa, es mucho más vieja y, si no me equivoco, debe su origen al mismo artista que concibió los tres colosos. Está tallada en una sola estalactita y, considerada como obra de arte, está admirablemente pensada y ejecutada.

Sudario: Lienzo que se pone sobre el rostro de los difuntos o en que se envuelve el cadáver.

Good, que entendía de anatomía, aseguró que, a su juicio, el diseño del esqueleto era perfecto hasta en los huesos más pequeños.

En mi opinión, ese objeto es una extravagancia de la fantasía de un escultor de la antigüedad, y su presencia ha sugerido al pueblo kukuana la idea de colocar a sus reyes difuntos bajo su espantosa presidencia. O quizá alguien la colocó allí para asustar a los merodeadores que tuvieran deseos de entrar en la cá-

Merodeador: Que da rodeos en torno a un lugar para espiar o robar.

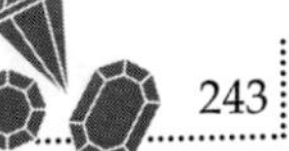

mara del tesoro, que está situada detrás. No lo sé. Todo lo que puedo hacer es describirla tal y como es, para que el lector saque sus propias conclusiones.

¡En cualquier caso, así es la Muerte Blanca y así son los Muertos Blancos!

Capítulo 17

La cámara del tesoro de Salomón

Mientras nos concentrábamos en la tarea de librarnos del pánico que nos invadía y en examinar las horrendas maravillas de aquel lugar, Gagool se entregaba a otras ocupaciones. De una u otra forma —porque podía ser increíblemente ágil cuando quería—, se había encaramado a la mesa y se había acercado a donde se hallaba nuestro difunto amigo Twala, bajo el incesante goteo de agua, para ver, según sugirió Good, cómo se «adobaba», o por alguna otra oscura razón. Al poco regresó, renqueante, deteniéndose a veces para dirigir una observación (cuyo significado no comprendí) a alguno de los cadáveres amortajados, con la misma actitud con que podría saludarse a un viejo conocido. Tras celebrar aquella ceremonia misteriosa y terrible, se acurrucó en la mesa, justo debajo de la Muerte Blanca, y empezó a ofrecerle sus plegarias. El espectáculo de aquella criatura maligna elevando súplicas, sin duda malvadas, a la archienemiga de la humanidad, era tan pavoroso que nos indujo a dar por terminado nuestro examen.

Adobar: Curtir.

Amortajado: Con la mortaja puesta, vestidura con que se envuelve el cadáver.

—Y ahora, Gagool —dije en voz baja, porque por alguna razón uno no se atrevía a hablar por encima del tono de un susurros en aquel lugar—, llévanos a la cámara.

La vieja bruja bajó inmediatamente de la mesa.

—¿No tienen miedo mis señores? —preguntó mirándome de reojo.

—Guíanos.

—Está bien, mis señores —dijo, y llegó cojeando hasta la espalda de la gran Muerte—. Esta es la cámara. Enciendan mis señores la lámpara y entren.

Colocó la calabaza de aceite en el suelo y se apoyó en la pared de la cueva. Saqué una cerilla, pues aún nos quedaban algunas, y encendí la mecha. A continuación busqué la entrada, pero ante nosotros no había más que la sólida roca.

Gagool hizo una mueca y dijo:

—Ese es el camino, mis señores. *¡Ja, ja, ja!*

—No bromees con nosotros —respondí cortante.

Cortante: Tajante.

—No bromeo, mis señores. ¡Mirad! —dijo, señalando la roca.

Al alzar la lámpara observamos que una mole de piedra se elevaba lentamente desde el suelo y desaparecía entre las rocas del techo, donde sin duda había una cavidad para recibirla. La piedra tenía la anchura de una puerta de buen tamaño, de unos diez pies de altura y no menos de cinco pies de espesor. Debía de pesar al menos veinte o treinta toneladas y, evidentemente, se movía mediante una sencilla aplicación de la ley de la balanza, probablemente la misma con que se abre y se cierra una ventana moderna corriente de guillotina. Por supuesto, ninguno de nosotros llegó a ver cómo se ponía en funcionamiento el mecanismo. Gagool tuvo buen cuidado de evitarlo; pero no me cabe duda de que se trataba de una palanca muy sencilla, que se movía desde un lugar secreto, añadiendo con ello un peso adicional a los contrapesos ocultos, con lo que la mole de piedra se elevaba desde el suelo. La enorme piedra se alzó muy lenta y suavemente, hasta desaparecer por completo, y ante nosotros se abrió un oscuro agujero en el espacio que antes estaba cubierto por la puerta.

De guillotina: Dícese de las ventanas que se abren y cierran resbalando verticalmente a lo largo de las ranuras del cerco.

Al ver por fin abierto el camino a la cámara del tesoro de Salomón, fue tan grande nuestra excitación que me puse a temblar de pies a cabeza. ¿Resultaría un engaño, después de todo, o tendría razón el viejo

Da Silvestra? ¿Encontraríamos en aquel oscuro lugar arcones llenos de tesoros que nos convertirían en los hombres más ricos del mundo? Íbamos a saberlo al cabo de uno o dos minutos.

—Entrad, hombres blancos de las estrellas —dijo Gagool adentrándose en la estancia—; pero escuchad primero a vuestra sierva, la vieja Gagool. Las piedras brillantes que vais a ver fueron extraídas del foso junto al que se alzan los Silenciosos, y alguien las guardó aquí; yo no sé quién. Pero solamente se ha entrado en este lugar una vez desde que los que guardaron las piedras abandonaron precipitadamente el lugar, dejándolas tras ellos. Los rumores de la existencia del tesoro han corrido entre las gentes que han vivido en este país generación tras generación, pero nadie sabía dónde estaba la cámara ni conocía el secreto de la puerta. Pero ocurrió que un hombre blanco llegó a este país; quizá él también venía de las estrellas. Fue bien recibido por el rey de aquella época, aquel que está sentado allí —y señaló al quinto rey de la mesa de los muertos—. Y vino a suceder que él y una mujer del país que con él estaba llegaron a este lugar, y por casualidad la mujer descubrió el secreto de la puerta. Puede buscarse durante miles de años sin encontrarla. Entonces el hombre blanco entró con la mujer y encontró las piedras y llenó con ellas la piel de una cabra pequeña que llevaba la mujer para guardar la comida. Y al salir de la cámara cogió una piedra más, muy grande, y la sostuvo en la mano.

Al llegar aquí hizo una pausa.

—Y bien, ¿qué le ocurrió a Da Silvestra? —pregunté con tanto interés que apenas podía respirar.

La vieja bruja se sobresaltó al oír aquel nombre.

—¿Cómo sabes tú el nombre del hombre muerto? —preguntó secamente, y a continuación, sin esperar respuesta, prosiguió—: Nadie sabe lo que ocurrió; pero, al parecer, el hombre blanco se asustó, porque tiró el pellejo de cabra que contenía las piedras y huyó con la piedra grande en la mano. El rey se la quitó, y esa es la piedra que tú, Macumazahn, cogiste de la frente de Twala.

—¿Y no ha entrado nadie aquí desde entonces? —pregunté, asomándome de nuevo al oscuro pasadizo.

—Nadie, mis señores. Solo se ha conservado el secreto de la puerta, y cada rey la ha abierto cuando ha llegado su hora. Pero no ha entrado. Hay un refrán que dice que el que entre morirá en el plazo de una luna, al igual que murió el hombre blanco en la cueva de la montaña, donde tú lo encontraste, Macumazahn. *¡Ja, ja!* Mis palabras son ciertas.

Nuestras miradas se encontraron, y yo me mareé y sentí frío. ¿Cómo podía saber aquella vieja bruja todas esas cosas?

—Entrad, mis señores. Si es que digo la verdad, el pellejo de cabra con las piedras estará en el suelo; y si es cierto que la muerte aguarda al que entre aquí, lo sabréis más adelante. *¡Ja, ja, ja!*

Entró cojeando en el pasadizo, llevando la lámpara; y he de confesar que una vez más dudé en seguirla.

—¡Maldita sea! —exclamó Good—. Vamos allá. No va a asustarme esta vieja bruja.

Seguido de Foulata, a quien evidentemente no le gustaba aquel asunto, ya que temblaba de miedo, se internó en el pasadizo, detrás de Gagool, ejemplo que seguimos rápidamente. Gagool se detuvo tras avanzar unas cuantas yardas por el pasadizo, en el estrecho sendero excavado en la roca viva, y allí nos esperó.

—Ved, mis señores —dijo sujetando la lámpara delante de ella—; los que escondieron el tesoro huyeron apresuradamente y pensaron en la forma de protegerlo contra cualquiera que descubriese el secreto de la puerta, pero no tuvieron tiempo —concluyó.

Y señaló unos grandes bloques cuadrados de piedra que estaban colocados en el pasadizo hasta una altura de dos *courses* (unos dos pies y tres pulgadas), con la intención de bloquearlo. A los lados del pasadizo se veían bloques de piedra similares dispuestos para su inmediata utilización, y lo más curioso de todo era un montón de argamasa y dos paletas que, en la medida en que nos dio tiempo a examinarlos, eran de forma y hechura similares a las que usan los obreros de hoy en día.

Argamasa: Mezcla hecha de cal, arena y agua, que se emplea en las obras de albañilería.

Paleta: Lámina de hierro o acero laminado, de figura triangular y mango de madera, usada por los albañiles para manejar y aplicar la argamasa.

Foulata, que se encontraba todo el tiempo en un estado de gran agitación, dijo que se sentía débil y que no podía seguir caminando, por lo que nos esperaría allí. La acomodamos sobre el muro inacabado, colocamos a su lado la cesta de provisiones y la dejamos para que se recobrase.

Seguimos caminando por el pasadizo unos quince pasos más, y de repente llegamos a una puerta de madera primorosamente pintada. Estaba abierta de par en par. Quienquiera que fuese el último que estuvo allí, no tuvo tiempo de cerrarla o se olvidó de hacerlo.

En el umbral había una bolsa de piel de cabra que parecía llena de piedras.

—¡*Ji, ji,* hombres blancos! —dijo Gagool con una risita cuando la luz de la lámpara iluminó la puerta—. ¿No os había dicho que el hombre blanco que vino aquí huyó a toda prisa y dejó caer la bolsa de la mujer? ¡Miradlo!

Good se agachó y la recogió. Era muy pesada y tintineaba. —¡Cielo santo! Creo que está llena de diamantes —dijo en un susurro de respeto.

Y es que, en verdad, la idea de una pequeña piel de cabra llena de diamantes inspira respeto a cualquiera.

—Vamos —dijo sir Henry, impaciente—. Deme la lámpara, señora.

Cogió la lámpara de las manos de Gagool, atravesó el umbral y la alzó por encima de su cabeza. Nosotros lo seguimos a toda prisa, olvidándonos por el momento de la bolsa de diamantes, y nos encontramos en la cámara del tesoro de Salomón.

Al principio, todo lo que dejaba ver la débil luz de la lámpara era una habitación excavada en la roca viva, que al parecer no medía más de diez pies cuadrados. A continuación, amontonados unos encima de otros hasta la altura del techo, vimos una espléndida colección de colmillos de elefante. No sabíamos cuántos podía haber, porque no veíamos hasta dónde llegaba por detrás, pero ante nuestros ojos no debía de haber menos de cuatrocientos o quinientos colmillos de primera calidad. Solo con el marfil que había allí cualquier hombre podría hacerse rico para toda la vida. Pensé que quizá fuera de este almacén de donde Salomón sacó el material para construir su «gran trono de marfil», que no tenía igual en ningún otro reino.

Al otro lado de la cámara había una serie de cajas de madera, similares a las cajas de munición de la marca Martini-Henry, solo que mucho más grandes y pintadas de rojo.

—¡Ahí están los diamantes! —grité—. Acerquen la luz.

Así lo hizo sir Henry, manteniéndola junto a la caja que estaba encima, cuya tapa, podrida por el tiempo, a pesar de estar en un lugar seco, parecía haber sido aplastada, probablemente por el propio Da Silvestra.

Metí la mano por el agujero de la tapa y la saqué llena, no de diamantes, sino de monedas de oro, con una forma que ninguno de nosotros había visto antes y con unos caracteres que parecían hebreos inscritos en ellas.

—¡Vaya! —exclamé volviendo a colocar las monedas en su sitio—. De todas formas no nos iremos con las manos vacías.

Debe de haber dos mil monedas en cada caja y hay dieciocho cajas. Supongo que era el dinero para pagar a los obreros y a los mercaderes.

—Bueno —intervino Good—, creo que eso es todo. No veo diamantes, a menos que el viejo portugués los metiera todos en esta bolsa.

—Si quieren encontrar las piedras, mis señores, deben mirar allí donde está más oscuro —dijo Gagool, interpretando nuestras miradas—. Allí encontrarán mis señores un nicho, y en el nicho tres arcas de piedra, dos selladas y una abierta.

Antes de traducir estas palabras a sir Henry, que llevaba la lámpara, no pude resistir la tentación de preguntar a Gagool cómo se había enterado de esas cosas, si nadie había entrado en aquel lugar desde la llegada del hombre blanco, muchas generaciones atrás.

—¡Ah, Macumazahn, el que vigila en la noche! —contestó, burlona—. ¿Tú que vives en las estrellas no sabes que algunas personas tienen ojos que pueden ver a través de las rocas? *¡Ja, ja, ja!*

—Mire esa esquina, Curtis —dije, señalando el lugar que Gagool había indicado.

—Eh, amigos; aquí hay un hueco —dijo sir Henry—. ¡Cielo santo! ¡Miren ahí!

Nos precipitamos hacia el lugar en que se encontraba, que era un nicho semejante a una pequeña ventana abovedada. Apoyadas contra la pared de aquel nicho había tres arcas de piedra que medían unos dos pies cuadrados. Dos de ellas estaban cubiertas con tapas de piedra, en tanto que la tapa de la tercera descansaba sobre un lado del arca, que estaba abierta.

—*¡Miren!* —repitió roncamente sir Henry, colocando la lámpara por encima del arca abierta.

Dirigimos nuestras miradas hacia allí, pero durante unos momentos no pudimos distinguir nada, debido a un resplandor plateado que nos cegaba. Cuando nuestros ojos se acostumbraron, vimos que el arca estaba llena de diamantes sin tallar, en su mayoría de tamaño considerable. Me agaché y cogí unos cuantos. Sí, no había duda; tenían el inconfundible tacto saponáceo.

Los dejé caer, boquiabierto.

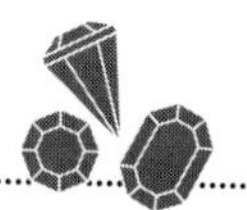

—Somos los hombres más ricos del mundo entero —dije—. El conde de Montecristo[1] es un paria a nuestro lado.

Paria: Persona a quien se excluye de las ventajas de que gozan los demás o del trato con ellos.

—Inundaremos el mercado de diamantes —dijo Good.

—En primer lugar, tenemos que sacarlos de aquí —sugirió sir Henry.

Nos miramos pálidos, con la linterna en el medio y las relucientes gemas debajo, como conspiradores a punto de cometer un crimen, en lugar de ser, como pensábamos, los tres hombres más afortunados de la tierra.

—¡*Ji, ji, ji!* —rió la vieja Gagool a nuestra espalda, revoloteando a nuestro alrededor como un vampiro—. Ahí están las piedras brillantes que tanto os gustan, hombres blancos; tantas como deseéis. Cogedlas, hacedlas correr entre vuestros dedos, *comedlas*, ¡ji, ji!, *bebedlas*, ¡ja, ja, ja!

En aquel momento me pareció tan ridícula la idea de comer y beber diamantes que me eché a reír desaforadamente, ejemplo que siguieron los demás sin saber por qué. Allí estábamos, desternillándonos de risa, junto a las gemas que eran nuestras, que habían encontrado para *nosotros* hacía miles de años los pacientes obreros en el gran agujero, y que el capataz de Salomón, muerto hacía tanto tiempo, y cuyo nombre estaba quizá escrito en la cara escondida adherida a la tapa de las arcas, había almacenado para *nosotros*. Salomón nunca los tuvo, ni David[2], ni Da Silvestra, ni nadie. *Nosotros* los habíamos conseguido; allí, ante nuestros ojos, había diamantes por valor de millones

Desaforadamente: Desordenadamente, con exceso.

Capataz: Persona que tiene por oficio gobernar y vigilar a cierto número de operarios. En las casas de moneda, el encargado de recibir el metal marcado y pesado para las labores.

[1] Protagonista de la novela homónima del escritor francés Alexandre Dumas padre (1802-1870). En ella, Edmond Dantès, conde de Montecristo, consagra su vida a vengar su juventud y su amor destrozados y a recuperar su inmensa fortuna de la que fue injustamente despojado.

[2] David (*c.* 1010-*c.* 970 a. C.), segundo rey de Israel, sucesor de Saúl, descendiente de Isaí, de la tribu de Judá, de la ciudad de Belén, fue el padre de Salomón, al que tuvo de su unión con Betsabé.

de libras, y oro y marfil por valor de miles de libras, que solo esperaban a que alguien se los llevara.

De repente dejamos de reírnos.

—Abrid las otras arcas, contempladlas, hombres blancos —graznó Gagool—; sin duda hay más en ellas. ¡Saciaos, señores blancos! *¡Ja, ja!* Saciaos.

Graznar: Dar gritos algunas aves; como el cuervo, el grajo, etcétera.

Animados por estas palabras, pusimos manos a la obra de quitar las tapas de piedra de las otras dos arcas y, no sin cierta sensación de estar cometiendo un sacrilegio, rompimos los sellos.

Sacrilegio: Profanación de cosa, persona o lugar sagrados.

¡Hurra! También estaban llenas, llenas hasta los topes; al menos este era el caso de la segunda. A ningún desgraciado Da Silvestra se le había ocurrido llenar pieles de cabra con su contenido. En cuanto a la tercera arca, solo estaba llena en una cuarta parte, pero todas las piedras eran escogidas; ninguna tenía menos de veinte quilates y algunas tenían el tamaño de un huevo de paloma. Al observarlas a la luz, descubrimos que algunos de los diamantes más grandes eran un poco amarillentos, «descoloridos», como los llaman en Kimberley.

Quilate: Unidad de peso para las perlas y piedras preciosas, equivalente a 205 miligramos.

Pero lo que *no* vimos fue la mirada terrible y maligna que nos dedicó la vieja Gagool mientras salía arrastrándose como una serpiente de la cámara del tesoro y se dirigía por el pasadizo hacia la enorme puerta de piedra.

¡Atención! Unos gritos estremecedores nos llegan desde el pasadizo. ¡Es la voz de Foulata!

—*¡Ay, Bougwan! ¡Socorro, socorro! ¡La piedra se cae!*

—¡Corre, muchacha!

—*¡Socorro, socorro! ¡Me ha apuñalado!*

Corremos por el pasadizo y lo que vemos a la luz de la lámpara es lo siguiente: la puerta de piedra se cierra lentamente. Apenas está a tres pies del suelo. Junto a ella forcejean Foulata y Gagool. A la primera, la roja sangre le cae hasta las rodillas, pero la valiente

muchacha sigue luchando contra la vieja, que se debate como un gato salvaje. Pero, ¡ah!, se ha liberado. Foulata cae y Gagool se arroja al suelo para pasar, arrastrándose como una serpiente, por la abertura de la piedra que se cierra. Pero es demasiado tarde. La roca la atrapa y chilla en su agonía. La puerta sigue bajando con sus treinta toneladas de peso, aplastando lentamente el viejo cuerpo de Gagool contra el suelo de piedra. Profiere un terrible alarido que nunca habíamos oído, se oye un largo *crujido* repugnante y la puerta queda cerrada en el momento en que, corriendo por el pasadizo, nos lanzábamos contra ella.

Todo acabó en pocos segundos.

Nos volvimos hacia Foulata. La pobre muchacha tenía una herida de puñal en el pecho y me di cuenta de que no viviría mucho tiempo.

—¡Ay, Bougwan, me muero! —gimió la hermosa niña—. Se acercó hasta mí..., no la vi, estaba mareada..., y la puerta empezó a caer. Entonces retrocedió y miró hacia el pasadizo. La vi llegar derecha a la puerta, que bajaba lentamente; la cogí y la sujeté, y me apuñaló. *Me muero,* Bougwan.

—¡Pobre muchacha, pobre muchacha! —exclamó Good, y al no poder hacer otra cosa por ella, comenzó a darle besos.

—Bougwan —dijo la muchacha tras una pausa—. ¿Está Macumazahn aquí? Está tan oscuro que no puedo ver.

—Aquí estoy, Foulata.

—Macumazahn, sé mi lengua por un momento, te lo ruego, ya que Bougwan no puede entenderme, y antes de entrar en las tinieblas... quiero decirle algo.

—Habla Foulata; yo lo traduciré.

—Bougwan, dile a mi señor que... le amo y que me alegro de morir, porque sé que no puede compartir su vida con una persona como yo, porque el sol no puede desposarse con la oscuridad, ni lo blanco con lo negro. Dile que a veces he sentido como si tu-

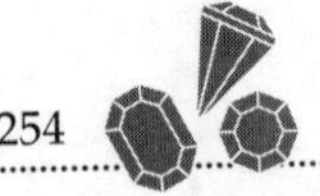

viera un pájaro en el pecho, que volaría de él un día para cantar en otra parte. Incluso ahora, a pesar de que no puedo levantar mi mano y de que mi cerebro se está enfriando, no me siento como si mi corazón estuviera muriendo. Está tan lleno de amor que podría vivir mil años y seguir siendo joven. Dile que, si vuelvo a vivir, quizá le vea en las estrellas, y que... las recorreré todas en su busca, aunque quizá yo seguiré siendo negra y él blanco. Dile, Macumazahn..., pero no digas nada, excepto que le amo. ¡Oh, abrázame fuerte Bougwan, no siento tus brazos!

—¡Ha muerto, ha muerto! —dijo Good poniéndose de pie, su noble rostro bañado en lágrimas.

—No se preocupe por eso, amigo —dijo sir Henry.

—¿Cómo? —dijo Good—. ¿Qué quiere decir?

—Quiero decir que muy pronto estará usted haciéndole compañía. *¿No se da cuenta de que estamos enterrados vivos?*

Creo que no comprendimos todo el horror de lo que había sucedido hasta que sir Henry pronunció esas palabras, tan preocupados como estábamos por el fin de la pobre Foulata. Pero en ese momento lo comprendimos. La imponente mole de roca se había cerrado, probablemente para siempre, porque el único cerebro que conocía su secreto yacía reducido a polvo bajo ella. Nadie podía esperar forzar aquella puerta con algo que no fuese dinamita en grandes cantidades. ¡Y nosotros estábamos al otro lado!

Durante unos minutos nos quedamos petrificados de horror junto al cadáver de Foulata. Toda nuestra hombría parecía habernos abandonado. La idea de aquel final miserable y lento resultaba abrumadora. Ahora lo veíamos con toda claridad. La bruja de Gagool nos había preparado esta trampa desde el principio. Era el tipo de broma con que podía regocijarse su malvada mente: los tres hombres blancos, a los que por alguna razón que solo ella sabía siempre había odiado, muriendo lentamente de hambre y sed junto

Hombría: Entereza, valor.

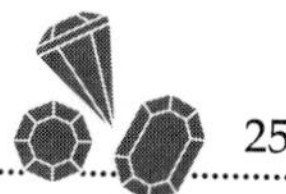

al tesoro que tanto codiciaban. Comprendí la burla que había en sus palabras al decirnos que comiésemos y bebiésemos los diamantes. Quizá le ocurrió lo mismo al caballero portugués cuando abandonó el pellejo lleno de joyas.

—Esto va a durar poco —dijo sir Henry con voz ronca—. La lámpara va a apagarse en seguida. Vamos a ver si podemos encontrar el resorte que pone en movimiento la puerta.

Nos abalanzamos hacia ella con desesperada energía y, pisando un charco de sangre, nos pusimos a palpar la puerta y las paredes del pasadizo. Pero no encontramos ningún resorte ni botón.

—Estoy seguro —dije— de que no funciona desde dentro. En otro caso, Gagool no se habría arriesgado a reptar por debajo de la roca. El saber esto la llevó a intentar escapar a toda costa, ¡maldita sea!

—En cualquier caso —dijo sir Henry con una cortante risita—, no recibió una recompensa muy generosa. Su fin ha sido casi tan espantoso como probablemente lo será el nuestro. No podemos hacer nada con la puerta. Volvamos a la cámara del tesoro.

Dimos media vuelta y nos dispusimos a partir, al tiempo que veíamos, junto al muro inacabado que atravesaba el pasadizo, la cesta de la comida que había traído la pobre Foulata. La cogí, y la llevé a la maldita cámara del tesoro que iba a ser nuestra tumba. A continuación volvimos sobre nuestros pasos y recogimos con respeto el cadáver de Foulata, y lo dejamos en el suelo junto a las cajas llenas de monedas.

Nos sentamos, con la espalda apoyada en las tres arcas de piedra que contenían los tesoros incalculables.

—Vamos a repartir la comida —dijo sir Henry—, para que dure lo más posible.

Así lo hicimos. Calculamos que teníamos suficiente para hacer cuatro comidas infinitesimales para cada uno, es decir, para seguir vivos durante un par de

Infinitesimal: Infinitamente pequeño.

días. Además del *biltong*, o carne seca, teníamos dos calabazas de agua que contenían cada una un cuarto de galón.

—Y ahora —dijo sir Henry—, comamos y bebamos, que mañana moriremos.[3]

Comimos un poco de *biltong* y bebimos un sorbo de agua. No es preciso decir que teníamos poco apetito, a pesar de que necesitábamos desesperadamente alimentos, y tras la comida nos sentimos mejor. A continuación nos levantamos y realizamos un sistemático examen de los muros de nuestra prisión, con la débil esperanza de encontrar algún medio para salir, golpeándolos cuidadosamente, y lo mismo hicimos con el suelo.

No encontramos nada. No parecía probable que hubiese ninguna salida en la cámara del tesoro.

La luz de la lámpara comenzó a debilitarse. La grasa estaba casi agotada.

—Quatermain —dijo sir Henry—, ¿qué hora es? ¿Funciona su reloj?

Lo saqué del bolsillo y lo miré. Eran las seis. Habíamos entrado en la cueva a las once.

—Infadoos nos echará en falta —sugerí—. Si no regresamos esta noche, nos buscará por la mañana, Curtis.

Vana: Inútil, infructuosa.

—Su búsqueda será vana. No conoce el secreto de la puerta, ni dónde se encuentra esta. Ayer, ninguna persona viva lo conocía, excepto Gagool. Hoy, ya nadie lo sabe. Incluso si encontrara la puerta, no podría romperla. Ni todo el ejército kukuana podría atravesar seis pies de peña viva. Amigos míos, no veo más solución que someternos a la voluntad del Todopoderoso. La búsqueda del tesoro ha llevado a muchos hombres a un final terrible; nosotros vamos a engrosar su número.

Peña viva: La que está adherida naturalmente al terreno.

[3] Viejo proverbio citado por el profeta Isaías (22,13) y recogido también por san Pablo (1 *Cor* 15,32).

La lámpara languideció aún más.

Al poco rato soltó una llamarada que nos mostró el escenario con gran relieve: el enorme montón de blancos colmillos, las cajas llenas de oro, el cadáver de la pobre Foulata tendido ante ellas, el pellejo de cabra que contenía el tesoro, el débil resplandor de los diamantes y las caras hoscas y pálidas de tres hombres blancos aguardando la muerte por inanición allí sentados.

Inanición: Extrema debilidad física, especialmente por falta de alimento.

La llama de la lámpara se redujo y se apagó definitivamente.

Capítulo 18

Abandonamos toda esperanza

Mitigado: Aliviado, suavizado, calmado, aplacado.

No puedo ofrecer ninguna descripción adecuada de los horrores de aquella noche. Por suerte, quedaron algo mitigados por un sueño misericordioso, porque, incluso en circunstancias como las que nosotros atravesábamos, a veces la naturaleza hace prevalecer sus derechos. Pero yo no pude dormir mucho rato. Dejando a un lado el pensamiento aterrador del destino que nos esperaba —ya que incluso el hombre más valiente de la tierra puede perfectamente acobardarse ante la suerte que se cernía sobre nosotros, y yo nunca he pretendido ser valiente—, el *silencio* era demasiado intenso para permitirlo.

Usted, lector, quizá haya estado despierto alguna noche y el silencio se le haya hecho opresivo, pero le diré con toda confianza que no puede hacerse idea de lo que es en realidad el silencio tangible y completo. En la superficie de la tierra hay siempre algún movimiento, que aunque en sí mismo sea imperceptible, al menos desgasta el agudo filo del silencio absoluto. Pero allí no había nada de esto. Estábamos enterrados en las entrañas de un enorme pico cubierto de nieve. A miles de pies por encima de nosotros soplaba el aire fresco sobre la blanca nieve, pero su sonido no llegaba hasta nosotros. Estábamos separados por un largo túnel y cinco pies de roca incluso de la espantosa cámara de los muertos; y los muertos no hacen ruido. Ni el estruendo de toda la artillería de los cielos y la tierra habría llegado hasta nuestros oídos en aquella tumba viviente. Estábamos aislados de todos los ecos del mundo; era como si estuviéramos ya muertos.

A pesar de todo, no se me escapaba la ironía de aquella situación. A nuestro alrededor había suficientes tesoros para pagar una modesta deuda nacional, o para construir una flota de acorazados, y, sin embargo, nosotros habríamos cambiado de buena gana todo lo que allí había por la más ligera esperanza de escapar. Sin duda, no tardaríamos mucho en desear trocar todo aquello por un poco de comida o un vaso de agua y, andando el tiempo, incluso por el privilegio de poner un final rápido a nuestros sufrimientos. La auténtica riqueza, en cuya consecución gastan su vida los hombres, es, al fin y al cabo, algo sin valor.

Trocar: Intercambiar mercancías sin intervención de dinero.

Y así transcurrió la noche.

—Good —dijo por fin sir Henry, en un tono de voz que resultó espantoso en medio del profundo silencio—, ¿cuántas cerillas quedan en la caja?

—Ocho, Curtis.

—Encienda una para poder ver qué hora es.

Así lo hizo y, por contraste con la densa oscuridad, la llama casi nos cegó. Según mi reloj, eran las cinco. La hermosa aurora se sonrojaba sobre la nieve, muy por encima de nuestras cabezas, y la brisa debía de estar disipando las brumas de la noche.

—Deberíamos comer un poco para poder mantener las fuerzas —dije.

—¿Para qué nos serviría comer? —replicó Good—. Cuanto antes muramos y acabemos con esto, tanto mejor.

—Mientras hay vida hay esperanza —sentenció sir Henry.

Así pues, comimos y bebimos unos sorbos de agua, y al cabo de un rato uno de nosotros sugirió que debíamos acercarnos a la puerta lo más posible y gritar, por si había alguna ligera posibilidad de que nos oyeran desde el exterior. Good, que, debido a la larga práctica en el mar posee una voz aguda y penetrante, recorrió a tientas el pasadizo y empezó a gritar. Debo decir que hizo un ruido infernal. Jamás había oído unos alaridos semejantes, pero por el resultado que obtuvieron habría servido lo mismo el zumbido de un mosquito.

Lo dejó al cabo de un rato y regresó sediento, por lo que tuvo que beber un poco de agua. Después de esa tentativa, desechamos la idea de gritar, porque repercutía en la reserva de agua.

De modo que volvimos a sentarnos apoyados en las arcas de inútiles diamantes, en aquella terrible inacción que era una de las características más penosas de nuestro destino; y debo decir que, por mi parte, me abandoné a la desesperación. Apoyé la cabeza sobre los anchos hombros de sir Henry y rompí en llanto; creo que oí sollozar a Good al otro lado y renegar con voz ronca contra sí mismo por ello.

¡Ah, qué bueno y valiente era aquel gran hombre! No nos habría tratado con mayor ternura si hubiésemos sido dos niños asustados y él nuestra niñera. Olvidando sus propias desdichas, hizo todo lo posible por calmar nuestros nervios destrozados; nos contó historias sobre hombres que se habían encontrado en circunstancias semejantes a las nuestras y que habían sobrevivido milagrosamente; y, cuando esto dejó de animarnos, observó que, después de todo, no era más que la anticipación del final que a todos nos llega, que pronto acabaría todo y que la muerte por inanición es piadosa (lo que no es cierto). Después utilizó otra táctica que ya le había visto poner en práctica anteriormente, y nos sugirió que nos entregáramos a la merced del Poder Supremo, cosa que yo hice con todas mis fuerzas.

Es el suyo un carácter maravilloso, muy tranquilo pero fuerte.

Y así transcurrió el día, como había transcurrido la noche (si es que pueden utilizarse estos términos cuando se está rodeado por la más negra oscuridad),

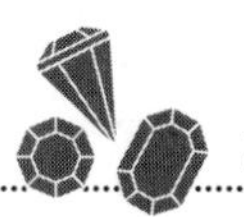

y al encender una cerilla para ver qué hora era comprobé que eran las siete.

Volvimos a comer y a beber, y mientras tanto se me ocurrió una idea.

—¿Cómo es posible —pregunté— que el aire se mantenga fresco en este lugar? Es denso y pesado, pero sigue fresco.

—¡Cielo santo! —exclamó Good, levantándose de un salto—. No había pensado en eso. No puede entrar por la puerta de piedra, porque está cerrada herméticamente. Debe de venir de otra parte. Si no existiera una corriente de aire, nos habríamos asfixiado desde el primer momento. Vamos a echar un vistazo.

Es portentoso el cambio que produjo en nuestro ánimo aquella chispa de esperanza. Al momento siguiente, los tres nos arrastrábamos por la cueva a cuatro patas, palpando el suelo para encontrar el menor indicio de una corriente de aire. De repente, mi ardor quedó refrenado. Puse la mano sobre algo frío. ¡Era el rostro de la difunta Foulata!

Seguimos palpando durante una hora o más, hasta que finalmente sir Henry abandonó, desesperado, tras habernos hecho numerosas heridas al golpearnos la cabeza constantemente contra los colmillos de elefante, las arcas y las paredes de la cámara. Pero Good perseveró, diciendo, en un tono parecido a la jovialidad, que era mejor hacer eso que no hacer nada.

Perseverar: Insistir.

Jovialidad: Alegría y apacibilidad de genio.

—Escúchenme, amigos —dijo de repente con voz turbada—; vengan aquí.

No hace falta decir que nos precipitamos hacia él con rapidez.

—Quatermain, ponga su mano aquí, donde está la mía. ¿Siente algo?

—*Creo* que por aquí sube aire.

—*Muy* bien.

Se levantó y dio una patada, y nuestros corazones se agitaron con una llamarada de esperanza. *Sonaba a hueco.*

Escudriñar: Examinar, inquirir y averiguar cuidadosamente una cosa y sus circunstancias.

Juntura: Parte o lugar en que se juntan dos o más cosas.

Encendí una cerilla con manos temblorosas. Solo me quedaban tres. Vimos que nos encontrábamos en la esquina del extremo opuesto de la cámara del tesoro, hecho que explicaba que no nos hubiéramos dado cuenta del sonido hueco de aquel punto en nuestro exhaustivo examen anterior. Mientras duró el resplandor de la cerilla escudriñamos el lugar. Había una juntura en el suelo de roca y, ¡cielo santo!, allí, al nivel de la roca, una anilla de piedra. No dijimos ni media palabra; estábamos demasiado nerviosos y nuestros corazones latían demasiado deprisa, animados por la esperanza, para poder hablar. Good poseía un cuchillo en uno de cuyos extremos tenía uno de esos ganchos que se utilizan para extraer piedras de los cascos de los caballos. Lo abrió y arañó la anilla con él. Finalmente, lo metió por debajo y lo levantó suavemente por temor a romper el gancho. La anilla comenzó a moverse. Al ser de piedra, no se había oxidado durante los siglos que había estado allí, como habría sido el caso de haber estado hecha de hierro. Por fin quedó de pie. Entonces la agarró con las manos y tiró con todas sus fuerzas, pero no se movió.

—Déjeme intentarlo —dije, impaciente, porque la piedra estaba colocada de tal forma, justo en la esquina, que resultaba imposible que dos personas tiraran de ella al mismo tiempo.

La cogí y me esforcé por levantarla sin ningún resultado. A continuación lo intentó sir Henry, y tampoco logró nada. Good volvió a coger el gancho y raspó en torno a la grieta por la que se sentía ascender el aire.

—Ahora, Curtis —dijo—, ataque, y déjese los riñones en ello si es necesario. Usted tiene la fuerza de dos hombres. Espere.

Sacó un fuerte pañuelo de seda negra, que, fiel a sus hábitos de limpieza, aún conservaba, y lo pasó por la anilla.

—Quatermain, sujete a Curtis por la cintura y tire con todas sus fuerzas cuando yo diga: *¡Ahora!*

Sir Henry desplegó sus enormes fuerzas y Good y yo hicimos lo mismo, con toda la energía que nos había otorgado la naturaleza.

—¡Tiren! ¡Tiren! Está cediendo —dijo sir Henry con voz entrecortada, y oí crujir los músculos de su enorme espalda. De repente se oyó un ruido de algo que se rompía, sentimos una corriente de aire y caímos de espaldas al suelo con una pesada losa encima. La fuerza de sir Henry lo había logrado.

—Encienda una cerilla, Quatermain —dijo en cuanto nos levantamos y recuperamos el aliento—; tenga cuidado.

La encendí y, ¡loado sea Dios!, ante nosotros vimos *el primer peldaño de una escalera de piedra.*

—¿Qué hacemos ahora? —preguntó Good.

—Pues seguir la escalera, naturalmente, y encomendarnos a la Providencia.

—¡Esperen! —dijo sir Henry—. Quatermain, coja el *biltong* y el agua que queda. Podemos necesitarlos.

Fui arrastrándome hasta los arcones con ese propósito, y al mismo tiempo se me ocurrió una idea. No habíamos pensado mucho en los diamantes durante las últimas veinticuatro horas; en verdad, la idea de los diamantes nos producía náuseas al ver las consecuencias que nos habían acarreado; pero pensé que podría guardarme algunos para el caso de que saliéramos de aquel agujero asqueroso. De manera que metí la mano en el primer arca y llené todos los bolsillos de mi cazadora. El último puñado —y esto fue una idea verdaderamente feliz— fue de las joyas grandes que contenía el tercer arcón.

—¡Oigan, amigos! —les grité—. ¿No van a llevarse unos cuantos diamantes? Yo me he llenado los bolsillos.

—¡Al diablo con los diamantes! —dijo sir Henry—. Ojalá no vuelva a ver uno en mi vida.

Good no hizo el menor comentario. Creo que estaba despidiéndose de los restos de la pobre muchacha que tanto le había amado. Y por extraño que pueda parecerle a usted, lector, que estará sentado cómodamente en su casa reflexionando sobre la fortuna enorme, inconmensurable, que abandonábamos en aquellos momentos, puedo asegurarle que, si hubiera pasado veintiocho horas con prácticamente nada que comer ni que beber, no se habría molestado en cargarse de diamantes antes de internarse en las desconocidas entrañas de la tierra, con la loca esperanza de escapar de una muerte espeluznante. De no ser por el hábito, que se ha convertido prácticamente en una segunda naturaleza, adquirido a lo largo de toda mi vida, de no desechar nada que merezca la pena si existe la mínima posibilidad de llevármelo, estoy seguro de que no me habría molestado en llenarme los bolsillos de diamantes.

Inconmensurable: Inmensa, infinita, inmensurable.

—Vamos, Quatermain —dijo sir Henry, que ya se encontraba en el primer peldaño de la escalera de piedra—. Tenga cuidado. Yo iré delante.

—Fíjense dónde ponen los pies; puede haber algún agujero debajo —dije.

—Es mucho más probable que haya otra habitación —dijo sir Henry mientras descendía lentamente, contando los peldaños.

Al llegar al decimoquinto peldaño se detuvo.

—Esto es el final —dijo— .¡Gracias a Dios! Creo que hay un pasadizo. Bajen.

Good bajó a continuación y yo lo seguí, y al llegar al final encendí una de las dos cerillas que quedaban. A su luz vimos que nos encontrábamos en un estrecho túnel que discurría a izquierda y derecha, formando ángulo recto con la escalera que acabábamos de bajar. Sin darnos tiempo a descubrir nada más, la cerilla me quemó los dedos y se apagó. Entonces se nos planteó el delicado problema del camino que debíamos seguir. Naturalmente, era imposible saber cómo era el túnel ni hacia dónde se dirigía, y tomar un camino determinado podía conducirnos a la salvación, y el otro, a la muerte. Nos quedamos absolutamente perplejos; finalmente, Good cayó en la cuenta de que, al encender la cerilla, la corriente de aire del pasadizo había hecho que la llama se torciera hacia la izquierda.

—Vayamos contra la corriente —dijo—; el aire va hacia adentro, no hacia afuera.

Nos pareció bien la sugerencia y, palpando las paredes con las manos, mientras tanteábamos el suelo a cada paso, salimos de aquella maldita cámara en nuestra desesperada lucha por sobrevivir. Si vuelve a entrar en ella algún ser vivo, cosa que no creo que suceda, encontrará huellas de nuestra presencia allí en las arcas abiertas llenas de joyas, en la lámpara vacía y en los blancos huesos de la pobre Foulata.

Tras caminar a tientas durante un cuarto de hora por el pasadizo, este presentaba una curva o estaba simplemente interceptado por otro pasadizo, que seguimos para desembocar en un tercero. Así seguimos durante varias horas. Al parecer, nos encontrábamos en un laberinto de piedra que no llevaba a ninguna parte. Por supuesto, no sé qué eran todos esos pasadizos, pero pensamos que serían las galerías de una antigua mina, cuyos pozos se entrecruzaban una y otra vez dependiendo del lugar en que se encontrase la veta del mineral. Esta es la única explicación que se nos ocurrió para justificar tal cantidad de pasadizos.

Veta: Filón. Masa de mineral relativamente estrecha, que rellena una antigua quiebra de una roca o de un terreno.

Nos detuvimos al cabo de un rato, completamente agotados por el cansancio y por la ansiedad que atenaza el corazón de los que ven sus esperanzas pospuestas, y devoramos los escasos restos de *biltong* y bebimos el último sorbo de agua, porque teníamos la garganta como hornos de cal. Teníamos la sensación de haber escapado a la Muerte en la oscuridad de la cámara del tesoro para encontrarnos con ella en la oscuridad de los túneles.

Mientras descansábamos, completamente deprimidos una vez más, me pareció oír un ruido, hecho que señalé a mis compañeros. Era muy débil y venía de muy lejos, pero era un ruido, un sonido, un murmullo apagado, porque los otros también lo oyeron. No hay palabras para describir lo que sentimos tras todas aquellas horas de espantoso silencio absoluto.

—¡Cielos! Es agua —gritó Good—. Vamos.

Nos dirigimos hacia el lugar de donde parecía provenir el débil murmullo, caminando a tientas por el pasadizo. A medida que avanzábamos se hizo cada vez más audible, hasta que, finalmente, pudimos oírlo perfectamente en medio del silencio. Seguimos caminando hasta que distinguimos claramente el inconfundible rumor de un torrente de agua. Pero ¿cómo es posible que hubiera un torrente en las entrañas de la tierra? Ya habíamos llegado muy cerca, y Good, que marchaba a la cabeza del grupo, juró que podía olerla.

—Vaya con cuidado, Good —dijo sir Henry—. Debemos de estar casi encima.

Se oyó un chapoteo y un grito de Good.

Había caído al agua.

—¡Good! ¡Good! ¿Dónde está? —gritamos, angustiados.

Con intenso alivio por nuestra parte, oímos que una voz sofocada nos contestaba:

—Estoy bien; me he agarrado a una roca. Enciendan una cerilla para ver dónde están.

Así lo hice a toda prisa. Era nuestra última cerilla. Su débil resplandor nos mostró una oscura masa de agua que corría a nuestros pies. No podíamos ver qué profundidad tenía, pero sí que nuestro compañero estaba allí, a poca distancia, agarrado a una roca que sobresalía.

—Prepárense para cogerme —dijo Good—. Voy a tener que nadar un poco.

A continuación oímos un chapoteo y un ruido de forcejeo. A los pocos segundos se aferró a la mano extendida de sir Henry y lo pusimos a salvo en el suelo del túnel.

—¡Caramba! —exclamó entre jadeos—. Me he salvado por los pelos. Si no es porque he podido agarrarme a esa roca y porque sé nadar, no lo cuento. La corriente es como la de un canal de molino, y no se toca fondo.

Por los pelos: En el último instante.

Estaba claro que no podíamos seguir por allí, así que, después de que Good hubo descansado un poco, de habernos saciado con el agua, dulce y fresca, del río subterráneo y de habernos lavado la cara, que buena falta nos hacía, nos alejamos de las riberas de aquella laguna Estigia[1] africana y volvimos sobre nuestros pasos por el túnel, con Good chorreando agua a la cabeza del grupo. Al cabo de un rato llegamos a otro túnel, que se dirigía a la derecha.

—Podríamos seguir por aquí —dijo sir Henry con voz cansada—; todos los caminos son parecidos. Lo único que podemos hacer es seguir caminando hasta que caigamos desfallecidos.

Seguimos caminando a trompicones y lentamente durante un largo rato, completamente agotados, con sir Henry a la cabeza del grupo.

De repente se detuvo y chocamos con él.

—¡Miren! —dijo en un susurro—. O me estoy volviendo loco, o ahí hay luz.

Concentramos nuestras miradas y, en efecto, allá a lo lejos vimos un punto reluciente, no más grande que un ventanuco. Era tan pequeño que dudo que lo hubieran podido percibir otros ojos que no fueran los nuestros, que durante tantos días no habían visto otra cosa que oscuridad.

[1] En la mitología griega, Estigia, o Éstige, era un río de los Infiernos. Sus aguas, negras y ponzoñosas, formaban una zona pantanosa e intransitable (la laguna Estigia de los poetas), a orillas de la cual se apiñaban las sombras errantes de los muertos que no habían sido sepultados. Al decir de Hesíodo (poeta griego posterior a Homero, entre los siglos VIII y VII a. C.), Estigia fue una ninfa, hija de Océano y Tetis, que moraba a la entrada de los Infiernos.

Exhalar: Lanzar, emitir.

Guarida: Cueva o espesura donde se guarecen los animales.

Exhalamos un gemido de esperanza y nos apresuramos. Al cabo de cinco minutos ya no nos cabía ninguna duda: *era,* efectivamente, una mancha de débil luz. Otro minuto más y recibimos un soplo de aire fresco. Seguimos avanzando. El túnel se estrechó súbitamente. Sir Henry cayó de rodillas. El túnel se hizo aún más estrecho, hasta convertirse en un tubo poco más grande que una guarida de zorros excavada en la tierra, y en verdad *tierra* era. Ya no había rocas.

Sir Henry logró salir tras muchos forcejeos, y lo mismo le ocurrió a Good, y también yo lo logré, y por encima de nuestras cabezas vimos las benditas estrellas, y en nuestras fosas nasales penetró el aire fresco. De súbito, el suelo cedió bajo nuestros pies y todos caímos rodando entre hierba y arbustos por la tierra húmeda y suave.

Me agarré a lo primero que pude y me detuve. Me incorporé y grité con voz potente.

Oí un grito que respondía desde abajo, donde se había detenido sir Henry en su loca carrera al llegar a terreno llano. Me arrastré hasta él, y lo vi sano y salvo, aunque jadeante. Después nos pusimos a buscar a Good. Lo encontramos a poca distancia, encajado en una raíz en forma de horquilla. Presentaba un buen número de magulladuras, pero pronto se recuperó.

Nos sentamos en la hierba, con tal mezcla de sentimientos que realmente creo que llegamos a gritar de alegría. Habíamos escapado de aquella espantosa mazmorra que estuvo a punto de convertirse en nuestra tumba. Sin duda, un poder misericordioso había guiado nuestros pasos hasta la guarida de chacales en que desembocaba el túnel (porque eso debía de ser). Y allá arriba, en las montañas, la aurora que creímos no volver a ver jamás se encendía con tonos rosados.

Al cabo de un rato, la luz grisácea se deslizó por las laderas y comprobamos que nos encontrábamos en el fondo, o casi en el fondo, del enorme foso de la entrada de la caverna. Podíamos distinguir las oscuras siluetas de los tres colosos que estaban sentados en el borde. Con toda seguridad, los espantosos pasadizos por los que habíamos deambulado en aquella noche interminable estaban conectados en un principio con la gran mina de diamantes. En cuanto al río subterráneo en las entrañas de la tierra, solo Dios sabe qué era, o de dónde venía ni adónde iba. Yo, desde luego, no siento ningún deseo de conocer su curso.

La claridad aumentó y siguió aumentando. Ya podíamos vernos las caras, y nunca he posado los ojos en un espectáculo semejante antes de ese momento, ni tampoco después. Con las mejillas chupadas, los ojos hundidos, cubiertos de polvo y barro de pies a cabeza, magullados, ensangrentados, con los caracteres del miedo a una muerte inminente aún grabados en el rostro, éramos en verdad una aparición que podía haber asustado a la mismísima luz del día. Pero afirmo con toda solemnidad que Good aún llevaba su monóculo en la misma posición. Dudo que se lo haya quitado jamás. Ni la oscuridad, ni el chapuzón en el río subterráneo, ni el rodar por la ladera habían podido separar a Good de su monóculo.

Nos levantamos al cabo de un rato, por temor a que nuestros miembros se quedasen rígidos si permanecíamos allí sentados, y empezamos a ascender las empinadas laderas del gran foso. Durante una hora o más caminamos penosamente por la arcilla azul, arrastrándonos con la ayuda de las raíces y matojos que la cubrían.

Por fin llegamos a la gran carretera, en el lado del foso frente al que se alzaban los colosos.

Junto a la carretera, a una distancia de cien yardas, ardía un fuego entre unas chozas, y alrededor de la hoguera se veían varias siluetas. Nos dirigimos hacia allí, apoyándonos unos en otros y deteniéndonos a cada pocos pasos. Una de las siluetas se levantó, nos vio y cayó al suelo, gritando de miedo:

—¡Infadoos, Infadoos! ¡Somos nosotros, tus amigos!

Nos pusimos de pie. Él corrió hacia nosotros, mirándonos con los ojos desorbitados y aún temblando de miedo.

—¡Oh, mis señores, mis señores!... ¡Sois realmente vosotros, que habéis vuelto de la muerte! ¡Habéis vuelto de la muerte!

Y el viejo guerrero se postró a nuestros pies, se abrazó a las rodillas de sir Henry y lloró de alegría.

Capítulo 19

La despedida de Ignosi

Diez días después de aquella memorable mañana, nos encontrábamos de nuevo en nuestro viejo cuartel general de Loo y, por extraño que parezca, no nos sentíamos demasiado mal tras la terrible experiencia, salvo por el hecho de que mis hirsutos cabellos, tras salir de aquella caverna, estaban tres veces más canosos que al entrar, y porque Good no volvió a ser el mismo tras la muerte de Foulata, que pareció conmoverlo terriblemente. Debo decir que, considerando el asunto desde el punto de vista de un viejo hombre de mundo, pienso que su desaparición fue un acontecimiento afortunado, ya que en otro caso habría traído complicaciones. La pobre criatura no era una muchacha nativa corriente, sino una persona de gran belleza, casi diría que extraordinaria, y de espíritu sumamente refinado. Pero ni la belleza ni el refinamiento habrían bastado para hacer deseable una unión entre ella y Good, porque, como ella misma dijo: «¿Acaso puede el sol desposarse con la oscuridad, o lo blanco con lo negro?».

No creo necesario decir que no volvimos a penetrar en la cámara del tesoro del rey Salomón. Tras recuperarnos de nuestras fatigas, proceso en el que tardamos cuarenta y ocho horas, bajamos al gran foso con la esperanza de encontrar el agujero por el que habíamos salido de la montaña, pero sin éxito. En primer lugar, había llovido, con lo que se habían borrado nuestras huellas; y además, las laderas del enorme foso estaban llenas de guaridas de osos hormigueros y todo tipo de agujeros. Era totalmente imposible saber a cuál de ellos debíamos nuestra salvación.

Asimismo, el día antes de regresar a Loo, examinamos con mayor detenimiento las maravillas de la cueva de estalactitas y, empujados por una sensación de inquietud, incluso penetramos una vez más en la Cámara de los muertos, y al pasar bajo la lanza de la Muerte Blanca, miramos, con una mezcla de sentimientos que me resulta imposible describir, la mole de roca que nos cortó el camino de salida, pensando en los inconmensurables tesoros que había detrás, en la misteriosa bruja cuyos restos yacían aplastados debajo de ella y en la hermosa muchacha de cuya tumba era pórtico. He dicho que miramos la «roca», porque, a pesar de examinarla detenidamente, no pudimos encontrar señales de la juntura de la puerta deslizante. Tampoco dimos con el secreto, que ahora se ha perdido para siempre, que la ponía en funcionamiento, a pesar de que lo intentamos durante una hora o más. Era verdaderamente un mecanismo increíble, característico, por su imponente e inescrutable simplicidad, de la era en que fue concebido; y dudo que el mundo posea otro semejante.

Inescrutable: Que no se puede saber ni averiguar.

Finalmente, abandonamos la tarea, contrariados, aunque, si la mole se hubiese alzado de repente ante nuestros ojos, dudo que hubiésemos tenido suficiente valor para pisar los restos machacados de Gagool y para entrar una vez más a la cámara del tesoro, incluso con la esperanza de encontrar innumerables diamantes. No obstante, habría llorado ante la idea de dejar todo aquel tesoro, quizá el más grande que se haya acumulado a lo largo de la historia en aquel lugar. Pero no quedaba más remedio. Solo con la dinamita habríamos podido abrirnos paso a través de cinco pies de roca sólida. Así que lo dejamos. Quizá un explorador de una época futura y remota se tope

con el «Ábrete, sésamo»[1], e inunde el mundo de gemas. Pero lo dudo. Tengo el presentimiento de que aquellas joyas por valor de millones de libras, escondidas en tres cofres de piedra, no llegarán a brillar en el cuello de una bella mujer terrenal. Ellas y los huesos de Foulata se harán compañía hasta el fin de todas las cosas.

Iniciamos el camino de regreso con un suspiro de decepción y al día siguiente partimos hacia Loo. Pero era una ingratitud por nuestra parte sentirnos decepcionados; porque, como bien recordará el lector, yo había tomado la precaución, gracias a una idea luminosa, de llenarme de gemas los bolsillos de mi vieja cazadora antes de abandonar aquella mazmorra. Muchas desaparecieron al rodar por la pendiente del foso, y entre ellas se contaban la mayoría de los diamantes grandes, que había colocado encima de los otros. Pero, hablando en términos relativos, todavía quedaba una enorme cantidad, que incluía dieciocho grandes piedras, que oscilaban entre los cien y los treinta quilates cada una. Mi vieja cazadora aún contenía suficientes tesoros como para convertirnos a todos, si no en millonarios, sí al menos en hombres extraordinariamente ricos, y para conservar suficientes piedras como para formar las tres mejores colecciones de gemas de Europa. de manera que no nos había ido tan mal.

Al llegar a Loo, fuimos cordialmente recibidos por Ignosi, a quien encontramos bien y muy ocupado en consolidar su poder y en reorganizar los regimientos que habían sufrido mayor cantidad de pérdidas en la gran batalla contra Twala.

[1] Exclamación que se ha convertido en providencial para designar un medio infalible de superar los obstáculos que se opongan a un propósito. Pertenece a *Alí Babá y los cuarenta ladrones,* novela árabe incorporada en algunas recensiones de *Las mil y una noches.* Un pobre artesano persa descubre por casualidad la frase mágica —¡«Ábrete, sésamo!»— que da entrada a la cueva en que una banda de cuarenta ladrones guarda su botín.

Escuchó con profundo interés nuestra increíble historia; pero, cuando le contamos el horripilante fin de Gagool, se quedó pensativo.

—Ven aquí —gritó a un *induna* (consejero) muy anciano, que estaba sentado con otros en círculo, rodeando al rey, pero a una distancia que le impedía oír.

El anciano se levantó, se acercó, saludó al rey y se sentó.

—Tú eres viejo —dijo Ignosi.

—¡Sí, mi señor y rey!

—Dime: Cuando eras niño, ¿conociste a Gagool, la maestra de brujas?

—Sí, mi señor y rey.

—¿Cómo era ella entonces? ¿Joven como tú?

Seca: Flaca o de muy pocas carnes.

—¡No, mi señor y rey! Era como ahora; vieja y seca, muy fea y llena de maldad.

—Ya no. Ha muerto.

—Entonces, ¡oh rey!, ha desaparecido una maldición de esta tierra.

—¡Vete!

—¡*Kum!* Me voy, cachorro negro que desgarró la garganta del viejo perro. ¡*Kum!*

—Ya veis, hermanos —dijo Ignosi—; era una mujer extraña, y me alegro de que haya muerto. Os habría dejado morir en aquel lugar tenebroso, y quizá habría encontrado la forma de asesinarme, como encontró la forma de asesinar a mi padre y de coronar como rey a Twala, a quien amaba de todo corazón. Pero continuad vuestra historia. ¡Sin duda no existe otra similar!

Tras haberle narrado todos los detalles de la huida, aproveché la oportunidad de dirigirme a Ignosi para hablarle de nuestra marcha de Kukuanalandia.

—Y ahora, Ignosi, ha llegado el momento de decirte adiós y de empezar a buscar una vez más nuestra propia tierra. Ten en cuenta, Ignosi, que llegaste con nosotros como sirviente, y ahora, al dejarte, eres un rey poderoso. Si nos estás agradecido, recuerda que debes hacer lo que prometiste: gobernar con justicia, respetar la ley y no enviar a nadie a la muerte sin juicio previo. Así prosperarás. Mañana, al despuntar el día, nos darás una escolta que nos conduzca más allá de las montañas. ¿No es así, oh rey?

Ignosi se cubrió la cara con las manos durante un rato antes de contestar.

—Mi corazón está triste —dijo al fin—. Tus palabras me parten el corazón en dos. ¿Qué he hecho yo, Incubu, Macumazahn y Bougwan, para que me dejéis desolado? Vosotros, que estuvisteis junto a mí en la rebelión y la batalla, ¿vais a dejarme en tiempos de victoria y paz? ¿Qué deseáis? ¿Mujeres? ¡Elegidlas por todo el país! ¿Un lugar para vivir? Sabed que la tierra es vuestra hasta donde alcanza la vista. ¿Queréis las casas del hombre blanco? Vosotros enseñaréis a mi pueblo a construirlas. ¿Queréis ganado para tener carne y leche? Todo hombre casado os traerá un buey o una vaca. ¿Animales salvajes para cazar? ¿Acaso no camina el elefante por mis bosques y duerme el hipopótamo entre los juncos? ¿Queréis hacer la guerra? Mis *impis* (regimientos) solo esperan vuestras órdenes. Si hay algo más que pueda daros, os lo daré.

—No, Ignosi, no queremos ninguna de esas cosas —repliqué—; deseamos volver a nuestro país.

—Ahora comprendo —dijo Ignosi con amargura y ojos centelleantes —que amáis las piedras brillantes más que a mí, vuestro amigo. Ya tenéis las piedras. Ahora marcharéis a Natal y atravesaréis la negra agua movediza y las venderéis, y seréis ricos; tal es el deseo del hombre blanco. Malditas sean las piedras y malditos los que las buscan. Que la muerte caiga sobre aquel que ponga el pie en el Lugar de la Muerte para buscarlas. He dicho, hombres blancos; podéis marchar.

Posé mi mano en su brazo.

—Ignosi —repliqué—, dinos: cuando viajaste por Zululandia y estuviste entre los hombres blancos de

Natal, ¿no anhelaba tu corazón volver a la tierra de la que te habló tu madre, tu tierra natal, donde viste por primera vez la luz, y donde jugaste cuando eras niño, la tierra en que está tu hogar?

—Así es, Macumazahn.

—De la misma forma anhelan nuestros corazones volver a nuestra tierra y a nuestro hogar.

Se hizo el silencio. Cuando Ignosi lo rompió, el tono de su voz era diferente.

—Comprendo que tus palabras son, como siempre, sabias y razonables, Macumazahn; al que vuela por el aire no le gusta correr por la tierra. Al hombre blanco no le gusta vivir codo con codo con el negro. Bien; Tenéis que partir y dejar triste mi corazón, porque para mí estaréis como muertos, puesto que no pueden llegarme noticias desde el lugar en el que estaréis.

»Pero escuchad y haced saber a todos los hombres blancos mis palabras. Ningún otro hombre blanco cruzará las montañas; ni siquiera si llega a vivir hasta tan lejos. No quiero ver mercaderes con sus pistolas y su ginebra. Mi pueblo luchará con la lanza y beberá agua, como lo hicieron sus antepasados. No dejaré que ningún predicador siembre el miedo en el corazón de los hombres ni que los incite contra el rey ni que abra caminos a los hombres blancos. Si un hombre blanco llega a mi puerta, lo haré retroceder; si llegan cien, los echaré; si llega un ejército, lucharé contra él con todas mis fuerzas, y no me vencerá. Nadie vendrá a buscar las piedras brillantes, no; ni siquiera un ejército, porque, si viene, yo enviaré a mis regimientos a cegar el foso, a romper las columnas blancas de las cuevas y a llenarlas de rocas, de modo que nadie pueda llegar a la puerta de la que habláis, cuya forma de abrirse se ha perdido. Pero para vosotros tres, Incubu, Macumazahn y Bougwan, el camino estará siempre abierto, porque sabed que os amo más que al aire que respiro.

Ginebra: Bebida alcohólica obtenida de semillas y aromatizada con las bayas del enebro.

Cegar: Cerrar o tapar

»Y así os marcharéis. Infadoos, mi tío, y mi *induna* os tomarán de la mano y os guiarán, con un regimiento. Sé que existe otro camino para atravesar las montañas, y ellos os lo mostrarán. Adiós, hermanos míos, valientes hombres blancos. No me veáis más, porque mi ánimo no podría soportarlo. Daré un decreto que será anunciado de una montaña a otra, por el que vuestros nombres, Incubu, Macumazahn y Bougwan serán como los nombres de los reyes muertos, y aquel que los pronuncie morirá*. Y así vuestro recuerdo permanecerá en el país para siempre.

»Id, o mis ojos se llenarán de lágrimas como los de una mujer. A veces, cuando volváis la vista atrás hacia el sendero de la vida, o cuando seáis viejos y os reunáis para sentaros junto al fuego, porque el sol ya no dé más calor, pensaréis en cómo luchamos codo con codo en aquella gran batalla que planeaste con tus sabias palabras, Macumazahn, o en que tú fuiste la punta del cuerno que desgarró el flanco de Twala, Bougwan; en tanto que tú, Incubu, estuviste en el anillo de los Grises, y los hombres cayeron bajo tu hacha como el maíz bajo la hoz, ¡ay!, y pensarás en cómo tú doblegaste la fuerza de Twala, el toro salvaje, y tiraste su orgullo sobre el polvo. Adiós para siempre, Incubu, Macumazahn y Bougwan, mis señores y amigos.

Se puso de pie, nos miró intensamente durante unos segundos y después se cubrió la cabeza con un pliegue de su *kaross*, como para ocultar la cara a nuestras miradas.

Nos fuimos en silencio.

Al amanecer del día siguiente, salimos escoltados por nuestro viejo amigo Infadoos, que tenía el cora-

* Esta forma tan extraordinaria y negativa de profundo respeto no es en absoluto desconocida entre los africanos; el resultado es que si el nombre en cuestión tiene significado, que es lo que suele ocurrir, su sentido tiene que expresarse mediante un giro idiomático u otra palabra. De esta forma, el recuerdo se conserva durante generaciones, o hasta que una palabra nueva sustituye a la antigua *(A. Q.)*.

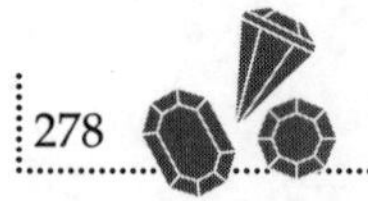

zón roto por nuestra partida, y por el regimiento de Búfalos. A pesar de lo temprano de la hora, la calle principal de la ciudad estaba flanqueada por multitud de personas que nos dirigían el saludo real al pasar a la cabeza del regimiento, en tanto que las mujeres nos bendecían por haber librado al país de Twala y arrojaban flores a nuestro paso. Fue una despedida verdaderamente conmovedora, nada parecido a lo que suele ocurrir con los nativos.

No obstante, ocurrió un ridículo percance, que resultó oportuno porque nos proporcionó algo de que reírnos.

En el momento en que llegábamos a las puertas de la ciudad, apareció corriendo una hermosa muchacha con flores en la mano y se las ofreció a Good (al parecer, a todas les gustaba Good; yo creo que su monóculo y la media barba le proporcionaban un valor de fábula), y le dijo que quería pedirle una gracia.

—Habla.

—Que mi señor enseñe las hermosas piernas blancas a su sierva, para que su sierva pueda verlas y recordarlas durante toda su vida, y hablar de ellas a sus hijos. Su sierva ha viajado durante tres días para verlas, porque su fama se ha extendido por todo el país.

—¡Que me cuelguen si lo hago! —exclamó Good, nervioso.

—Vamos, vamos, querido amigo —dijo sir Henry—, no se puede negar a complacer a una dama.

—Ni hablar —dijo Good con obstinación—; es una perfecta indecencia.

Pero finalmente consintió en subirse los pantalones hasta las rodillas, entre exclamaciones de extasiada admiración de todas las mujeres presentes, especialmente de la joven cuyo deseo había satisfecho, y así tuvo que caminar hasta que salimos de la ciudad.

Me temo que las piernas de Good no volverán a inspirar jamás tanta admiración. De sus dientes móviles y de su «ojo transparente» llegaron a cansarse un poco, pero no de sus piernas.

Mientras viajábamos, Infadoos nos contó que había otro paso por las montañas, al norte de la gran carretera de Salomón, o más bien que había un lugar por el que se podía bajar el precipicio que separaba Kukuanalandia del desierto, interrumpido por los Senos de Saba. Al parecer, hacía más de dos años, un grupo de cazadores kukuanas había descendido por ese camino hasta el desierto en busca de avestruces, cuyas plumas eran muy apreciadas entre ellos para confeccionar tocados guerreros, y que en el transcurso de la expedición de caza se alejaron de las montañas y sufrieron a causa de la sed. Pero, al ver árboles en el horizonte, se dirigieron hacia ellos y descubrieron un oasis grande y fértil de varias millas de extensión, con agua en abundancia. Fue por este oasis por donde nos sugirió que regresáramos. La idea nos pareció buena, porque así podríamos evitar los rigores del paso de la montaña. Teníamos a nuestra disposición a algunos de aquellos cazadores para que nos guiaran hasta el oasis, desde el cual, según afirmaron, ellos habían visto otros puntos fértiles en el desierto.*

Caminando sin prisas, en la noche del cuarto día de viaje nos encontramos una vez más en la cresta de las montañas que separan Kukuanalandia del desierto, que se extendía en ondas arenosas a nuestros

* A veces nos había dejado confusos intentar comprender cómo pudo sobrevivir la madre de Ignosi, con un niño en los brazos, a los peligros del viaje por las montañas y el desierto, peligros que para nosotros casi resultaron fatales. Desde entonces pienso —y propongo esta idea al lector— que la madre de Ignosi debió de seguir esta segunda ruta, vagando como Agar por el desierto. Si efectivamente fue así, no hay nada inexplicable en la historia, ya que, como nos contó el propio Ignosi, es posible que la recogieran unos cazadores de avestruces antes de que ella o su hijo murieran y que los condujeran al oasis, y desde allí, pasando diversos puntos fértiles, pudo haber llegado a Zululandia *(A. Q).* [La Agar que se cita en esta nota es la esclava de Abraham, que fue elevada a la categoría de esposa del patriarca por indicación de Sara. De esta unión nació Daniel *(Gén* 16,14-15). Pero más tarde, cuando creció Isaac, hijo de Abraham y Sara, Agar y su hijo fueron expulsados, teniendo que vagar por el desierto de Berseba *(Gén* 21,8-14)].

pies, a unas veinticinco millas al norte de los Senos de Saba.

Al amanecer del día siguiente, nos condujeron al borde de una pendiente escarpada, por la que debíamos descender al precipicio para llegar al desierto, que se extendía abajo, a más de dos mil pies.

Allí nos despedimos de Infadoos, verdadero amigo y guerrero curtido, quien nos deseó toda suerte de bienes con gran solemnidad y casi llorando de pena.

—Mis señores —dijo—, nunca verán mis viejos ojos a nadie como vosotros. ¡Ah! ¡Cómo acuchillaba Incubu a los enemigos en la batalla! ¡Ah! ¡Cómo cortó de un solo golpe la cabeza de mi hermano Twala! Fue hermoso, ¡muy hermoso! No tengo esperanzas de ver nada igual, a no ser en un sueño feliz.

Lamentamos mucho separarnos de él. Good estaba tan emocionado que le regaló un recuerdo... ¿No se lo imaginan? Un *monóculo.* (Después descubrimos que era uno de repuesto). Infadoos quedó encantado, al comprender que la posesión de semejante objeto aumentaría su enorme prestigio y, tras varios intentos vanos, por fin consiguió ajustárselo al ojo. Nunca he visto nada tan incongruente como aquel viejo guerrero con monóculo. Los monóculos no pegan con las capas de piel de leopardo y los penachos de plumas negras de avestruz.

A continuación, tras comprobar que nuestros guías iban bien provistos de agua y víveres, y de recibir el atronador saludo de despedida de los Búfalos, estrechamos la mano del viejo guerrero e iniciamos el descenso. Resultó ser una tarea ardua, pero por la tarde nos encontrábamos en el fondo del precipicio sin haber sufrido percances.

Ardua: Muy difícil.

—¿Saben una cosa? —dijo sir Henry aquella noche mientras contemplábamos los enhiestos picos que se alzaban por encima de nuestras cabezas, sentados junto al fuego—. Creo que hay lugares en el mundo peores que Kukuanalandia, y que he pasado épocas

Enhiesto: Erguido, levantado, derecho.

menos felices que los últimos dos meses, aunque nunca tan extrañas. ¿Y ustedes, amigos?

—A mí casi me gustaría volver —dijo Good con un suspiro.

En cuanto a mí, pensé que bien está lo que bien acaba; pero, en el transcurso de una larga vida de peligros, nunca me había enfrentado con ninguno parecido a los que había sufrido últimamente. Al pensar en aquella batalla, aún me recorre un escalofrío por todo el cuerpo. ¡Y con respecto a nuestra experiencia en la cámara del tesoro...!

A la mañana siguiente iniciamos una penosa marcha a través del desierto, con una buena reserva de agua, que transportaban nuestros cinco guías, y por la noche acampamos a cielo abierto, para continuar al amanecer del día siguiente.

A mediodía del tercer día de viaje vimos los árboles del oasis de que hablaban los guías, y una hora antes de la puesta del sol caminábamos una vez más sobre hierba y escuchábamos el sonido del correr del agua.

Capítulo 20

Lo encontramos

Y ahora llego a lo que tal vez sea el hecho más extraño de esta no menos extraña historia, y que demuestra la forma increíble de suceder que tienen las cosas.

Caminaba yo tranquilamente, un poco delante de los otros dos, por las riberas del riachuelo que fluía desde el oasis hasta el punto en que se lo tragaban las sedientas arenas del desierto, cuando de repente me detuve y me froté los ojos.

Allí, a menos de veinte yardas, en una situación envidiable, a la sombra de una especie de higuera, y al lado del riachuelo, había una bonita cabaña, construida más o menos al modo de los cafres, con hierba y juncos, pero con una auténtica puerta en lugar de un simple agujero.

«¿Qué demonios pinta una cabaña aquí?», me dije para mis adentros.

En ese mismo momento se abrió la puerta de la cabaña y salió renqueando un *hombre blanco* vestido con pieles de animales y con una enorme barba negra. Ningún cazador puede llegar a semejante lugar, y sin duda ningún cazador se habría establecido allí. Seguí mirando y mirando, y lo mismo hizo aquel hombre, y en ese mismo instante llegaron junto a mí sir Henry y Good.

—Miren allí, amigos —dije—. ¿Es un hombre blanco o es que estoy loco?

Sir Henry miró; también miró Good, y, de repente, el hombre blanco lisiado profirió un fuerte grito y se

Lisiado: Que padece lesión permanente, especialmente en las extremidades.

dirigió hacia nosotros corriendo. Cuando estuvo cerca, cayó al suelo, como desmayado.

Sir Henry llegó a mi lado de un salto.

—¡Cielo santo! —gritó—. *¡Es mi hermano George!*

Al ruido del alboroto, salió de la choza otra persona también cubierta de pieles, con un rifle en la mano, y vino corriendo hacia nosotros. Al verme, también profirió un grito.

—¡Macumazahn! —exclamó—. ¿No me reconoces, *baas?* Soy Jim, el cazador. Perdí la nota que me diste para que se la entregase al *baas,* y llevamos aquí casi dos años.

Aquel hombre cayó a mis pies y rodó por el suelo, llorando de alegría.

—¡Necio! —dije—. ¡Desollado tendrías que estar!

Entre tanto, el hombre de la barba negra se había recuperado y levantado, y él y sir Henry se estrecharon las manos con fuerza, al parecer sin decir palabra. Pero, cualquiera que hubiese sido el motivo de su riña en el pasado (sospecho que se trataba de una dama, pero nunca lo pregunté), evidentemente estaba olvidado.

—Querido muchacho —dijo al fin sir Henry—; creía que habías muerto. He ido hasta las montañas de Salomón para buscarte, y te encuentro asentado en el desierto, como un viejo *aasvogel* (buitre).

—Intenté cruzar las montañas de Salomón hace casi dos años —replicó aquel hombre en el tono vacilante de quien ha tenido pocas oportunidades recientes de hablar en su lengua materna—, pero al llegar allí me cayó una roca en la pierna y me la rompió, y no he podido avanzar ni retroceder.

—¿Cómo está usted, señor Neville? —dije—. ¿Se acuerda de mí?

—Pero, vaya —dijo—, si es Quatermain... y Good. Esperen un momento, amigos; me estoy mareando otra vez. ¡Es todo tan extraño y, cuando se ha perdido la esperanza, tan hermoso!

Aquella noche, junto al fuego, George Curtis nos contó su historia, que, a su manera, era casi tan asombrosa como la nuestra, y que, resumida, venía a consistir en lo siguiente: hacía poco menos de dos años, había salido del *kraal* de Sitanda con la intención de llegar a las montañas. En cuanto a la nota que yo le había enviado por mediación de Jim, resultó que el nativo la había perdido, y que Curtis no había oído hablar de ella hasta aquel día. Pero, fiándose de ciertos informes que le habían proporcionado los nativos, se dirigió, no a los Senos de Saba, sino a la pendiente en forma de escalera de la que nosotros veníamos, que, sin duda, era una ruta mejor que la que había señalado Da Silvestra en el mapa. Él y Jim sufrieron grandes penalidades en el desierto, pero finalmente llegaron al oasis, donde le ocurrió un terrible accidente a Curtis. El mismo día de su llegada se encontraba sentado junto al río, mientras Jim extraía miel de una colmena de abejas sin aguijón, que abundan en el desierto, en la pequeña elevación de terreno que formaba la ribera, justo encima de George Curtis. Al hacerlo, se desprendió una enorme roca, que cayó sobre la pierna derecha de este y la aplastó de un modo atroz. Desde ese día había quedado tan lisiado, que le resultó imposible avanzar ni retroceder, por lo que prefirió la posibilidad de morir en el oasis a la certeza de perecer en el desierto.

En cuanto a la comida, se las habían arreglado bastante bien, puesto que contaban con una buena provisión de municiones, y al oasis acudían a beber gran cantidad de animales salvajes, especialmente en el transcurso de la noche. Los mataban o les tendían trampas, y utilizaban la carne como alimento y, cuando sus ropas se desgastaron, las pieles para abrigarse.

—Y así —concluyó— hemos vivido durante casi dos años, como un Robinson Crusoe con su criado

Viernes[1], esperando contra toda esperanza que llegara algún nativo a ayudarnos a salir de aquí, pero no ha venido nadie. Anoche decidimos que Jim iba a dejarme para intentar llegar al *kraal* de Sitanda y traer ayuda. Iba a marcharse mañana, pero yo tenía pocas esperanzas de volver a verlo; y ahora apareces *tú* y de la forma más inesperada, *tú*, a quien imaginaba viviendo cómodamente en la vieja Inglaterra, olvidado por completo de mi persona, y me encuentras en el lugar más insospechado. Es la cosa más increíble del mundo, y también la más misericordiosa.

A continuación sir Henry se puso a contarle los acontecimientos principales de nuestra aventura, y se quedaron en vela hasta altas horas de la madrugada, hablando.

—¡Caramba! —exclamó George Curtis al mostrarle unos diamantes—. Bueno, al menos ustedes han logrado algo después de tantas desdichas, porque lo que es yo...

Sir Henry se echó a reír.

—Son de Quatermain y Good. Forman parte del trato según el cual, en caso de haber botín, deberían repartírselo entre los dos.

Esta observación me hizo reflexionar y, tras hablar con Good, le dije a sir Henry que deseábamos que se llevara un tercio de los diamantes, o que, si no lo hacía así, le diera su parte a su hermano, que había sufrido incluso más que nosotros por obtenerlos. Finalmente, le convencimos para que aceptase este acuerdo, pero George Curtis no se enteró hasta que transcurrió algún tiempo.

* * *

[1] Se refiere, como es obvio, a la conocida novela de Daniel Defoe (1660-1731), publicada en el n.° 4 de esta misma Colección. George establece un paralelismo, no por elemental menos hermoso: el oasis es a la isla, como el desierto al mar.

Creo que, llegado a este punto, debo dar por terminada esta historia. El viaje de regreso al *kraal* de Sitanda por el desierto fue muy arduo, especialmente porque teníamos que ayudar a caminar a George Curtis, cuya pierna derecha estaba verdaderamente débil y se le astillaban los huesos continuamente. Pero lo logramos, y entrar en más detalles solo significaría repetir lo que nos había ocurrido anteriormente.

Seis meses después de nuestro regreso al *kraal* de Sitanda, donde hallamos nuestras armas y otras pertenencias intactas, pese a que el viejo sinvergüenza a cuyo cuidado las habíamos dejado se sintió muy contrariado de que hubiésemos sobrevivido para reclamarlas, nos encontramos una vez más sanos y salvos en mi casita de Berea, cerca de Durban, donde ahora escribo. Allí me despedí de todos mis compañeros del viaje más extraño que he hecho en el transcurso de una vida larga y rica en experiencias.

P. S.[2]*:* Justo en el momento en que escribía las últimas palabras, vi llegar a un cafre por la avenida de los naranjos con una carta en un bastón hendido que acababa de recoger en la oficina de correos. Resultó ser de sir Henry y, como habla por sí misma, la reproduzco entera.

Brayley Hall, Yorkshire

Estimado Quatermain:

Le envié unas líneas hace unas cuantas semanas para decirle que nosotros tres, George, Good y yo, llegamos sin novedad a Inglaterra. Desembarcamos en Southampton y nos dirigimos a la ciudad. Tendría que haber visto el magnífico aspecto que presentaba Good al día siguiente, perfec-

[2] Abreviatura de *post scriptum,* término latino que equivale a «posdata».

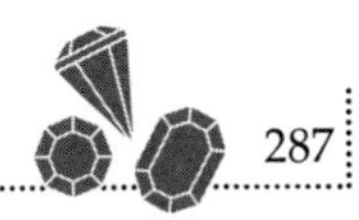

tamente afeitado, con una levita que le sentaba como un guante, monóculo nuevo, etc., etc. Fui a dar un paseo con él por el parque, me encontré con algunos conocidos, y les conté inmediatamente la historia de las «hermosas piernas blancas» de Good.

El capitán está furioso, especialmente porque alguna persona con muy mala idea lo ha publicado en un periódico.

Pero vayamos al grano. Good y yo llevamos los diamantes a Streeter para que los tasaran, como habíamos acordado, y realmente no me atrevo a decirle la cifra que nos dieron, de tan grande como es. Nos dijeron que, naturalmente, los habían valorado un poco a ojo de buen cubero, porque no tenían noticias de que nadie hubiera puesto en el mercado nada parecido y en tan grandes cantidades. Al parecer son de la mejor calidad (salvo uno o dos ejemplares de los más grandes), idénticos en todos los sentidos a las mejores gemas brasileñas. Les pregunté si querían comprarlos, pero respondieron que no podían hacerlo pero respondieron que no podían hacerlo, y nos recomendaron que los fuéramos vendiendo poco a poco, por temor a inundar el mercado. No obstante, ofrecen ciento ochenta mil libras por una pequeña partida.

Tasar: Poner precio.

A ojo de buen cubero: Sin medida, sin peso y a bulto. Irónicamente, poco más o menos.

Tiene que volver a Inglaterra, Quatermain, para ver todos estos asuntos, especialmente si insiste en ofrecer el magnífico regalo de un tercio de los diamantes, que no *me pertenece a mí, a mi hermano George. En cuanto a Good,* no sirve para estas cosas. *Anda demasiado ocupado en afeitarse y en otras cuestiones relacionadas con el vano adorno corporal. Creo que todavía está muy afectado por lo de Foulata. Me ha contado que, desde su regreso, no ha visto a ninguna mujer que pueda compararse con ella, ni por su figura ni por la dulzura de su expresión.*

Quiero que vuelva a Inglaterra, querido y viejo camarada, y que se compre una casa cerca de aquí. Ya ha trabajado bastante, y ahora tiene un montón de dinero. Aquí cerca hay una casa en venta que le iría a las mil maravillas. Venga: cuanto antes, mejor. Puede acabar de escribir sus aventuras en el barco. Nos hemos negado a contar la historia hasta que usted lo haga por escrito, por temor a que no nos crean. Si parte al recibir la presente carta, llegará aquí por Navidades, y le invito a pasarlas conmigo. Van a venir Good y George, y su hijo Harry (esto es un soborno). Lo he llevado conmigo a una cacería que ha durado una semana y me cae muy bien. Es muy simpático. Me pegó un tiro en una pierna, me extrajo los perdigones y después hizo ciertas observaciones sobre las ventajas de llevar a un estudiante de medicina en las cacerías.

¡Adiós, viejo amigo! No puedo decirle nada más, pero sé que vendrá, aunque solo sea por complacer a su sincero amigo

Henry Curtis

P. S.: *He colocado los colmillos del elefante que mató al pobre Khiva en el recibidor, sobre la cornamenta del búfalo que usted me regaló, y tienen un aspecto espléndido. El hacha con que le corté la cabeza a Twala está colgada en la pared, sobre mi escritorio. Ojalá hubiéramos podido traer las cotas de malla.*

H. C.

Hoy es martes. El viernes sale un vapor, y creo que voy a hacer caso a Curtis y a tomarlo para ir a Inglaterra, aunque solo sea para ver a mi hijo Harry y para ocuparme de la publicación de esta historia, tarea que no me gustaría confiar a nadie.

APÉNDICE

Las ruinas del rey Salomón

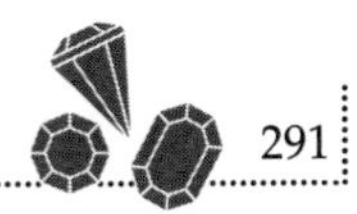

Las líneas que vas a leer, que espero que leas a continuación, querido lector, no sé si son un cuento, un relato, un ensayo o acaso una asociación literaria con algo de azaroso y circunstancial, y con su tanto de pensado y medido. Me llamo Jesús Urceloy. Soy poeta. También soy —estimo— un buen lector. Me gusta la literatura. Y, de entre la literatura, una época: el medievo; un esfuerzo: el verso bien trabajado; un género: los subgéneros.

Pese a lo que quieran decirnos críticos y modas, sospecho que en España estamos viviendo uno de los peores momentos de nuestra literatura. Acaso el peor de todos. Se están premiando, publicando, festejando los dos extremos: o autores muy jóvenes o autores muy viejos. Promocionar lo muy joven está bien, pero la mayoría de las veces mata a la promesa: el oropel ciega. Acaso sea ese el propósito. El interés de los otros. Los viejos. Los asentados. Los que dan. Han creado una generación denostada: los que están entre los 30 y los 40 años. Más o menos. Sin culpa alguna. Cuando tenían veinte años no se los promocionó porque no tenían treinta. Ahora que tienen treinta no se los festeja porque no tienen veinte. Es lo que yo llamo «Generación del Tapón».

Sin embargo, protestan poco. Tal vez se merezcan todo lo que les viene encima. De vez en vez, alguno de ellos prueba las mieles y las ambrosías... y con poco esfuerzo —por parte de los otorgadores— engrosa las filas del Gran Tapón. Y ya está. Vamos bien. Este verano cumpliré 38 años.

Eso de los subgéneros es sencillo. Uno cree, como comparación con los dos párrafos precedentes, que nuestros doctores, filólogos o redactores se olvidan de que la literatura no es solo realismo, naturalismo, simbolismo y otras grandes gaitas. Uno cree que

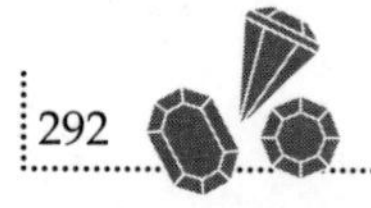

la gran literatura está en una valoración «al igual» de todos los géneros. Uno reivindica la novela de anticipación, aventuras, negra, ciencia ficción, etc., junto a —y todas las preposiciones— el resto. En el fondo, todos los que escribimos hemos aprendido tanto de Verne como de Tolstoi, tanto de Bradbury como de Sartre, tanto de Haggard como de Proust. Y no es anatema, amigos. Es la terca, redundante, insumisa realidad.

A mí Haggard me gusta especialmente. No lo he leído todo, por supuesto. Pero sí el ciclo de Ayesha y un par de novelas de Allan Quatermain. Me parece grande. Escribe bien. Atrapa. Seduce. Enseña. Divierte. Con estos dones, ¿aún debe engrosar el subgénero?

Mi amigo Rafael Pérez-Castells también es poeta. Uno de los poetas más interesantes de nuestro panorama poético. Otra víctima del Tapón. Y también es químico. Diferenciemos: es poeta y trabaja como químico. De poeta nadie vive. Él ha conseguido prestar sus servicios en una empresa donde varias veces al año tiene que viajar por el mundo. A contactar con clientes, a cerrar tratos. Sabiendo que partía a Sudáfrica hace dos semanas, tuve una ocurrencia y le pedí un favor.

—¿Has leído *Las minas del rey Salomón?*

—Sí. Claro. Por supuesto.

No sé si hace falta contar el resto. Me dijo que bueno, que intentaría ocupar uno de los dos o tres días libres de su viaje. Mi amigo Rafael estaba dispuesto a comprobar qué quedaba a día de hoy de «Las minas del rey Salomón».

Ayer, ya de vuelta en Madrid, quedé con él y me dediqué con curiosidad y afecto a entrevistarle en profundidad. Mi intención es mostrarte, lector, algunos de los recursos que consuman la obra literaria, y Haggard —como comprobé tras esta interesantísima entrevista con Rafael— no es ajeno a ellos: al contrario, resulta ser un artista consumado.

Comencé analizando en profundidad el viaje de Allan Quatermain desde sus orígenes en Ciudad de El Cabo hasta su regreso a Berea, que es donde nos dice un par de veces que reside. Luego comparé este periplo a la pequeña aventura encargada a mi amigo, y saqué conclusiones: estas son. Las líneas que siguen, y las que has leído, quiero con tu cortesía dedicárselas —¡pequeño pago para su esfuerzo!— a este excelente poeta, a este gran viajero, a este amigo inmarcesible.

Comienza Quatermain refiriéndonos que estando de caza «mas allá de Bamangwato» —con resultado ciertamente adverso en cuanto a piezas obtenidas— decide volverse a Ciudad de El Cabo. El enclave «Bamangwato», o lo que sea, cree mi amigo que debe obedecer a un tipo de expresión coloquial, como cuando aquí nos referimos «al quinto pino»: no encontró ni en guías ni en mapas locales referencia a este supuesto topónimo. Pienso que, aunque existiese, la interpretación de mi amigo no carece de valor, ya que ese «más allá de Bamangwato» está dicho en la novela con un toque de ironía muy inglés, de una finura exquisita, haciéndonos ver con sutileza el estado de hastío que ocupaba las horas previas a la aventura «de las minas» en nuestro héroe. Por otra parte, Ciudad de El Cabo no solo existe, sino que es una de las tres capitales actuales de la República Sudafricana, junto a Pretoria y Johanessburgo.

Durante siete días de enero, Allan Quatermain permanece en El Cabo. Parece que una de las razones más importantes de su partida de esta ciudad hasta la región de Natal, que es donde él vive, radica en los precios abusivos del hotel donde se aloja. Rafael nada me aporta tampoco sobre este asunto: como en todas partes, hay hoteles caros y baratos, buenos y malos.

Tarda en barco Allan desde El Cabo hasta Durban, capital de Natal, 6 días, de los cuales uno pasa fondeado en el puerto. La costa sudafricana que baña el océano Índico es un acantilado casi constante, salpicado con algunas excepcionales playas, que coinciden —por ser los mejores lugares para el desembarco— con pequeñas y grandes poblaciones que, en su tiempo, fueron meros enclaves comerciales. Esto le pasa a Durban.

Durban es una ciudad grande y populosa. Tiene su centro administrativo y comercial con su media docena de rascacielos, y el resto es ese modelo de tarta inglesa arquitectónica que consiste en la difusión *ad infinitum* de pequeñas casas de dos pisos con jardines y riachuelos. La playa de Durban se llama Isipingo. Y está infestada de tiburones. Típico de esta zona es la profusión de palmeras y jacarandás. Tienen siete variedades de serpientes venenosas y es uno de los centros mundiales de producción del animal más letal de la tierra: «la Viuda Negra». Las chicas son muy guapas, los

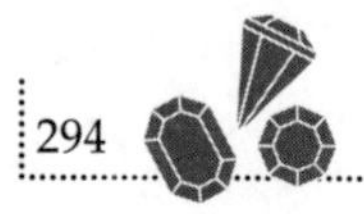

chicos, musculosos, y la variedad étnica más difundida, con diferencia, es la hindú.

East London es un puerto populoso entre El Cabo y Durban. Allan y sus amigos dejan el barco y se trasladan a la primera mentirijilla de Haggard: la casa de Quatermain. Dice estar en una aldea llamada Berea, «en las cercanías de Durban». A no ser que sea uno de esos pueblos de extrarradio que las ciudades tienden con el tiempo a engullir, Berea solo puede ser una población a 200 km de la capital de Natal. Recordad este dato, porque, literariamente, tiene una importancia fundamental.

Bien pertrechados y en un carro tirado por 20 bueyes parten los expedicionarios un 30 de enero hasta Inyati, un centro comercial a unas setecientas millas al norte de Durban. Allí se dedican a cazar elefantes, en un paraje boscoso y acuático, a 15 millas pasada esta población. El 12 de mayo, es decir, más de tres meses después de su salida de Durban, llegan a lo que consideran el verdadero inicio de su aventura: el Kraal de Sitanda, en la confluencia de los ríos Lukanga y Kalukwe o Kalukawe, que de las dos maneras lo escribe Haggard, 300 millas al norte de Inyati.

Los mapas políticos tienden a cambiar con el tiempo. Inyati es hoy una pequeña ciudad de Zimbabwe: el país hasta hace muy poco más pacífico de la historia de África.

Está situada al nordeste de Bulawayo, segunda ciudad en importancia de este país. Y aquí comienza la imaginación de Haggard a expandirse, ya que el inicio en tiempo «real» de la aventura es también el «comienzo» de la geografía «fantástica» de nuestro autor.

El río Lukanga no existe, pero sí una enorme extensión pantanosa de Zambia, a 300 millas al norte de Inyati, con ese nombre. En los alrededores un río llamado Kafue es el único paraje con una cierta etimología similar a Kalukwe. Entre ambos existe también una población llamada Chisamba, que recuerda un tanto a la Sitanda de Henry Rider Haggard. Que cada cual deduzca los parecidos.

El caso es que esta zona está bastante despobladita. Las aldeas se distancian mucho unas de otras y hay grandes —inmensas— zonas que alternan una vegetación exuberante junto a tierras de labor y pequeños desiertos. Quinientas millas al Norte, ya en Zai-

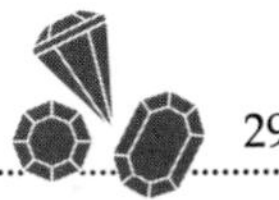

re, los días claros se puede ver una cordillera... ¿Lo adivináis? Exacto. Los montes de Shaba.

Bueno. Pues exactamente en este punto comienza esa materia del alma que llamamos imaginación. Recordarás ese pueblo que te dije antes, Berea. Bien. Haggard pasó varios años de su juventud trabajando en Sudáfrica. Y conoció muy bien la zona de Durban, Lesotho, East London, Maputo, Natal y el Estado Libre de Orange. También estuvo en Berea.

Esta zona es un prodigio de la naturaleza. Una cosa rara y milagrosa. En realidad Lesotho es una altiplanicie, un monte gigantesco coronado por una llanura. Las laderas de este monte descienden durante kilómetros y kilómetros hasta verse interrumpidas por el Índico. Por eso la costa oriental sudafricana es tan abrupta. Cuando Allan Quatermain y sus fieles caminan por el desierto previo a los Senos de Saba, cuando ascienden a uno de ellos, el izquierdo, cuando desembocan en un fértil valle sesgado por ríos y ebrio de caza, en realidad están viajando por zonas conocidas y vividas por Haggard. Son los alrededores de Lesotho. Hay un pueblo llamado Kraal, un río cuyo nombre es Leuve o Leu, un poblado bautizado como Kuku, otro se denomina Kobbi... Y otra vez se repite el nombre de Shaba con hache intercalada o no. Hay decenas de Shabas. Hay decenas por toda la región. Y son montes. Y hay un pequeño desierto, minúsculo, pero muy árido, al borde de una pequeña cordillera llamada Berg, con la curiosa forma central de dos pechos de mujer tumbada, en cuya base crecen frutos parecidos al melón... Sí, amigo mío: se trata del paisaje que durante cuatro años contempló Haggard todas las mañanas al descorrer las cortinas de su dormitorio.

Nuestro joven Henry imita a la realidad. Cambia la ubicación y los nombres, pero los lugares existen y se repiten asombrosamente en este paraje africano. Yo no creo que la ficción imite a la realidad, sino que la realidad —al fin y al cabo— se imita a sí misma. Ni cuevas, ni ríos subterráneos, ni simas u hondonadas son ficticias. Lo ficticio es la aventura, la trama, el desenlace. El autor no nos engaña: sencillamente, establece un rompecabezas particular.

Allan Quatermain o Henry Haggard —como quieras llamarlo—, sale un 30 de enero desde Durban no a la busca de unas riquezas, sino al encuentro de su alma perdida, del paisaje de su alma perdida. No tuvo una granja en África, sino África entera. Y la está llorando, reclamando desde su Londres frío y caudaloso. El paisaje es en *Las minas* el verdadero protagonista. Cuando casi un año después Allan vuelve a poner el pie en su casita de Berea es un hombre nuevo, acaso más persona, que no es poco.

Rafael Pérez-Castells invirtió algo menos en recorrer estos mundos. Un avión y dos avionetas, un par de días, un coche de alquiler, dos hoteles y unos amigos aborígenes, que buena gente hay siempre por todo el globo, compañero.

Voy a finalizar este pequeño ensayo, relato, cuento, historia, no sé: esta sarta debidamente ordenada de productos azarosos con un acertijo. Encuentra un buen mapa que abarque Angola, Zambia y el Zaire. Localiza en Angola el parque nacional Cameia, en Zaire, los montes de Shaba, y en Zambia, el pantano de Lukanga. No es difícil. Si trazas una línea imaginaria que, paralela a los montes de Shaba, una los otros dos puntos, aproximadamente en la frontera, en la misma frontera, entre esas poblaciones tan distantes, esos desiertos..., descubrirás —reconozco que aún me inquieta el descubrimiento— el lugar más solitario del mundo de todo el siglo XX. Aunque —claro está— eso sea otra historia.

O no.

Jesús Urceloy

Índice

Otros títulos de la colección

Esta novela es casi la historia de una degradación. Rousseau decía del hombre que nace naturalmente bueno y se pervierte al contacto con la sociedad. London lo aplica al mundo del animal. Colmillo Blanco, el perro-lobo salvaje que no conoce más leyes que las de la naturaleza, irá agudizando sus instintos de ferocidad o violencia a imagen y semejanza de sus dioses: los hombres. «Si el lobezno hubiera pensado como los hombres —dice London—, habría calificado la vida como un voraz apetito, y el mundo como un caos gobernado por la suerte, la impiedad y el azar en un proceso sin fin.» Por fortuna, Colmillo Blanco encontró al «señor del amor», siquiera al borde de la muerte.

De Robin Hood sabíamos que tenía sus pequeñas debilidades, como esa de repartir riqueza de un modo tan original como expeditivo. Juan Arreglalotodo, cuya cuadrilla de la Verde Selva tanto recuerda a los proscritos de Robin Hood, tiene también una curiosa manera de repartir flechas y tener en jaque a la caballería normanda. Ambientada en la Guerra de las Dos Rosas, *La Flecha Negra* refleja las características y contradicciones de la época feudal. Pero Stevenson no olvida que está escribiendo una novela, y el lector, de la mano del joven Dick, se sentirá arrastrado por el vertiginoso ritmo narrativo, sembrado de golpes teatrales, hacia un final no por feliz menos sorprendente.

Una joven inglesa llega a una vieja mansión en el campo para encargarse de la educación de un niño y una niña que han quedado huérfanos. Poco tiempo después de su llegada, descubre que los niños reciben periódicas «visitas» de sus antiguos preceptores, un hombre y una mujer que habían muerto hacía más de un año. La institutriz, horrorizada, decide hacer lo posible para defender a los niños, cuya custodia se le había encomendado, y trata de interponerse entre ellos y los dos fantasmas. Con esta historia, aparentemente tan sencilla, Henry James logró realmente el «más difícil todavía»: dar otra vuelta a esa «tuerca» que hay escondida en todo relato de terror.

Edgar Allan Poe, el «padre de la novela policíaca», con la creación de Auguste Dupin dio origen al detective analítico —que tan buen seguidor tendría en Sherlock Holmes—, y con *Los crímenes de la rue Morgue* al problema del «recinto cerrado». Un abominbale crimen en una habitación cerrada o una importantísima carta robada pondrán en marcha el aparato policial: pero los policías profesionales no descubren nada, porque el bosque les impide ver el árbol. Dupin, en cambio, parte del árbol, del detalle revelador, y con su fría lógica logra desentrañar la complicada maraña del crimen. En una ocasión, hasta sin moverse de casa: para razonar le han bastado los periódicos.